EIN MOEWIG-BUCH

In der Reihe »Terra Science Fiction« erschienen bisher vom gleichen Autor:

T 104 *200 Millionen Jahre später ...*
T 121 *Im Reich der Vogelmenschen*

A. E. VAN VOGT

DIE BESTIE

(THE BEAST)

Science-Fiction-Roman

Deutsche Erstveröffentlichung

MOEWIG-VERLAG MÜNCHEN

Titel des amerikanischen Originals: THE BEAST
Übersetzung aus dem Amerikanischen: Jesco von Puttkamer

Printed in Germany 1968
Umschlag: Ott + Heidmann design. Bild: Stephan
Gesamtherstellung: Buchdruckerei H. Mühlberger, Augsburg

1. Teil

1

Der blau-graue Motor lag fast völlig vergraben auf einer grünen Anhöhe. Ein seelenloses Gebilde aus Metall und aus Kräften, die fast so mächtig waren, wie das Leben selbst – so ruhte er dort in jenem Sommer des Jahres 1972. Regen wusch seine gefühllose Form. Die Sonne eines Julis, dann die eines Augusts, brannte auf ihn herunter. Des Nachts spiegelten sich die Sterne matt in seinem Metall, ohne sich jedoch um sein Schicksal zu bekümmern. Das Raumfahrzeug, das er angetrieben hatte, war im Begriff gewesen, in die Erdatmosphäre einzutauchen, als der Meteorit durch das Fundament pflügte, auf dem er verankert stand. Dergestalt seiner Fesseln entledigt, zerfetzte das Triebwerk das noch verbliebene Zellenwerk und schoß augenblicklich durch das gähnende Meteorloch hinaus, um den langen Sturz in die Tiefe anzutreten.

Während all der seither verstrichenen Wochen hatte es auf der Anhöhe gelegen – scheinbar leblos und untätig, doch in Wirklichkeit aktiv und lebendig in seiner großartigen Weise. Erdreich füllte sein Kraftfeld an; der Schmutz war so hartgestampft, daß es einen besonderen Wahrnehmungssinn erfordert hätte, wollte man feststellen, wie rasch er rotierte. Selbst die Jungen, die eines Tages auf einem Flansch der Maschine saßen, bemerkten nicht die Bewegungen des Erdreichs. Hätte einer von ihnen mit seiner schmutzigen Hand in das wirbelnde Inferno aus Energie hineingestochert, das das Kraftfeld bildete, so wären Muskeln, Knochen und Blut wie ein explodierendes Gas auseinandergespritzt.

Doch die Jungen liefen wieder davon, und das Triebwerk befand sich noch immer auf der Anhöhe, als die Suchpartie eines Nachmittags am Fuße des Hügels vorbeikam. Die Entdeckung hing an einem Haar. Es waren ihrer zwei – geschulte Beobachter, die den Abhang inspizierten. Doch eine Wolke verhüllte das Antlitz der Sonne, und sie gingen weiter, ohne etwas gesehen zu haben.

Es war über eine Woche später und wieder am Nachmittag, als ein Pferd den Abhang heraufgeklettert kam und über die hervorstehende Wölbung des Triebwerks stolperte. Der Reiter auf seinem Rücken schickte sich alsbald an, auf höchst erstaunliche Art abzusteigen. Mit der einen Hand, die er besaß, ergriff er das Sattelhorn und *hob* sich buchstäblich aus dem Sattel hoch. Wie beiläufig und scheinbar völlig mühelos brachte er hierauf ein Bein herüber, verharrte eine Sekunde lang in der Schwebe und sprang dann zu Boden. Die Zurschaustellung derartiger Körperkräfte wirkte um so müheloser, als die Handlung vollkommen automatisch geschah. Während des ganzen Vorgangs war seine Aufmerksamkeit auf das Ding in der Erde konzentriert.

Sein hageres Gesicht verzerrte sich, als er die Maschine näher betrachtete. Mit argwöhnischem Blick sah er sich um. Dann lächelte er spöttisch, als er sich des Gedankens in seinem Geist bewußt wurde. Schließlich zuckte er die Achseln. Es bestand wenig Chance, daß ihn jemand hier draußen sah. Die Stadt Crescentville befand sich über eine Meile entfernt, und keine Spur von Leben rührte sich in der Umgebung des großen, weißen Hauses, das etwa eine Drittel Meile entfernt zwischen den Bäumen im Nordosten stand.

Er war allein mit seinem Pferd und der Maschine. Und nach einem Moment der Stille klang seine Stimme mit kühler Ironie durch die Abendluft. »Na, Dandy, hier ist Arbeit für uns. Dieser Schrott sollte dir eine ganz nette Menge Futter einbringen. Wir schleppen den Klumpen nach Einbruch der Dunkelheit zum Schrotthändler. Sie wird es auf diese Weise nicht herausfinden, und wir bewahren uns den Rest unseres Stolzes.«

Er brach ab. Er hatte sich unwillkürlich umgewandt und blickte auf das gartenähnliche Grundstück, das sich über nahezu eine Meile zwischen ihm und der Stadt erstreckte. Ein weißer Zaun, der im Zwielicht nebelhaft gespenstisch erschien, umgab ein grünes Gelände von Bäumen und Weiden in weitem Bogen. Stellenweise, in Senken und hinter Gebüschen, war er unsichtbar. Er verschwand zu guter Letzt im Norden jenseits des stattlichen weißen Hauses.

Der Mann murmelte ungeduldig: »Was für ein Narr war ich doch, in der Umgebung von Crescentville zu bleiben und auf sie zu warten.« Er wandte sich um und sah auf die Maschine hinunter. »Muß probieren, wie schwer es ist«, dachte er. Dann: »Was es wohl sein mag?«

Er kletterte die Anhöhe vollends hinauf und kam mit einem abgestorbenen Ast zurück, der etwa einen Meter zwanzig lang und sechs Zentimeter dick war. Er begann, ihn unter der Maschine in die Erde zu bohren, um sie damit herauszustemmen. Es war ein mühsames, umständliches Stück Arbeit für einen, der nur einen Arm besaß, und als er das schmutzverstopfte Loch im Zentrum bemerkte, stieß er deshalb den Holzprügel hinein, um einen besseren Hebelansatz zu finden.

Sein Ausruf der Überraschung und des Schmerzes hallte heiser in der Abendluft wider.

Denn der Prügel riß ihn jählings von den Beinen. Er drehte sich wirbelnd in seiner Hand, wie ein Geschoß im gezogenen Lauf eines Gewehres – wie ein rotierendes Messer, das seine Hand zerschnitt, zerfaserte und wie Feuer verbrannte. Er wurde emporgehoben und zehn Meter weit den Abhang hinabgeschleudert. Stöhnend stolperte er auf die Füße, die verletzte Hand an die Brust pressend.

Der Laut erstarb ihm auf den Lippen, als sich sein Blick an dem pulsierenden, stampfenden, wirbelnden Ding festsog, das der abgestorbene Ast eines Baumes gewesen war. Er starrte sprachlos. Dann stieg er zitternd auf das schwarze Pferd. Der Schmerz verschleierte seine Augen, als er – die blutende Linke an sich gedrückt – das Reittier im Galopp die Anhöhe hinab und in Richtung der Straße lenkte, die zur Stadt führte.

Während der nächsten drei Stunden kam sich Pendrake wie ein Wesen aus einem Alptraum vor. Ein Steinschlitten und ein Zuggeschirr für Dandy, von einem Bauern ausgeliehen – Seil und Flaschenzug – eine Hand in einem dicken Verband, noch immer gelähmt vor Schmerz – und ein Treck durch die Dunkelheit mit einem summenden Ding auf dem Schlitten.

Doch hier befand sich nun die Maschine – auf dem Boden seines Stalls. Eine Entdeckung war nun wohl nicht mehr zu befürchten, trotz des surrenden Geräusches, das das in ihrem Kraftfeld rotierende Holzstück erzeugte. Nachträglich besehen, erschien es seltsam, wie sich sein Verstand verhalten hatte. Der Entschluß, die Maschine heimlich zu seinem Haus zu schaffen, war von einer derart automatischen Selbstverständlichkeit jenseits jeder logischen Überlegung gewesen, wie man es höchstens noch bei Entscheidungen auf Leben und Tod antrifft. Selbst wenn er auf einer verlassenen Straße einen Hundert-Dollar-Schein gefunden hätte, wäre sein Entschluß, ihn rasch aufzuheben, nicht so selbstverständlich gewesen.

Der gelbe Schein der Laterne erfüllte den Raum, der einst eine Privatgarage und Werkstatt gewesen war. In einem Winkel stand Dandy mit glänzendem schwarzen Fell, und seine Augen glitzerten, als er den Kopf wandte, um das Ding anzublicken, das sein Quartier mit ihm teilte. Der nicht unangenehme Geruch nach Pferd lag jetzt, bei geschlossener Stalltür, dick in der Luft. Das Triebwerk ruhte neben der Tür auf der Seite. Das einzig Störende an ihm war die Tatsache, daß das Holz in seinem Kraftfeld nicht geradlinig rotierte. Wie die Karikatur eines Propellers schlug es durch die Luft und rief allein aufgrund der Wucht und Geschwindigkeit seiner Rotation das laute, surrende Geräusch hervor.

Pendrake schätzte seine Geschwindigkeit auf etwa viertausend Umdrehungen pro Minute. Er stand reglos vor dem Ding und bemühte sich, den Sinn und die Funktionsweise einer Maschine zu begreifen, die ihm einen Holzprügel aus der Hand reißen und ihn dann derart gewaltsam in Drehbewegung versetzen konnte. Seine Anstrengung half nichts. Die Falten auf seiner Stirn vertieften sich, als er den verschwommenen Wirbel des Holzes anstarrte. Unmöglich, den Prügel einfach zu packen! Und obwohl es sicherlich auf der Welt eine ganze Anzahl von Werkzeugen und Vorrichtungen gab, mit denen man einen wirbelnden Gegenstand packen und herausreißen konnte, verfügte er hier in seinem Stall über nichts dergleichen.

Er dachte: »Es muß eine Steuerung vorhanden sein . . . etwas, womit man den Kraftstrom abstellt.«

Doch der bläulich-graue, ringförmige äußere Mantel glänzte spiegelblank und ohne Vorsprung. Selbst die Flansche, die an vier Seiten aus dem Ring herausragten und die Löcher für die Bettbolzen enthielten, schienen aus dem Mantel herauszuwachsen, als ob sie aus dem gleichen Metallblock geformt worden seien – ja, als ob die ganze Konstruktion einem Entwurf entsprach, der mit seinen fließenden Linien nur absolute Vollendung gelten ließ. Zutiefst verwundert ging Pendrake um die Maschine herum. Es kam ihm die Idee, daß das vorliegende Problem wohl nicht zu denjenigen Problemen gehörte, die von einem Mann gelöst werden konnten, dessen einzige Arbeitsausrüstung in einer schwerverletzten und bandagierten Hand bestand.

Er bemerkte etwas Seltsames. Die Maschine lag schwer und unnachgiebig auf dem Boden. Weder zitterte sie, noch bewegte sie sich sonstwie. Sie zeigte nicht die geringsten Anstalten, in Reaktion auf das wie irrsinnig wirbelnde Ding in ihrer Mitte gegensätzlich zu dessen Drehbewegung über den Boden zu kriechen. Die Maschine verstieß gegen das Gesetz, welches besagte, daß Aktion und Reaktion gleichgroß und entgegengesetzt gerichtet sind.

In plötzlicher Erkenntnis der sich bietenden Möglichkeiten, beugte sich Pendrake nieder und versuchte, die Maschine anzuheben. Jäh durchstachen Dolche von Schmerz seine Hand, und Tränen schossen in seine Augen. Doch als er schließlich losließ, stand die Maschine aufrecht auf einem ihrer vier Flansche. Und der krumme Holzprügel rotierte nun nicht mehr senkrecht, sondern angenähert horizontal zum Boden.

Die Schmerzen in Pendrakes Hand ließen nach und gingen wieder in ein Pulsieren über. Er wischte sich die Tränen aus den Augen und ging zum nächsten Schritt in dem Plan über, den er sich ausgedacht hatte. Nägel! Er schlug sie in die Bolzenlöcher und bog sie dann über das Metall des Flansches. Dies tat er nur, um sicherzustellen, daß die auf einem nur sehr schmalen Fuß stehende Maschine nicht umfallen würde, wenn er zu stark gegen ihren Mantel stieß.

Als nächstes kam eine Apfelkiste. Der Länge nach auf der Seite liegend, reichte sie bis auf einen Zentimeter an das genaue Zentrum des großen Loches heran, aus dessen gegenüberliegenden Seite das Holz ragte. Ein etwa dreißig Zentimeter langes Stück Rohr von einem Zoll Durchmesser wurde darauf von zwei Büchern an Ort und Stelle gehalten. Es bereitete ihm große Schmerzen, den kleinen Vorschlaghammer in der fast unbrauchbaren Hand zu halten, aber er traf sein Ziel. Das Stück Rohr prallte vom Hammer ab, traf hart auf den Holzprügel im Innern des Lochs in der Maschine und schleuderte ihn auf der anderen Seite heraus.

Ein ohrenbetäubender Krach erschütterte die Garage. Einen Moment später gewahrte Pendrake eine lange, ausgesplitterte Öffnung in der Decke, wo das Holzstück hindurchgeschossen war, nachdem es auf dem Boden aufgeschlagen war. Pendrake holte tief Luft. Viele Dinge waren noch zu erforschen, eine ganze neue Maschinenwelt galt es zu erkunden. Doch eine Sache schien bereits klar:

Er hatte die Maschine besiegt.

*

Um Mitternacht war er noch immer wach. Immer wieder sprang er auf, legte das Magazin zur Seite, in dem er gelesen hatte, und ging in die dunkle Küche des Hauses, um zur noch dunkleren Garage hinauszuspähen. Doch die Nacht war still. Keine Diebe störten den Frieden des Städtchens. Manchmal erklang in weiter Ferne eine Autohupe.

Als er sich zum dutzendstenmal dabei ertappte, wie er das Gesicht gegen die kühle Scheibe des Küchenfensters preßte, begann er die psychologische Gefahr zu erkennen, die ihm drohte. Pendrake fluchte laut und ging ins Wohnzimmer zurück. Was bildete er sich eigentlich ein? Es konnte keine Rede davon sein, daß er jene Maschine behielt. Es mußte sich um eine neue Erfindung handeln, eine radikale Neuentwicklung, die ein Unglücksfall auf jenen Hügel gebracht hatte. Ein blöder Esel, der niemals die Zeitung las oder die Radionachrichten anhörte, wie er, würde natürlich von einem solchen Geschehnis nichts wissen können.

Wie er sich erinnerte, mußte sich irgendwo im Haus eine New York Times befinden, die er vor nicht sehr langer Zeit gekauft hatte. Er entdeckte die Zeitung in seinem Magazinständer bei einer Anzahl anderer alter und nie gelesener Zeitungen und Magazine. Das Datum am oberen Rand lautete 7. Juli 1971, und heute war der 16. August. Kein sehr langer Zeitraum, also.

Doch es war ja nicht mehr 1971. Es war 1972!

Pendrake sprang mit einem Ausruf auf die Füße und sank dann langsam in den Sessel zurück. Es war ein ironisches Bild, das sich daraufhin vor seinen inneren Augen einstellte – die kaleidoskopische Ansicht der Existenz eines Mannes, der tatsächlich so weit außerhalb des Zeitgeschehens lebte, daß ihm vierzehn Monate wie ebenso viele Tage vorgekommen waren. Fauler Kerl, dachte Pendrake, einen verlorenen Arm und eine unversöhnliche Frau als Ausrede dafür zu gebrauchen, vor dem Leben davonzulaufen! Das war vorbei. Alles zusammen. Er würde neu beginnen ...

Langsam wurde er der Zeitung in seiner Hand gewahr. Und der

Ärger verließ ihn, verdrängt von wachsender Erregung, als er die Schlagzeilen zu lesen begann:

PRÄSIDENT SPORNT DIE NATION
ZU NEUEN INDUSTRIELLEN LEISTUNGEN AN

NATIONALEINKOMMEN VON EINER BILLION DOLLAR
ERST DER BEGINN, SAGT JEFFERSON DAYLES

6 350 000 DÜSEN-WOHNANHÄNGER FÜR FAMILIEN ALLEIN
IN DEN ERSTEN FÜNF MONATEN VON 1971 VERKAUFT!

Pendrake kam der Gedanke, daß die tatsächliche Situation einfach darin bestand, daß er sich hier in seiner kleinen Hütte verkrochen und das Zeitgeschehen hinter sich gelassen hatte, aber daß das Leben währenddessen nicht stehengeblieben war. Und irgendwo hatte diese wogende Flut von Schaffenswille, Schöpfergeist und Ehrgeiz vor nicht sehr langer Zeit eine unglaubliche Erfindung hervorgebracht. Morgen würde er versuchen, eine Hypothek auf diese Hütte aufzunehmen. Damit hätte er dann etwas Bargeld und könnte den Bann dieses Orts für immer brechen. Dandy würde er auf die gleiche Weise zu Eleanore hinüberschicken, wie sie ihn vor drei Jahren zu ihm geschickt hatte – ohne ein Wort. Für das Tier, dessen Hunger er mit seiner kleinen Expiloten-Pension jetzt schon so lange nicht hatte stillen können, kämen die grünen Weiden des Gutsbesitzes einem Himmel gleich.

Er mußte über diesem Gedanken eingeschlafen sein. Denn als er erwachte, war es drei Uhr morgens. Er war naß vor Angstschweiß. Er befand sich bereits draußen in der Dunkelheit, damit beschäftigt, die Stalltür aufzuzerren, als es ihm bewußt wurde, daß alles nur ein böser Traum gewesen war. Die Maschine befand sich noch immer an ihrem Platz, mit dem fußlangen Stück Rohr in ihrem Kraftfeld. Das Rohr glitzerte im Strahl seiner Taschenlampe, während es sich drehte; sein brauner, leuchtender Glanz ließ sich kaum mit dem beschmutzten, verrosteten, rissigen Metallstück in Einklang bringen, das er aus den Abfällen in einem Keller herausgewühlt hatte.

Es fiel Pendrake ganz plötzlich auf, daß sich das Rohr weitaus langsamer drehte, als es der Holzprügel getan hatte; seine Rotation betrug noch nicht einmal ein Viertel der des Holzes – kaum mehr als vierzehn- oder fünfzehnhundert Umdrehungen pro Minute. Die Umdrehungszahl mußte von der Art des Materials abhängen, von seinem Atomgewicht, seiner spezifischen Dichte, oder etwas dergleichen.

Voll innerer Unruhe sagte sich Pendrake, daß es besser war, wenn man ihn zu dieser Stunde nicht im Freien sah. Er schloß die

Tür und kehrte zum Haus zurück. Er machte sich der kleinen Kurzschlußreaktion wegen, die ihn bewogen hatte, in die Nacht hinauszueilen, keine Vorwürfe. Doch die Folgerungen waren schwerwiegend und besorgniserregend.

Es würde ihm schwerfallen, die Maschine an den rechtmäßigen Besitzer zurückzugeben.

2

Am folgenden Tag begab sich Pendrake zunächst zur Geschäftsstelle der Lokalzeitung. Vierzig Nummern des wöchentlichen *Crescentville Clarion* ergaben nichts. Er las die ersten beiden Seiten jeder Ausgabe und ließ keine einzige Schlagzeile unbeachtet. Doch er fand keinen Bericht über einen Flugzeugabsturz, keine Meldung über eine großartige neue Maschine. Als er schließlich in den heißen Augustmorgen hinausging, fühlte er sich glücklich. Kaum zu glauben. Und doch, wenn die Dinge weiterhin so blieben, wäre die Maschine sein.

Von der Zeitungsredaktion ging er zur Filiale der Nationalbank hinüber. Der Darlehensbeamte zeigte ein leichtes Lächeln, als er sein Anliegen vorbrachte, und führte ihn zum Büro des Bankvorstehers. Der Bankvorsteher sagte: »Mr. Pendrake, es besteht für Sie keine Notwendigkeit, eine Hypothek aufzunehmen. Sie besitzen bei uns ein ansehnliches Konto.«

Er stellte sich als Roderick Clay vor und fuhr fort: »Wie Sie wissen, hatten Sie Ihre sämtlichen Besitztümer auf den Namen Ihrer Frau umschreiben lassen, bevor Sie mit der Luftwaffe nach Vietnam gingen – mit Ausnahme der Hütte, in der Sie zur Zeit wohnen. Diese Auslassung war zudem, soweit ich informiert bin, ein Versehen.«

Pendrake nickte, zu Worten nicht fähig. Er wußte, was nun kam, und die Worte des Bankvorstehers bestätigten nur noch seine Ahnung. Der Beamte sagte: »Nach Ende des Krieges ließ Ihre Frau, wenige Monate nachdem Sie beide sich getrennt hatten, die gesamten Besitzgüter heimlich wieder auf Ihren Namen zurückschreiben, inklusive Obligationen, Aktien, Barvermögen, Immobilien und dem Pendrak'schen Gutsbesitz, mit der Bedingung, daß man Sie über den Transfer erst in dem Augenblick unterrichtet, in dem Sie entweder danach Erkundigungen einziehen oder auf andere Weise bekunden, daß Sie Geld benötigen. Die Bedingung lautete fernerhin, daß man ihr in der Zwischenzeit den minimalen Unterhalt für sich und das Pendrake-Haus zahlen sollte.

Wenn ich mir die Bemerkung gestatten darf« – der Mann lächelte selbstgefällig, offensichtlich zutiefst befriedigt über die Weise, in der er die Unterhaltung geführt hatte – »Ihre Angelegenheiten sind in der Zwischenzeit gemeinsam mit denen der ganzen Nation erfreulich gediehen. Aktien, Obligationen und Bargeld auf dem Konto belaufen sich zusammen auf etwa eine Million zweihundertvierundneunzigtausend Dollar. Wünschen Sie, sogleich einen Betrag abzuheben? Wieviel darf es sein?«

Draußen war es heißer geworden. Pendrake wanderte zur Hütte zurück und dachte dabei: Er hätte wissen sollen, daß Eleanore so etwas fertigbringen würde. Diese angespannten, introvertierten, unversöhnlichen Frauen ... Als er sie damals anrief, war sie kalt und unnahbar gewesen, zweifellos unfähig, ihren Panzer der Zurückhaltung zu durchbrechen. Und das, obwohl sie wußte, daß sie sich finanziell seiner Gnade ausgeliefert hatte. Er würde darüber nachdenken müssen, was dies zu bedeuten hatte, und dann versuchen, sein Vorgehen zu planen. Vorerst jedoch gab es die Maschine.

Sie befand sich an Ort und Stelle, wo er sie zurückgelassen hatte. Er überprüfte sie mit raschem Blick und versperrte dann wieder die Stalltür mit dem Vorhängeschloß. Auf dem Weg zur Küche tätschelte er Dandy, der auf der Hinterwiese angepflockt war. In der Hütte angelangt, begann er nach dem Namen einer Washingtoner Patentfirma zu suchen und fand ihn auch. Der Sohn eines der Patentanwälte hatte mit ihm in Vietnam gedient. Mühsam kritzelte er seinen Brief mit der Linken. Auf dem Weg zum Postamt, wo er ihn aufzugeben gedachte, kam er an der einzigen Schlosserwerkstatt der Stadt vorüber. Die Gelegenheit nützend, bestellte er eine radförmige Greifvorrichtung – eine Art Kupplung, deren radarartiger Teil sich mit jedem Gegenstand in seinen Klauen mitdrehen würde.

Die Antwort auf seinen Brief traf zwei Tage später ein, bevor die »Kupplung« fertig war. Der Brief lautete:

Sehr geehrter Mr. Pendrake,

Ihrem Wunsche Folge leistend, haben wir alle verfügbaren Angestellten unserer Abteilung für Nachforschungen auf Ihr Problem angesetzt. Sämtliche patentamtlichen Veröffentlichungen über Maschinenerfindungen der letzten drei Jahre wurden geprüft. Darüberhinaus führte ich eine persönliche Unterredung mit dem verantwortlichen Leiter der zuständigen Dienststelle im Patentamt. Als Ergebnis dieser Recherchen kann ich Ihnen mit Gewißheit mitteilen, daß seit Kriegsende außer einigen Strahltriebwerksvariationen auf keinem Gebiet irgendwelche radikal neuen Antriebsmaschinen patentiert worden sind.

Wir gestatten uns hiermit, Kopien von siebenundzwanzig Motoren-Patentschriften der letzten Zeit zu Ihrer Einsicht beizufügen, die von unserem Stab aus Tausenden ausgewählt worden sind.

Unsere Rechnung geht Ihnen mit getrennter Post zu. Für Ihren Scheck über zweihundert Dollar als Anzahlung danken wir Ihnen sehr.

Mit vorzüglicher Hochachtung,
N. V. HOSKINS

P.S.: Ich dachte, Du wärst nicht mehr am Leben. Ich möchte schwören, daß ich Deinen Namen auf der Gefallenenliste sah, als sie mich gerettet hatten, und ich habe Dich seitdem betrauert. In etwa einer Woche oder so werde ich Dir einen langen Brief schreiben. Zur Zeit trage ich die gesamte Patentwelt auf meinen Schultern – nicht körperlich, natürlich. Doch spiele ich im Augenblick die Rolle eines geistigen Atlas, und es hat mir eine ganze Menge böser Blicke eingetragen, Deine Sache beschleunigt durchzupeitschen. Das erklärt die saftige Rechnung. Schluß für heute.

NED

Pendrake stellte fest, daß ihm das Schlucken schwerfiel, als er den Brief las und dann zum zweitenmal las. Der Gedanke daran, wie er sich von allen seinen früheren Freunden abgekapselt hatte, tat weh.

Ein grimmiges Lächeln erschien auf seinen Zügen, und es vergingen mehrere Minuten, bis er sich wieder an die Maschine erinnerte. Doch dann dachte er: »Ich werde ein Autofahrgestell und ein motorloses Flugzeug bestellen und mir eine Stange machen lassen, die aus vielen Metallen besteht . . . doch dazu muß ich zunächst natürlich einige Versuche anstellen.«

Er verharrte reglos, während sich seine Augen in voller Erkenntnis der sich bietenden Möglichkeiten staunend weiteten. Das Leben lockte von neuem. Und doch fiel es ihm noch immer eigenartig schwer, sich vorzustellen, daß die Maschine niemand anderem gehören sollte als ihm.

Zwei Tage später ging er zur Stadt, um die Greifvorrichtung abzuholen. Als er damit beschäftigt war, eine Zeltplane zu entfalten, um das Gerät darin einzuwickeln, vernahm Pendrake ein Geräusch hinter sich; dann sagte eine Männerstimme: »Was ist das?:«

Die Nacht war bereits hereingebrochen, und der Lieferwagen, den er sich gemietet hatte, schien in der Düsternis seine Formen verloren zu haben. Die Schlosserwerkstatt ragte zu Pendrakes Linker auf – ein schwärzliches Gebilde. Die Lampen schienen nur matt durch die schmierigen Fenster. Die Mechaniker, die ihm die Greifvorrichtung auf die Pritsche des Wagens geladen hatten, waren bereits wieder verschwunden. Pendrake war mit dem Fragesteller allein in der Nacht.

Ohne sich die geringste Überraschung ansehen zu lassen, zog er die Zeltplane mit einer raschen Bewegung über die Greifvorrichtung und wandte sich dann dem Mann zu, der ihn angesprochen hatte. Es war ein großer, kraftvoll gebauter Kerl – eine düstere Erscheinung in der Dunkelheit. Das Licht der nächsten Straßenlampe lag glänzend auf hervorstehenden Backenknochen, doch ließen sich die übrigen Gesichtszüge kaum ausmachen.

Es war die Spannung im Verhalten des Unbekannten, die einen

kalten Schauer durch Pendrake rieseln ließ. Es konnte kein Zweifel bestehen: Dies war keine müßige Neugier, die aus seinem Wesen sprach, sondern ein Ernst, eine Bestimmtheit, die erschreckend vorsätzlich erschien. Mit Mühe zwang sich Pendrake zur Ruhe. »Was haben Sie damit zu tun?« fragte er kurz.

Dann kletterte er hinter das Steuer. Der Motor sprang an. Ungeschickt betätigte er den Getriebekontrollknopf auf der rechten Seite, und der Lieferwagen rollte davon.

Er konnte den Mann im Rückspiegel sehen. Er stand noch immer im Schatten der Werkstatt – eine große, kräftige Gestalt. Doch dann begann er in die gleiche Richtung zu gehen, in der Pendrake fuhr. Einen Augenblick später lenkte Pendrake den Wagen um eine Kurve herum und unter Vollgas eine Seitenstraße hinunter. Dabei dachte er: »Ich werde auf Umwegen zur Hütte fahren und dann so schnell wie möglich den Wagen an den Mann zurückgeben, von dem ich ihn geliehen habe. Und dann ...«

Etwas Feuchtes tröpfelte ihm von der Wange. Er ließ das Lenkrad los und befühlte sein Gesicht. Es war mit Schweiß bedeckt. Er saß einen Moment absolut still und überlegte: »Bin ich denn verrückt? Ich kann doch nicht im Ernst glauben, daß jemand heimlich nach der Maschine sucht!«

Seine angespannten Nerven beruhigten sich allmählich. Was ihn schließlich von der Unsinnigkeit seiner Vermutung überzeugte, war der unglaubliche Zufall, daß ein solcher Sucher ausgerechnet neben der Schlosserwerkstatt einer Kleinstatt stehen sollte, dazu noch zu einem Zeitpunkt, an dem sich Jim Pendrake dort befand. Das wäre wie in jenen alten melodramatischen Stummfilmen gewesen, in denen die Bösewichte den arglosen Helden beschatten. Lächerlich! Nichtsdestoweniger unterstrich die Episode einen wichtigen Aspekt seiner Besitzergreifung der Maschine. Irgendwo war das Triebwerk gebaut worden. Irgendwo befand sich der Eigentümer.

Er durfte das unter keinen Umständen vergessen.

Die Dunkelheit der Nacht war vollends hereingebrochen, als Pendrake schließlich die Stallgarage betrat und das Licht einschaltete, das er am Vormittag installiert hatte. Die Zweihundert-Watt-Lampe schien mit sonnengleicher Helligkeit und gab dem kleinen Raum einen noch fremdartigeren Anstrich, als er schon bei Laternenschein gehabt hatte.

Das Triebwerk stand noch immer an der Stelle, an der er es in jener ersten Nacht festgenagelt hatte. Es stand dort wie ein aufgeblasener Reifen, der auf eine kleine, sehr breite Felge gehörte – ein großer, glänzender, blau-grauer Ring, der sich nur durch seine vier diametral angeordneten Flansche von einem regulären Torus unterschied. Die Wände krümmten sich vom Loch in der Mitte auswärts und aufwärts; das Loch selbst war etwas kleiner, als es die Proportionen eines Autoreifens verlangt hätten. Doch damit endete auch schon die Ähnlichkeit, die das Ding mit alltäglichen Gegenständen haben mochte. Das Loch war das Seltsamste, was ihm jemals begegnet war.

Es maß ungefähr zwölf Zentimeter im Durchmesser. Seine inneren Wände erschienen glatt, durchscheinend und ihrem Aussehen nach nichtmetallisch. In seinem geometrischen Zentrum schwebte das Stück Wasserrohr. Es hing buchstäblich im Raum, an Ort und Stelle festgehalten von einer Kraft, die keinen Ursprung zu haben schien.

Pendrake holte langsam und tief Atem, ergriff seinen Hammer und legte ihn behutsam über das hervorstehende Ende des Rohrs. Der Hammer vibrierte in der Hand, doch er verbiß die stechenden Nadeln des Schmerzes und begann mit zunehmender Stärke zu drücken. Das Rohr drehte sich weiter – unverrückbar, unberührt. Der Hammer schütterte vor Vibrationen. Pendrake hielt es nicht länger aus und löste das Werkzeug mit einer jähen Bewegung ab.

Geduldig wartete er, bis seine Hand aufgehört hatte zu schmerzen; dann holte er aus und landete einen kräftigen Schlag auf dem hervorstehenden Ende des Rohrs. Das Rohrstück glitt ins Loch hinein, und das andere Ende schob sich etwa achtzehn Zentimeter weit auf der anderen Seite heraus. Es war fast wie das Rollen eines Balls. Sorgfältig zielend traf Pendrake das Rohr am jenseitigen Ende. Es rutschte so leicht durchs Loch, daß es diesmal rund zweiundzwanzig Zentimeter weit hervorragte und nur noch mit einem zwei Zentimeter langen Ende im Loch blieb. Dabei rotierte es weiter wie die Welle einer Dampfturbine, nur daß es dabei keinerlei Geräusch erzeugte, nicht einmal das leiseste Sausen.

Pendrake kauerte auf den Hacken und schürzte die Lippen. Die Maschine war nicht perfekt. Die Leichtigkeit, mit der das Rohr – und vorher der Holzprügel – hinein- und herausgeschoben werden konnte, bedeutete, daß wahrscheinlich Zahnräder oder etwas ähnliches erforderlich waren. Eine Übersetzung, die auch unter großen Belastungen bei hohen Geschwindigkeiten nicht nachgab. Mit Mühe zerrte Pendrake die Greifvorrichtung heran, die er hatte herstellen lassen, und es dauerte mehrere Minuten, bis er sie an Ort und Stelle gebracht und die Greifbacken des Rotors auf die richtige Höhe eingestellt hatte. Doch er zwang sich zur Geduld.

Endlich war es soweit, daß er den Kontrollhebel bedienen konnte. Fasziniert haftete sein Blick auf den beiden Hälften des Kupplungsrades, die sich langsam um das zollstarke Rohr schlossen, griffen und zu rotieren begannen. Ein warmer Strom durchlief seinen ganzen Körper. Es war der angenehmste Augenblick der vergangenen drei Jahre für ihn. Behutsam begann Pendrake an der Greifvorrichtung zu ziehen, darum bemüht, sie über den Boden auf sich zu ziehen. Sie rührte sich nicht von der Stelle. Er runzelte die Stirn. Vermutlich war die Maschine zu schwer, um auf behutsame

Drücke zu reagieren. Hier waren Muskeln vonnöten, und zwar ohne jegliche Hemmungen. Sich gegen den Boden stemmend, begann er aus allen Leibeskräften zu ziehen.

Erst viel später erinnerte er sich, daß er sich im Bemühen, auszuweichen, nach hinten in Richtung der Tür geworfen hatte. Schemenhaft sah er ungläubigen Blickes, wie die starken Nägel, mit denen er die Maschine auf den Bodenplanken befestigt hatte, mit spielerischer Leichtigkeit herausrissen, als das Triebwerk kippte und auf ihn zufiel. Im nächsten Moment *hob* sich die Maschine vom Boden, verharrte dort einen kurzen Augenblick und drehte sich dabei langsam, wie ein Propeller; dann krachte sie schwer zu Boden und begrub die Greifvorrichtung unter sich.

Mit ohrenbetäubendem Getöse zersplitterten die Holzplanken des Fußbodens. Der Zement darunter, der früher der Boden der Garage gewesen war, bevor aus der Garage ein Stall wurde, barst mit einem knirschenden Geräusch, als die Greifvorrichtung vierzehnhundertmal in der Minute dagegen geschmettert wurde. Metall kreischte und zerriß in Stücke und Splitter, die die Umgebung mit einem Hagel des Todes durchsiebten. Das Durcheinander von Lärm, Staub, spritzenden Zement- und Metallstücken hallte noch einen qualvoll ausgedehnten Moment lang in Pendrakes halbbetäubtem Verstand wider.

Wie die Nacht, die einem Tag voller Schlachtenlärm folgt, so kroch nun Stille über die Szene – unnatürlich intensive Stille. Dunkle Blutspuren waren auf Dandys bebender Flanke sichtbar, wo ihn ein Splitter geritzt hatte. Pendrake richtete sich auf und begann das zitternde Pferd zu beruhigen, während er den Umfang des Schadens überschlug. Er sah, daß die Maschine auf der Seite lag und anscheinend von ihrer eigenen Gewalttätigkeit nicht berührt worden war. Ein glänzendes, blau-graues Ding voll versteckter Drohung, so lag sie im Schein der auf wunderbarer Weise verschont gebliebenen elektrischen Lampe.

Er brauchte eine halbe Stunde, um all die Bruchstücke der einstmaligen Greifvorrichtung zusammenzusuchen. Er trug sie Stück für Stück zusammen und brachte sie ins Haus. Das erste wirkliche Experiment mit dem Triebwerk war vorüber. Und zwar erfolgreich, entschied er.

Abwartend saß er in der Dunkelheit der Küche. Die Minuten tickten vorüber. Und noch immer rührte sich nichts draußen. Schließlich seufzte Pendrake erleichtert. Es schien ihm jetzt ziemlich sicher, daß niemand die Katastrophe in seiner Garage beobachtet hatte. Oder wenn doch, so hatte es ihre Neugier nicht erregt. Die Maschine befand sich noch immer in Sicherheit.

Das Nachlassen der unerträglichen Spannung ließ ihn bewußt gewahr werden, wie einsam er sich wirklich fühlte. Mit einem Male bedrückte ihn die Stille. Und plötzlich kam die Einsicht, daß sein fortschreitender Sieg über die Maschine keine Befriedigung für einen Mann darstellen würde, der sich von der Welt abgeschnitten hatte. Er dachte nüchtern: »Ich sollte sie besuchen gehen.«

Nein – das würde nicht funktionieren. Eleanores emotionelle Einstellung hatte ein gewisses Beharrungsvermögen, das sich nicht so leicht umlenken ließ. Ihr unter die Augen zu treten, würde zu nichts führen. Aber es gab noch eine zweite Möglichkeit.

Pendrake setzte den Hut auf und ging in die Nacht hinaus. Im Drugstore an der Ecke eilte er ohne zu zögern in die Telefonkabine. »Ist Mrs. Pendrake zu Hause?« fragte er, als jemand seinen Anruf beantwortete.

»Ja, Suh!« Die tiefe Stimme der Frau ließ darauf schließen, daß sich wenigstens *eine* neue Bedienstete in dem großen Haus befand. Er kannte die Stimme nicht. »Einen kleinen Moment, bitte, Suh.«

Ein paar Sekunden später hörte er Eleanores tönende Stimme sagen: »Hier ist Mrs. Pendrake.«

»Eleanore, hier ist Jim.«

»Ja?« Pendrake lächelte unwillkürlich, als er die winzige Veränderung in ihrem Tonfall hörte und feststellte, daß sie in die Defensive gegangen war.

»Ich möchte zurückkommen, Eleanore«, sagte er leise.

Schweigen antwortete ihm, dann ...

Klick!

Wieder in der Nacht draußen, blickte Pendrake zum sternenübersäten Himmel empor. Das Firmament war ein dunkles, dunkles Blau. Crescentville, die amerikanische Ostküste, ja, die ganze westliche Hemisphäre ruhte tief im Nachtschatten des großen Mutterplaneten. Er dachte: »Vielleicht war es ein Fehler; aber nun weiß sie es.«

Er schlenderte durch eine Hintergasse zu seiner Hütte zurück. Als er vor dem niedrigen Gebäude ankam, mußte er sich zwingen, nicht dem plötzlichen Impuls nachzugeben, der ihn drängte, auf einen Baum zu klettern, von dem aus das große, weiße Herrschaftshaus sichtbar wäre. Er warf sich im Hintergarten ins kühle Gras, starrte zur Garage hinüber und überlegte zögernd: Eine Maschine, die alles in Drehung versetzte, was man in ihr Kraftfeld schob, und die es mit der spielerischen Leichtigkeit unbegrenzter Kräfte in tausend Stücke zerschmettern würde, wenn man sie daran zu hindern versuchte. Eine Maschine, durch die man eine Welle *schieben* konnte, die sich dann jedoch nicht aus ihr heraus-*ziehen* ließ. Was unmittelbar bedeutete, daß man nur einen Flugzeugpropeller an einer Welle aus gradierten, kalibrierten Metallen zu befestigen hatte – gradiert gemäß ihrer Atomgewichte und spezifischen Dichten.

Jemand klopfte an die vordere Eingangstür der Hütte. Pendrake befand sich jäh in Alarmbereitschaft, als er auf die Füße sprang. Doch es war nur ein Junge mit einem Telegramm. Der Text lautete:

KABINENMODELL »PUMA« LIEFERUNG AN FLUGPLATZ DORMANTOWN ERFOLGT MORGEN STOP SPEZIELLE MOTORENHALTERUNG UND KONTROLLEN INSTALLIERT WIE VERLANGT STOP KONSTRUKTION AUS MAGNESIUMLEGIERUNG UND AEROGEL-KUNSTSTOFF STOP

ATLANTIC FLUGZEUGWERKE GMBH

*

Er war am nächsten Tag dort, um die Lieferung in Empfang zu nehmen. Er hatte einen Hangar am jenseitigen Ende des Platzes gemietet und ließ das Flugzeug von den Männern auf dem großen Lastwagenanhänger erst in seinem Innern abladen. Als die Transportarbeiter gegangen waren, verschloß und verriegelte er die Tore. In der Morgendämmerung des folgenden Tages fuhr er das Triebwerk hinüber und machte sich sofort an die herkulische Arbeit, es mit Hilfe der Werkzeuge und Vorrichtungen einzubauen, die er sich zu diesem Zweck besorgt hatte. Es war eine Aufgabe, die für einen einarmigen Mann zwar keine Unmöglichkeit darstellte, jedoch lange Zeit in Anspruch nahm. Doch er blieb beharrlich und beendete sie. Er verbrachte die Nacht im Hangar und war bereits auf, als das erste Grau des Tageslichts im Spalt unter der Tür sichtbar wurde. Aus dem mitgebrachten Proviant bereitete er ein knappes Frühstück, kochte sich etwas Kaffee und aß hastig. Dann öffnete er die Torflügel des Hangars und schob mühsam das Flugzeug hinaus.

Er beließ es beim erstenmal bei einem einfachen Versuchsflug und beschränkte sich auf Höhen nicht über fünfzehntausend Meter und auf Geschwindigkeiten nicht über 280 Stundenkilometer. Das Fehlen jeglichen Motorengeräusches machte ihn unsicher, und er fragte sich bei der Landung besorgt, ob er wohl von jemandem bemerkt worden war. Selbst wenn er diesmal noch unbeachtet geblieben war, konnte es auf die Dauer nicht ausbleiben, daß seine Maschine auf ihren geräuschlosen Flügen Aufmerksamkeit erregen würde. Und mit jedem verstreichenden Tag, mit jeder Stunde, in der er sich auf diese Heimlichtuerei beschränkte, würde sich seine moralische Position verschlechtern. Der Motor gehörte jemandem. Jemandem, der ihn zurückhaben wollte. Er müßte sich ein für allemal entscheiden, ob er seinen Fund kundtun sollte. Es wurde höchste Zeit, einen Entschluß zu fassen.

Er erwachte aus seinem Brüten und merkte, daß er den vier Männern, die auf ihn zukamen, mit gerunzelten Brauen entgegensah. Zwei von ihnen schleppten zwischen sich einen großen Werkzeugkasten, und ein dritter zog eine kleine Karre hinter sich her, auf der weitere Gerätschaften lagen. Die Gruppe blieb etwa fünfzehn Meter von Pendrakes Flugzeug entfernt stehen. Dann setzte sich einer von ihnen wieder in Bewegung und kam näher, wobei er in die Tasche langte. Mit der anderen Hand klopfte er an die Kabinentür.

»Ich möchte Sie etwas fragen!« rief er.

Pendrake verschluckte einen Fluch. Man hatte ihm versichert, daß kein anderer Hangar an diesem Ende des Flugplatzes vermietet worden war, und daß die großen Gebäude zur Zeit leer standen. Ungeduldig zog er den Hebel, der die Tür öffnete. »Was ...«, begann er. Er verstummte abrupt und schluckte hart. Er starrte auf den Revolver, der ihn böse anglitzerte. Dann sah er, daß das Gesicht des Fremden mit einer Fleischmaske bedeckt war.

»Steig aus.«

Als Pendrake aus der Kabine kletterte, wich der Mann wachsam zurück, um außerhalb seiner Reichweite zu bleiben, und die anderen Männer kamen mit ihrem Karren und den Werkzeugen angerannt. Sie verstauten die Gegenstände im Flugzeug und stiegen hinein. Der Mann mit dem Revolver verharrte einen Moment in der Türöffnung, zog ein Päckchen aus der Brusttasche und warf es Pendrake vor die Füße.

»Hier, das entschädigt Sie für das Flugzeug. Und denken Sie daran: Sie werden sich nur lächerlich machen, wenn Sie diese Sache weiterverfolgen. Dieser Motor befindet sich im Entwicklungsstadium. Wir möchten zunächst alle seine Fähigkeiten erforschen, bevor wir ihn zum Patent anmelden, und wir haben keine Lust, unsere Entwicklungsarbeiten behindern zu lassen. Das ist alles.«

Das Flugzeug setzte sich in Bewegung. Rasch erhob es sich vom Boden. Dann war es über dem westlichen Horizont zu einem Punkt zusammengeschrumpft und im blauen Dunst der Ferne verschwunden. Der Gedanke, der sich in Pendrakes Geist schließlich einstellte, lautete: Jemand anderes hatte für ihn die Entscheidung getroffen.

Das schmerzliche Gefühl des Verlustes wuchs in ihm, und im gleichen Maße damit wurde ihm seine eigene Hliflosigkeit zunehmend bewußt.

Er konnte ganz einfach nach Hause gehen. Er stellte sich vor, wie er sich wie ein geprügelter Hund in seine Hütte in Crescentville zurückschlich, mit nichts als der Aussicht auf eine endlose Zahl langer Tage vor sich. Oder — und der plötzliche Gedanke verursachte ein Stirnrunzeln — er konnte zur Polizei gehen. Er ließ die Möglichkeit tiefer einsickern und wurde dabei an das Päckchen erinnert, das ihm vor die Füße geworfen worden war. Er bückte sich, hob es auf und riß es auf. Als er die grünen Scheine darin gezählt hatte, hatte er ein säuerliches Lächeln. Hundert Dollar mehr, als er für den Puma bezahlt hatte.

Aber es war eine erzwungene Transaktion gewesen, und das zählte nicht. In plötzlicher Entschlossenheit startete Pendrake den Motor seines gemieteten Lastwagens und schlug den Weg zur

Dienststelle der Staatspolizei in Dormantown ein. Seine nagenden Zweifel kehrten in jähem Schwall zurück, als der Polizeisergeant mit ernster Miene seine Anklage niederschrieb.

»Sie haben die Maschine gefunden, sagen Sie?« Der Polizist war anscheinend endlich bei diesem Punkt des Tatbestandes angelangt.

»Ja.«

»Haben Sie den Fund bei der Polizeidienststelle in Crescentville gemeldet?«

Pendrake zögerte. Ohne die Maschine als Beweisstück dafür, wie ungewöhnlich dieser Fund war, sah er sich außerstande, glaubwürdig zu erklären, wieso er den Besitz des Motors geheimgehalten hatte. Er antwortete schließlich: »Ich hielt es zunächst für ein Stück Schrott. Als ich dann entdeckte, daß es kein Altmetall war, fand ich sehr schnell heraus, daß niemand einen derartigen Verlust gemeldet hatte. Als Finder der Maschine sah ich mich daher berechtigt, sie zu behalten.«

»Aber jetzt haben sie die rechtmäßigen Eigentümer?«

»Ich glaube, ja«, gab Pendrake zu. »Doch die Tatsache, daß sie Revolver verwendeten, ihre Heimlichtuerei und die Art und Weise, in der sie mich zwangen, das Flugzeug zu verkaufen, erschien mir bedenklich genug, um Anzeige zu erstatten.«

Der Polizeibeamte kritzelte einige Worte; dann: »Können Sie mir die Herstellernummer des Triebwerks nennen?«

Pendrake seufzte. Als er endlich in den Schein der aufgehenden Sonne hinausging, kam er sich vor, als ob er einen Blindgänger in eine undurchdringliche Dunkelheit abgefeuert hätte.

3

Im Morgenflugzeug aus Dormantown traf er in Washington ein und begab sich unverzüglich zur Geschäftsstelle von Hoskins, Kendlon, Baker, und Hoskins, Patentanwälte. Einen knappen Moment, nachdem sein Name hineingeschickt worden war, erschien ein schlanker, junger Mann und rannte durch das Vorzimmer auf Pendrake zu. Ohne sich um die Verdutztheit des Empfangsangestellten zu kümmern, rief er mit hoher Stimme:

»Der Mann aus Stahl! Jim, ich ...«

Er verstummte. Seine blauen Augen wurden groß. Die Farbe wich aus seinen Wangen, und sein Blick heftete sich mit entsetztem Ausdruck auf Pendrakes leeren Ärmel. Schweigend zog er Pendrake in sein Privatbüro. Er murmelte: »Der Mann, der die Türklinken abriß, wenn er zu sehr in Eile war, und der in der Erregung alles zerquetschte, was er in den Händen hielt ...« Er richtete sich auf und schüttelte seinen Trübsinn sichtlich ab. »Wie geht's Eleanore, Jim?«

Pendrake hatte gewußt, daß der Anfang schwer sein würde. So knapp er nur konnte, erzählte er: »Du weißt, wie sie war. Sie hatte jenen Job in der Forschungsabteilung der Hilliard Enzyklopädie-Gesellschaft – eine völlig weltfremde Existenz, aus der ich sie herauszog, und ...«

Er brach ab, zuckte schließlich die Achseln und fuhr fort: »Und dann erfuhr sie irgendwie von jenen anderen Frauen. Ich habe keine Ahnung, wer es ihr erzählt hat. Sie zeigte mir einen Brief und fragte mich, ob es wahr wäre.«

Hoskins entgegnete mitfühlend: »Wir waren drei Jahre lang in Vietnam. Ich hatte dort während dieser Zeit ein gutes Dutzend Frauen. Wenn ich nicht schon verheiratet gewesen wäre, hätte ich eine von ihnen zur Frau genommen. Was stand in dem Brief, und von wem war er?«

»Ich habe ihn nicht gelesen«, erwiderte Pendrake. Er seufzte. »Ich weiß nicht, was ich an Eleanore gefunden habe. Vielleicht hat sie mich an meine Mutter erinnert, oder so ähnlich. Sie hatte etwas an sich, das andere Frauen unwichtig erschienen ließ. Doch genug davon.«

Ohne Vorrede stürzte er sich in eine genaue Schilderung der Episode mit dem Motor. Es dauerte nicht lange, bis er die volle Aufmerksamkeit seines Gegenübers hatte, und als er am Ende der Geschichte anlangte, ging Hoskins mit langen Schritten im Zimmer auf und ab.

»Eine Geheimgruppe mit einer neuen, phantastischen Wundermaschine, Jim, das scheint mir eine ganz große Sache zu sein. Ich habe gute Verbindungen zur Luftwaffe und kenne den Kommissionsvorsitzenden Blakeley gut. Hast du reichlich Geld?«

Pendrake zuckte die Achseln. »Das hängt davon ab, was du unter reichlich verstehst.«

»Ich meine es folgendermaßen: Auf den Amtsschimmel zu warten, wäre Zeitverschwendung. Kannst du fünftausend Dollar auf den Tisch legen, für eine Elektronenbildkamera? Vielleicht kriegst du dein Geld zurück, vielleicht auch nicht. Worauf es allein ankommt, ist, daß du zu jenem Abhang zurückgehst, wo du den Motor gefunden hast, und die Elektronen des Erdreichs photographierst. Wir brauchen ein Bild der Maschine, um den Typ des ewigen Zweiflers zu überzeugen, der sich wieder überall zu zeigen beginnt – der Bursche, der nur das glaubt, was er sehen kann, und der dich von Pontius zu Pilatus schickt, wenn du es ihm nicht zeigen kannst.«

Die Energie und das Interesse des Mannes waren ansteckend. Pendrake sprang auf. »Ich gehe sofort los. Wo bekomme ich solch eine Kamera?«

»Es gibt eine Firma hier in der Stadt, die sie an Regierungs- und Universitätsinstitute für geologische und archäologische Studien verkauft. Hör mal, Jim. Es geht mir verdammt gegen den Strich, dich so schnell wieder wegzuschicken. Ich möchte dir gerne mein Haus zeigen und meine Frau vorstellen, aber bei diesen Photos kommt es auf jeden Augenblick an. Jenes Stück Erdreich ist dem Licht ausgesetzt, und das Elektronenabbild wird bereits unscharf sein.«

»Ich melde mich wieder«, sagte Pendrake und strebte zur Tür.

*

Die Abzüge kamen jedoch gestochen scharf heraus, und das Abbild der Maschine war unverkennbar. Pendrake saß in seinem Wohnzimmer und bewunderte die Hochglanz-Ausführung der Bilder, als der Bote vom Postamt an der Tür klopfte.

»Wir haben ein Ferngespräch aus New York für Sie«, sagte er. »Der Gesprächspartner wartet am Apparat. Kommen Sie zur Amtsstelle mit?«

»Hoskins«, dachte Pendrake automatisch, obgleich er sich nicht vorzustellen vermochte, was Ned in New York verloren hatte. Der erste Laut der unbekannten Stimme im Hörer ließ ihn erstarren. »Mr. Pendrake«, sagte sie, »wir haben Grund zu der Annahme, daß Sie noch immer an Ihrer Frau hängen. Es wäre sehr bedauerlich, wenn ihr etwas zustoßen sollte, nur weil Sie sich in Dinge einmischen, die Sie nichts angehen. Nehmen Sie sich in acht.«

Dann vernahm er einen Klick. Das kleine, harte Geräusch klang noch immer in seinen Ohren nach, als er Minuten später die Straße entlang ging. Nur ein Gedanke hob sich scharf ab: Die Nachforschungen waren vorüber.

Die Tage schleppten sich dahin. Nicht zum erstenmal kam Pendrake die Einsicht, daß es die Maschine gewesen war, die ihn aus seinem Stumpfsinn herausgerissen hatte. Und daß er sich nur deshalb so unverzüglich auf die Suche gemacht hatte, weil es ihm irgendwie klar geworden war, daß ihm ohne die Maschine nichts bleiben würde. Doch es war noch schlimmer. Er versuchte, den alten Rhythmus seiner Existenz wieder aufzunehmen. Und es gelang ihm nicht. Die langen Ausritte auf Dandy, die einstmals von der Morgendämmerung bis tief in die Nacht gedauert hatten, endeten an zwei aufeinanderfolgenden Tagen mit plötzlicher Abruptheit bereits um 10 Uhr vormittags und wurden dann völlig eingestellt. Nicht, daß ihm das Reiten nicht mehr gefallen hätte. Das Leben war neuerdings einfach zu wertvoll, um im Müßiggang verschwendet zu werden. Sein dreijähriger Dornröschenschlaf war vorüber. Am fünften Tag traf ein Telegramm von Hoskins ein:

WAS IST LOS? ICH WARTE AUF NACHRICHT VON DIR.

NED

Zögernd zerriß Pendrake die Nachricht in kleine Fetzen. Er beschloß, sie zu beantworten, doch war er zwei Tage später immer noch dabei, seinen Kopf über der genauen Fassung zu zerbrechen, als der Brief eintraf.

... kann Dein Schweigen nicht begreifen. Ich habe den Sonderbeauftragten Blakeley von der Luftwaffe für diese Sache interessiert, und einige technische Stabsoffiziere haben sich schon bei mir gemeldet. Noch eine Woche länger, und ich habe mich blamiert. Du hast Dir die Kamera gekauft — das habe ich nachgeprüft. Du mußt inzwischen die Bilder gemacht haben. Also laß endlich etwas von Dir hören ...

Pendrake antwortete darauf:

Ich verfolge den Fall nicht weiter. Es tut mir leid, daß ich Dich damit belästigt habe, doch habe ich etwas entdeckt, das meine Meinung bezüglich dieser Angelegenheit radikal geändert hat. Ich bin nicht in der Lage, zu sagen, was es ist.

Es hätte mehr der Wahrheit entsprochen, zu erklären, daß er es nicht sagen *wollte*, doch wäre dies nicht empfehlenswert gewesen. Diese aktiven Luftwaffenoffiziere — er selbst war einst einer gewesen — hatten sich mit Sicherheit noch nicht zu der Einsicht durchgerungen, daß sich der Frieden grundsätzlich vom Kriegszustand unterschied. Die Bedrohung Eleanores würde sie nicht sonderlich erschüttern, sondern allenfalls ungeduldig stimmen. Ihr Tod oder ihre Verstümmelung würde auf ihrer Verlustliste nur einen einzigen, unbedeutenden Fall darstellen. Natürlich würden sie Vorsichtsmaßregeln treffen, doch ... Zum Teufel mit ihnen!

Am dritten Tag, nachdem er den Brief abgeschickt hatte, rollte ein Taxi vor dem Gartentor seiner Hütte vor, und Hoskins stieg aus, begleitet von einem bärtigen Riesen. Pendrake ließ sie ein, nahm die Begrüßung durch den großen Blakeley ernst entgegen und reagierte kalt auf die Fragen seines Freundes. Nach zehn Minuten war Hoskins so weiß wie ein Bettuch.

»Ich kann es einfach nicht begreifen«, tobte er. »Du hast die Aufnahmen gemacht, nicht wahr?«

Keine Antwort.

»Wie sind sie geworden?«

Schweigen.

»Diese neue Sache, die du erfahren hast, und die dich angeblich bewogen hat, deinen Standpunkt zu ändern ... handelt es sich um irgendwelche Informationen bezüglich der Identität der Hintermänner hinter dem Motor?«

Pendrake dachte verzweifelt, daß er in seinem Brief hätte lügen sollen. Es war ein Fehler gewesen, auf seine Meinungsänderung anzuspielen, ohne Genaueres zu sagen. Er hatte damit nichts anderes erreicht, als die Neugierde seiner Besucher anzustacheln und sich dieses qualvolle Verhör einzubrocken.

»Lassen Sie mich mit ihm reden, Hoskins.« Pendrake spürte fühlbare Erleichterung, als Commissioner Blakeley das Wort ergriff.

Es wäre leichter, mit einem Fremden zu fechten. Er sah, daß Hoskins die Achseln zuckte, als er sich auf das Sofa setzte und mit nervösen Fingern eine Zigarette entzündete.

Der große Mann begann mit kühler Stimme: »Ich glaube, wir haben es hier mit einem psychologischen Fall zu tun. Pendrake, erinnern Sie sich an jenen Burschen damals – ich glaube, es war 1966 – der behauptete, einen Motor gebaut zu haben, der seine Antriebskraft aus der Luft bezog? Als die Reporter seinen Wagen untersuchten, entdeckten sie eine sorgfältig verborgene Batterie. Und dann«, fuhr die kalte, beißende Stimme fort, »gab es vor zwei Jahren eine Frau, die schwor, ein russisches Unterseeboot im Ontariosee gesehen zu haben. Ihre Geschichte wurde immer verrückter, je weiter die Nachforschungen der Marine fortschritten, und schließlich gestand sie, daß sie ihren Freunden einen Bären aufgebunden habe, um sich interessant zu machen; als der ganze Presserummel anlief, traute sie sich nicht mehr, die Wahrheit zu sagen. Nun, was Ihren Fall betrifft, so sind Sie klüger.«

Die unverhüllte Beleidigung rief ein schiefes Lächeln auf Pendrakes Gesicht hervor. Er stand reglos mitten im Zimmer, starrte zu Boden und nahm die demütigenden Worte ohne jede Gemütsregung hin. Seine Abwesenheit war derart tiefgründig, daß er aufs äußerste erschrak, als zwei große Hände seine Rockaufschläge packten, das gut aussehende bärtige Gesicht Blakeleys dicht an das seine herankam und die höhnische Stimme dröhnte:

»Das ist die blanke Wahrheit, nicht wahr?«

Die Erkenntnis, daß er bis zum Platzen gespannt war, bildete auch für ihn eine ehrliche Überraschung. Ohne sich eines Gefühls der Wut bewußt zu sein, löste er den Griff des großen Mannes mit einer knappen, ungeduldigen Bewegung seiner Hand, wirbelte ihn herum, packte ihn am Mantelkragen und trug den Umsichschlagenden auf die Veranda hinaus. Für einen kurzen Augenblick schien die Welt zu erstarren, als Blakeley in hohem Bogen auf den Rasen hinuntergeschleudert wurde. Brüllend vor Wut sprang er auf die Füße. Doch Pendrake war bereits dabei, sich abzuwenden. In der Tür begegnete ihm Hoskins, angetan mit Mantel und Hut. Er sagte mit gleichmäßig betonter Stimme:

»Ich möchte dich an etwas erinnern ...« Er zitierte die Worte des Treueschwurs, mit dem Pendrake ehemals als amerikanischer Offizier seine Loyalität gegenüber den Vereinigten Staaten bekundet hatte. Und da er daraufhin die Stufen hinunter eilte, ohne sich noch einmal umzusehen, konnte er nicht ahnen, daß er gewonnen hatte. Das wartende Taxi war abgefahren, bevor Pendrake in vollem Ausmaß erkannte, wie sehr jene abschließenden Worte sein ursprüngliches Vorhaben zunichte gemacht hatten.

Noch in derselben Nacht schrieb er einen Brief an Eleanore. Er folgte ihm am nächsten Tag zu der Stunde nach, die er angegeben hatte: halb vier. Als ihm die dicke Negerin die Tür des großen weißen Hauses öffnete, hatte er für einen flüchtigen Moment lang die Vorahnung, daß man ihm bedeuten würde, Eleanore wäre nicht zu Hause. Doch statt dessen wurde er durch die vertrauten Räume und Gänge in das riesige Wohnzimmer geführt. Die Jalousien waren geschlossen, und so dauerte es einen Augenblick, bis sich Pendrake genügend an das Dämmerlicht gewöhnt hatte, um die schlanke, junge Frau auszumachen, die sich bei seinem Eintritt erhoben hatte.

Ihre Stimme kam wohltönend, vertraut und fragend aus der Dämmerung: »Dein Brief war nicht sehr aufschlußreich. Ich hatte jedoch sowieso vorgehabt, dich zu sprechen; doch darum geht es jetzt nicht. Wieso befinde ich mich in Gefahr?«

Er konnte sie jetzt deutlicher sehen. Einen Moment lang brachte er kein Wort über die Lippen und stand nur dort, sie mit den Augen verschlingend – ihren schlanken Körper, jeden Zug ihres Gesichts, und das dunkle Haar, das es schmeichelnd umgab. Dann merkte er plötzlich, daß sie unter seinem prüfenden Blick errötete. Rasch begann er mit seiner Erzählung.

»Es war meine Absicht«, sagte er schließlich, »die ganze Sache fallenzulassen. Doch als ich schon meinte, die Geschichte durch den Rausschmiß Blakeleys beendet zu haben, erinnerte mich Hoskins an meinen Fahneneid.«

»Oh!«

»Deiner eigenen Sicherheit zuliebe«, fuhr er mit zunehmender Bestimmtheit fort, »mußt du sofort Crescentville verlassen und irgendwo im Menschengewühl von New York unterschlüpfen, bis wir diese Sache aufgedeckt haben.«

»Ich verstehe!« Ihr Gesichtsausdruck blieb undurchschaubar. Sie hatte in einem Sessel Platz genommen, und ihre Haltung erschien eigenartig steif, als ob sie irgendwie unter Spannung stand. Sie fuhr fort: »Die Stimmen jener beiden Männer, die mit dir gesprochen haben, der Mann mit dem Revolver und der andere am Telefon ... wie klangen sie?«

Pendrake überlegte. »Die eine war die Stimme eines jungen Mannes. Die andere klang älter.«

»Nein, das meine ich nicht. Ich meine den Ausdruck, die Sprachbeherrschung, den Bildungsgrad.«

»Oh!« Pendrake blickte sie verwundert an. Langsam entgegnete er: »Daran habe ich nicht gedacht. Gute Schulbildung, würde ich sagen.«

»Englisch?«

»Nein. Amerikanisch.«

»Das meinte ich. Keine Ausländer, also?«

»Auf keinen Fall.«

Pendrake erkannte, daß sie sich beide etwas entspannt hatten.

Er war innerlich erfreut über die kühle Ruhe, mit der sie der ihr drohenden Gefahr entgegensah.

»Diese Maschine ... hast du irgendeine Ahnung, was sie zu bedeuten hat?« fragte sie.

»Sie muß«, sagte Pendrake langsam, »aus einer Forschungsgrundlage von unermeßlicher Reichweite hervorgegangen sein. Entwicklungen von derartiger Perfektion können nur auf einem Fundament von Vorarbeiten anderer Menschen entstehen. Doch auch selbst mit dieser riesenhaften Grundlage muß jemand einen wahrhaft genialen Einfall gehabt haben.« Nachdenklich fügte er nach einem Moment hinzu: »Es muß ein atomgetriebener Motor sein. Es *kann* nichts anderes sein. Es gibt keine andere technische Evolutionsrichtung von ähnlich fortgeschrittenem Entwicklungsstand auf der Erde.«

Sie hatte ihn unverwandt angeblickt und schien nun ihrer nächsten Worte nicht sehr sicher zu sein. Schließlich sagte sie: »Es stört dich nicht, daß ich diese Fragen stelle?«

Er wußte sofort, was dies zu bedeuten hatte. Es war ihr plötzlich bewußt geworden, daß sie aufzutauen begann. Er dachte: »Oh, diese verdammt überempfindlichen Typen!«

Er entgegnete rasch: »Du hast bereits ein paar sehr wichtige Punkte aufgeklärt. Wie sie sich entwickeln werden, ist eine andere Frage. Hast du sonst noch etwas vorzuschlagen?«

Einen Augenblick lang herrschte Stille; dann sagte sie langsam: »Ich weiß, daß ich in diesen Dingen kein Experte bin. Ich habe keine wissenschaftliche Ausbildung, aber mein Forschungstraining hilft mir weiter. Ich weiß nicht, ob meine nächste Frage dumm ist oder nicht, jedoch ... zu welcher Zeit wurde der kernenergetische Motor möglich?«

Pendrake runzelte die Stirn und entgegnete: »Ich glaube, ich weiß, wie du das meinst. Welches ist der früheste Zeitpunkt, an dem die Entwicklung eines Atommotors möglich geworden wäre?«

»Ja, ganz richtig«, stimmte sie zu. Ihre Augen leuchteten.

Pendrake überlegte einen Moment und antwortete langsam: »Ich habe in der letzten Zeit sehr viel darüber nachgelesen. Es scheint, daß 1954 zutreffen könnte, doch ist 1955 wahrscheinlicher.«

»Das ist lange her — ausreichend lange.«

Pendrake nickte. Er wußte, was sie als nächstes sagen würde, und es war ausgezeichnete Logik.

»Hättet du die Möglichkeit, die Unternehmungen sämtlicher fähiger Köpfe nachzuprüfen, die sich seit diesem Zeitpunkt in diesem Land mit direkter Atomforschung befassen?«

Er nickte abermals. »Ich werde zuerst«, entgegnete er, »meinen alten Physikprofessor besuchen. Er ist einer jener ewig jungen alten Männer, die mit sämtlichen neuen Entwicklungen Schritt halten.«

Ihre Stimme klang kühl und unpersönlich, als sie ihn unterbrach: »Du willst diese Nachforschungen persönlich anstellen?«

Ihr Blick ging unwillkürlich zu seinem rechten Ärmel, als sie die Frage stellte; dann lief sie dunkelrot an. Ohne jeden Zweifel war unvermittelt die Erinnerung wach geworden. Pendrake lächelte und sagte rasch: »Ich fürchte, es gibt sonst niemanden. Sobald ich einige Fortschritte gemacht habe, werde ich zu Blakeley gehen und mich bei ihm dafür entschuldigen, daß ich ihn so schlecht behandelt habe. Bis es soweit ist, bin ich jedoch auf mich selbst angewiesen, und ich bezweifle auch, daß es jemanden gibt, der für diese Sache besser fähig wäre, als ich.« Er runzelte die Stirn. »Da ist natürlich die unangenehme Tatsache, daß ein einarmiger Mann leicht auffällt.«

Sie hatte sich wieder in Gewalt. »Ich wollte vorschlagen, daß du dir eine Armprothese und eine Fleischmaske besorgst. Es ist anzunehmen, daß jene Leute Zivilmasken getragen haben, da du sie so schnell als solche erkannt hast. Du hast jedoch die Möglichkeit, die fast hundertprozentig perfekte Militärausführung aufzutreiben.«

Sie stand auf und schloß mit gleichmäßiger Stimme: »Was deinen Brief betrifft, in dem du mein Verschwinden aus Crescentville für erforderlich hältst, so habe ich bereits an meine alte Firma geschrieben; sie werden mich mit Sicherheit wieder in meine frühere Stellung einstellen. Das ist der Grund, weswegen ich mit dir sprechen wollte. Ich werde das Haus noch heute nacht verlassen, und von morgen früh ab hast du freies Feld, um deine Nachforschungen anzustellen. Viel Glück.«

Sie blickten einander an, und Pendrake war von dem abrupten Abbruch der Unterhaltung und von ihren letzten Worten bis ins Innerste erschüttert. Sie trennten sich wie zwei Leute, die unter immensen Spannungen gestanden hatten.

»Und das«, dachte Pendrake, als er wieder im grellen Sonnenschein stand, »trifft genau den Kern der Wahrheit.«

Er blieb über Nacht in Crescentville. Verwaltungspersonal für das Haus mußte angestellt und – nebst vielem anderen – Dandy in den Stall des großen weißen Hauses zurückgebracht werden. Es war fast Mitternacht, als Pendrake beschloß, vor dem Schlafengehen noch ein Bad zu nehmen.

Er legte sich in der Badewanne zurück und begann, die Bandage vom Stumpf seines rechten Armes zu lösen. Sie war in den letzten Tagen unangenehm, ja sogar schmerzerregend gewesen. Als die Bandage entfernt war, schickte er sich an, sich vornüber zu beugen, um den etwa zehn Zentimeter langen Stumpf ins warme Badewasser zu tauchen.

Er erstarrte.

Und wollte seinen Augen nicht trauen.

Dann stieß er einen Schrei aus.

Er sank zurück, zitternd. Und dann starrte er ein zweites Mal, noch genauer. Es konnte kein Zweifel mehr bestehen. Der Arm war um gute fünf Zentimeter gewachsen. Und da waren die feinen Umrisse von Fingern und einer Hand, winzig klein, doch unverkennbar. Sie sahen wie eine Strukturveränderung des glatten Fleisches aus.

Es war nahezu drei Uhr morgens, bevor er sich genug entspannt hatte, um einschlafen zu können. Er hatte die verstrichene Zeit dazu benützt, sich sein Gehirn nach einer Erklärung des Phänomens zu zermartern, und es schien ihm, daß er die einzig mögliche Ursache des Wunders gefunden hatte. In all den vergangenen aufregenden Tagen hatte er nur mit einem einzigen Gegenstand zu tun gehabt, der sich von allen anderen Objekten auf der Welt grundsätzlich unterschied: der Motor.

Jetzt erst recht mußte er ihn finden! Es schien eigenartig, daran zu denken, daß er ein Besitzrecht an der Maschine haben könnte; doch nach allem, was geschehen war, nach der Heimlichtuerei und den Drohungen gegen ihn und vor allem nach dem wundersamen Vorgang mit seinem Arm, schien es, als ob die Maschine mehr und mehr in seinen Besitz übergegangen war. Die Schlußfolgerung, die er daraus zog, kurz bevor er einschlief, war überzeugend: Die Maschine würde demjenigen gehören, der sie in seinen Besitz bringen konnte.

4

Es war der 8. Oktober, kurz nach Mitternacht. Pendrake schritt durch den Stadtteil Riverdale in New York, Kopf und Schultern gesenkt und verbissen gegen einen starken Ostwind eingestemmt. Die Straße war gut erleuchtet, und er spähte zu den Hausnummern hinauf, als er vorübereilte.

Nummer 432 war das dritte Haus von der Straßenecke, und er ging daran vorbei bis zur Straßenlampe. Den Rücken gegen den Wind gekehrt, blieb er im hellen Schein stehen und blickte noch einmal auf seine Liste. Ursprünglich hatte er beabsichtigt, jedem einzelnen der dreiundsiebzig Ostküsten-Amerikaner auf dieser Liste nachzuforschen, mit den A's beginnend. Bei genauer Überlegung war es ihm jedoch klar geworden, daß Wissenschaftler von Großfirmen wie Westinghouse, von der Rockefeller-Stiftung, von privaten Laboratorien mit geringen Mitteln, wie auch Physiker und Professoren, die sich individuell mit Forschung abgaben, als wahrscheinliche Kandidaten kaum in Frage kamen — die ersteren wegen der Unmöglichkeit einer Geheimhaltung, die letzteren, weil das Triebwerk bedeutende Geldmittel hinter sich haben mußte. Womit ihm dreiundzwanzig Privatstiftungen verblieben.

Selbst dies bildete für einen einzelnen Mann ein gigantisches Unterfangen. Die dauernde Gefahr, sich zu verraten und in die

Hände der Gegner zu fallen, rief den Ausdruck schmerzhafter Spannung in seine Züge, hielt seine Muskeln in steter Alarmbereitschaft und verkrampfte die Sehnen in seinem wachsenden Arm. Und dies war erst der elfte Name auf der Liste. Die bisherigen zehn hatten sich als ebenso fruchtlos erwiesen, wie sie gefährlich waren.

Pendrake steckte die Liste ein und seufzte. Es war zwecklos, noch länger zu säumen. Er hatte sich auf der alphabetischen Liste bis zum Lambton-Institut heruntergearbeitet, dessen berühmter leitender Physiker, Dr. McClintock Grayson, im dritten Haus von der Ecke wohnte.

Er erreichte die Eingangstür des dunklen Hauses und erlebte seine erste Enttäuschung. Ohne sich recht darüber klar zu sein, hatte er unwillkürlich erwartet, die Tür unverschlossen vorzufinden. Sie war es jedoch nicht, und das bedeutete, daß alle jene Türen, die er in seinem Leben geöffnet hatte, ohne überhaupt zu bemerken, daß sie verschlossen gewesen waren, jetzt Vorläufer und Beweisträger dafür sein mußten, daß man ein Yale-Schloß aufbrechen konnte, ohne ein Geräusch zu erzeugen. Obwohl er es schon unzählige Male unabsichtlich gemacht hatte, schien es jetzt, als er es in bewußter Absicht tat, etwas anderes zu sein. Er spannte ich und ergriff den Türknopf. Das Schloß brach mit dem dumpfen, kurzen Knacken von Metall auf, das jählings unerträglichen Kräften ausgesetzt wird.

Pendrake trat in die tintige Schwärze eines Korridors ein und stand einen Moment lang reglos lauschend. Doch das einzige vernehmbare Geräusch war das Pochen seines Herzens. Vorsichtig ging er weiter, mit Hilfe seiner Taschenlampe in die Räume zu beiden Seiten spähend. Es dauerte nicht lange, bis es klar wurde, daß sich das Studierzimmer im ersten Stock befinden mußte. Vier Stufen auf einmal nehmend, huschte er die Treppe hinauf.

Der Korridor des ersten Stocks war groß und führte zu fünf geschlossenen und zwei offenstehenden Türen. Die erste offene Tür gehörte zu einem Schlafzimmer, die zweite zu einem großen, gemütlichen Raum, dessen Wände mit Bücherregalen verkleidet waren. Pendrake schluckte vor Erleichterung, als er auf Zehenspitzen hineinglitt. Ein Schreibtisch stand in einer Ecke, daneben ein kleiner Aktenschrank, und mehrere Bodenleuchten. Nach einem raschen Blick in der Runde schloß er die Tür hinter sich und schaltete die Dreifach-Leuchte neben dem Sessel am Schreibtisch an.

Wieder verharrte er und lauschte mit zum Zerreißen gespannten Nerven. Von irgendwo her kam das schwache Geräusch tiefer Atemzüge. Doch das war alles. Dr. Graysons Haushalt ruhte friedlich nach den Mühen und Nöten des Tages.

Um zwei Uhr morgens hatte Pendrake seinen Mann. Das Beweisstück war eine gekritzelte Notiz auf einem Zettel, den er in einem Haufen unwesentlicher Papiere in einer Schublade gefunden hatte. Die Notiz besagte:

Die reine Mechanik der Motorenfunktion beruht im wesentlichen auf der Umdrehungszahl. Bei sehr niedrigen Umdrehungszahlen — d. h. bei etwa fünfzig bis einhundert Umdrehungen pro Minute — wirken die Druckkräfte fast ausschließlich entlang einem Vektor, der senkrecht auf der Axialebene steht. Wenn die Gewichtsschätzungen zutreffen, wird eine Maschine bei diesen Umdrehungszahlen genügend Auftrieb haben, um zu schweben, und die Vorwärtsbewegung wird fast null sein.

Pendrake verharrte hier. Was hier diskutiert wurde, konnte mit Sicherheit nichts anderes sein, als *die* Maschine. Doch was bedeuteten die Worte? Er fuhr fort zu lesen:

Mit zunehmender Umdrehungszahl wird sich der Kraftvektor rasch in die Horizontale verlagern, bis der Vortrieb — bei etwa fünfhundert Umdrehungen pro Minute — entlang der Axialebene erfolgt und alle Gegenmomente und sekundären Kräfte aufgehoben sind. In diesem Zustand kann das Triebwerk entlang einer Welle geschoben, aber nicht gezogen werden. Das Feld ist so stark, daß ...

Die Erwähnung einer Welle brachte die endgültige Gewißheit. Er erinnerte sich nur zu gut an seine eigene gewaltsame Entdekkung, daß die Abtriebswelle nicht aus der Maschine herausgezogen werden konnte.

Das Genie, das hinter dem unglaublichen Atommotor stand, war Dr. Grayson.

Pendrake fühlte sich plötzlich von Schwäche übermannt. Er lehnte sich im Sessel zurück. Der Gedanke kam: »Muß hier schleunigst verschwinden. Jetzt, da ich das Geheimnis entdeckt habe, darf ich mich unter keinen Umständen erwischen lassen.«

Das wilde Gefühl des Triumphs stellte sich jedoch erst dann ein, als er die Haustür hinter sich zugezogen hatte. Er schritt die Straße hinunter, und seine Gedanken wirbelten in derart ungezügelter Begeisterung durcheinander, daß er wie ein Betrunkener schwankte. Er verzehrte eine Meile weiter ein Frühstück in einer Imbißstube, als die Reaktion kam: Also Dr. Grayson, der berühmte Gelehrte, war der Mann hinter der Wundermaschine! Und was nun?

Nachdem er geschlafen hatte, meldete er ein Ferngespräch mit Hoskins an. »Es ist unmöglich«, dachte er, als er auf die Herstellung der Verbindung wartete, »daß ich dieses wahnwitzige Unternehmen weiterhin ganz allein durchführe.«

Wenn ihm etwas zustoßen sollte, würde alles, was er bisher herausgefunden hatte, wieder in der tiefen Dunkelheit zerrinnen und vielleicht niemals wieder ans Tageslicht kommen. Schließlich befand er sich hier, weil er sich den Treueeid seiner Nation gegenüber ins Gewissen gerufen hatte.

Seine Grübelei endete, als die Stimme im Telefon sagte: »Mr. Hoskins weigert sich, Ihren Anruf entgegenzunehmen, Sir.«

Sein Problem schien ebenso alt zu sein wie seine Existenz. Als er an diesem Nachmittag in der Hotelbücherei saß, kehrten seine Gedanken immer wieder zu der Einsamkeit seiner Position zurück, zur Erkenntnis, daß alle Entscheidungen bezüglich der Maschine von ihm selbst gefällt und in Aktion umgesetzt werden mußten. Was für ein unglaublicher Narr war er doch gewesen! Es wäre vielleicht das beste, die ganze miserable Angelegenheit zu vergessen und nach Crescentville zurückzukehren. Haus und Grundstück dort brauchten Pflege für den bevorstehenden Winter. Aber er wußte, daß er nicht gehen würde. Was würde er in jenem einsamen Städtchen in den langen Tagen und längeren Nächten der kommenden Jahre tun?

Da war nur die Maschine. Seine ganze Freude am Leben, die Wiedergeburt seines Geistes, das Gefühl des Erwachens datierten von jenem Moment, als er das torusförmige Ding gefunden hatte. Ohne das Triebwerk, oder vielmehr ohne die Suche nach dem Triebwerk wäre er eine verlorene Seele.

Nach einer zeitlosen Weile wurde er plötzlich des Gewichts des Buches in seiner Hand gewahr und erinnerte sich an den Grund seines Hierseins in der Bücherei. Das Buch war die 1968-Ausgabe der Hilliard-Enzyklopädie, und es enthüllte, daß Dr. McClintock Grayson im Jahre 1911 geboren war, daß er eine Tochter und zwei Söhne hatte, und daß er wesentliche Beiträge zur Spaltungstheorie der Kernphysik geleistet hatte.

Über Cyrus Lambton verzeichnete die Enzyklopädie:

»... Fabrikant und Philantrop, gründete er im Jahre 1952 das Lambton-Institut. Seit dem Ende des Krieges hat sich Mr. Lambton aktiv für eine Zurück-aufs-Land-Bewegung zu interessieren begonnen. Das Hauptquartier dieser Richtung befindet sich in ...«

Pendrake ging schließlich in den warmen Oktobernachmittag hinaus und kaufte ein Auto. Die nächsten Tage wurden für ihn zur eintönigen Routine. Morgens beobachtete er Grayson beim Verlassen seines Hauses, folgte ihm, bis er im Lambton-Gebäude verschwand, und beschattete ihn abends wieder auf dem Nachhauseweg. Es schien sich zu einem endlosen, sinnlosen Spiel zu entwikkeln.

Doch am siebzehnten Tag trat jäh die langerwartete Veränderung ein. Um ein Uhr mittags erschien Grayson eiligen Schrittes aus dem Bauwerk aus Aerogel-Plastik, das die Lambton-Stiftung beherbergte.

Schon die Tageszeit an sich war ungewöhnlich. Doch wurde es unmittelbar darauf noch klarer, warum sich dieser Tag von den anderen unterschied. Der Wissenschaftler schenkte seiner grauen Limousine, die neben dem Gebäude geparkt stand, keine Beachtung, sondern ging zu Fuß einen halben Block zu einer Taxihaltestelle. Von dort brachte ihn ein Wagen zu einem doppeltürmigen Gebäude in der Fünfzigsten Straße. Ein Plasto-Glitzer-Transparent, das zwischen den beiden Türmen hing, verkündete in schreienden Farben:

CYRUS LAMBTON LANDBESIEDLUNGS-PROJEKT

Unter Pendrakes aufmerksamen Augen bezahlte Grayson das Taxi und verschwand durch die Drehtür in einem der breitbasigen Türme. In fühlbarer Erregung schlenderte Pendrake zu einem der Schaufenster, in dem ein großes Plakat mit Leuchtschrift aufgestellt war. Das Plakat verkündete:

DAS CYRUS LAMBTON PROJEKT benötigt tüchtige junge Paare, die willens sind, fleißig und hart zu arbeiten, um sich in einem fruchtbaren, paradiesischen Klima auf dankbarem Erdreich eine Zukunft aufzubauen. Frühere Farmer, Bauernsöhne und Bauernstöchter sind besonders erwünscht. Bewerbungen von Personen, die die Nähe einer Großstadt suchen oder Verwandte in der Stadt besuchen müssen, werden nicht angenommen. Hier bietet sich eine echte Gelegenheit unter einem privaten Stiftungsplan.

Drei weitere Paare werden noch heute für die nächste Gruppe benötigt, die in Kürze unter der Leitung von Dr. McClintock Grayson abreisen wird. Geschäftsstunden bis elf Uhr nachts.

ZUGREIFEN!

Das Schild schien nicht das geringste mit einer Maschine zu tun zu haben, die halb vergraben in einem Hügel gelegen hatte. Und doch ließ es einen Gedanken entstehen, der nicht mehr verschwinden wollte. Eine Stunde lang kämpfte er gegen den Zwang des Gedankens an, doch dann wurde er zu mächtig für seine Willenskraft und pflanzte sich in seine Muskeln hinunter fort, sich in Bewegung umsetzend. Die Bewegung traf auf keinen Widerstand mehr; sie brachte ihn zur nächsten Telefonzelle. Eine Minute später wählte er die Nummer der Hilliard-Enzyklopädie-Gesellschaft.

Er mußte eine kurze Weile warten, während man sie an den Apparat rief. Tausend verschiedene Gedanken jagten derweilen durch seinen Kopf; zweimal war er nahe daran, den Hörer einzuhängen. Und dann: »Jim, was ist geschehen?«

Die Besorgnis in ihrer Stimme war das Angenehmste, was er jemals gehört hatte. Pendrake zwang sich zur Ruhe, als er ihr den Grund seines Anrufs erklärte. Dann sagte er: »Du mußt dir einen alten Mantel besorgen und ein billiges Baumwollkleid anziehen, oder etwas Ähnliches. Ich werde mir ein paar gebrauchte Klamotten kaufen. Was ich möchte, ist herauszufinden, was es mit diesem Landbesiedlungsprojekt auf sich hat. Wir können heute noch vor Einbruch der Dunkelheit hineingehen. Eine simple Erkundigung sollte an sich nicht gefährlich sein.«

Sein Verstand schwindelte vor dem Gedanken, sie wiederzusehen.

Das bange Gefühl einer drohenden Gefahr, das tief in seinem Innern zusammengeballt lag, hatte somit keine Möglichkeit, an die Oberfläche zu treten. Dann sah er sie die Straße entlangkommen. Sie wäre ohne weiteres an ihm vorübergegangen, wenn er nicht an sie herangetreten wäre.

»Eleanore!«

Sie verhielt abrupt ihren Schritt, und als er sie so vor sich sah, kam ihm zum erstenmal der Gedanke, daß das unscheinbare junge Mädchen, das er vor sechs Jahren geheiratet hatte, aufgewachsen war. Sie war noch immer schlank genug, um auch die kritischste Frau zufriedenzustellen, doch zeigten sich nun auch die fülligeren Konturen der Reife. Sie sagte: »Ich hatte die Maske und die Armprothese vergessen. Du siehst damit fast ...«

Pendrake lächelte bei sich. Sie konnte die Wahrheit ja nicht ahnen. Sein neuer Arm war nun schon fast ellbogenlang, und Hand und Finger waren gedrungen und selbständig. Das ganze Glied paßte festgefügt ins hohle Innere des künstlichen Arms und verlieh seinen Bewegungen Sicherheit und Stärke.

In der Absicht, einen Scherz zu machen, der seinem derzeitigen Übermut entsprach, entgegnete er:

»Fast menschlich, nicht wahr?«

Noch im selben Moment erkannte er, daß er das Falsche gesagt hatte. Die Farbe wich aus ihren Wangen; dann kehrte sie langsam zurück. Sie lächelte bitter: »Es hat mir in Wirklichkeit nie etwas ausgemacht, daß du nur einen Arm hast. Dies war nicht unser Problem, obgleich du dir immer das Gegenteil einreden wolltest.«

Er hatte es vergessen. Jetzt erst erinnerte er sich daran, daß er sie in seiner Verzweiflung über die Ablehnung, die sie ihm entgegengebracht hatte, aufs bitterste beschuldigt hatte, daß sie nur deswegen gegen ihn eingestellt wäre, weil er einen körperlichen Mangel hatte. Es war nur ein Wortmanöver gewesen, aber es mußte sie erheblich verletzt haben.

Sie hatte sich von ihm abgewandt, während ihm diese Gedanken kamen, und blickte aufmerksam zum Lambton-Gebäude hinüber. »Aerogel-Türme«, murmelte sie, »fünfzig Meter hoch, einer davon völlig undurchsichtig, ohne Fenster und Türen. Ich möchte wissen, was das bedeutet. Und der andere ... Wir werden uns Mr. und Mrs. Lester Cranston nennen. Wir kommen aus Winona im Staat Idaho. Und wir wollten heute abend aus New York abreisen, als wir das Schild sahen. Wir sind über alle Maßen über das Projekt begeistert.«

Sie schritt weiter. Und Pendrake, der ihr auf dem Fuße folgte, ging hinter ihr durch die Drehtür, als er plötzlich in einem allumfassenden Erkenntnissprung einsah, daß es nur sein emotioneller Wunsch nach ihrer Nähe gewesen war, der ihn bewogen hatte, sie zu sich zu rufen. »Eleanore«, raunte er, »wir gehen nicht hinein.«

Er hätte wissen sollen, daß es fruchtlos war, sie aufzuhalten zu versuchen. Ohne das geringste Zögern schritt sie weiter. Mit verhaltenen Schritten folgte er ihr zu einem Mädchen, das in der Mitte des Raums hinter einem ausladenden Schreibtisch aus Plastik saß. Er hatte sich bereits niedergesetzt, als das glitzernde Schild an der Schreibtischkante seinen Blick fing:

MISS GRAYSON

Miß Grayson! Pendrake lehnte sich in seinem Sessel vor, und eine wachsende Unruhe begann sich in ihm zu rühren. Dr. Graysons Tochter! Demnach waren also auch Familienangehörige und Verwandte des Wissenschaftlers in diese Sache verwickelt. Es konnte sogar gut möglich sein, daß von den vier Männern, die ihm das Flugzeug abgenommen hatten, zwei seine Söhne waren. Und vielleicht hatte auch Lambton Söhne. Er konnte sich nicht daran erinnern, was die Enzyklopädie über Lambtons Kinder zu sagen gewußt hatte.

Seine Konzentration war derart intensiv mit diesen Gedanken beschäftigt, daß er nur mit halber Aufmerksamkeit auf die Unterhaltung zwischen Eleanore und Graysons Tochter achtete. Doch als sich Eleanore erhob, rief er sich ins Gedächtnis zurück, daß die Rede von einem psychologischen Test im Hinterzimmer gewesen war. Pendrake blickte hinter Eleanore her, als sie zu einer Tür hinüberging, die zum zweiten Turm führen mußte, und er atmete erleichtert auf, als Miß Grayson etwa drei Minuten später sagte:

»Wollen Sie jetzt bitte hineingehen, Mr. Cranston?«

Die Tür öffnete sich in einen engen Korridor, an dessen anderem Ende eine zweite Tür sichtbar war. Als seine Finger die Klinke der Tür berührten, fiel ein Netz über ihn, hüllte ihn ein und zog sich straff zusammen.

Gleichzeitig öffnete sich zu seiner Rechten ein Schlitz in der Wand. Dr. Grayson, eine Injektionsspritze in der Hand, langte heraus, stieß die Nadel in Pendrakes linken Arm oberhalb des Ellbogens und rief dann über seine Schulter zu jemandem zurück, der außer Sicht war:

»Das ist der letzte, Peter. Wir können aufbrechen, sobald es dunkel ist.«

»Einen Moment, Doktor. Untersuchen Sie das letzte Paar lieber genauer. Irgend etwas stimmt nicht mit dem rechten Arm dieses Burschen. Sehen Sie sich dieses Bild an.«

Der Schlitz klappte zu.

Pendrake wand sich verzweifelt. Aber er fühlte Müdigkeit heraufkriechen, und das Netz hielt ihn so fest umschlungen, daß alles Sichwinden nichts half.

Mit der Plötzlichkeit eines Blitzes schlug Dunkelheit über ihm zusammen.

5

»In den zwei Jahren, seit denen Sie hier sind«, sagte Nypers, »hat sich die Firma ganz gut herausgemacht.«

»Pendrake lachte. »Was soll der Scherz, Nypers? Wie meinen Sie das, in den zwei Jahren, seit denen ich hier bin? Weiß Gott, ich bin schon so lange hier, daß ich mir wie ein Greis vorkomme.«

Nypers nickte. »Ich weiß, wie es ist, Sir. Alles übrige wird allmählich verschwommen und unwirklich. Mit der Zeit entsteht das Gefühl, als ob eine andere Person jenes vergangene Leben gelebt hätte.« Er wandte sich ab. »Nun, ich lasse den Winthrop-Vertrag bei Ihnen.«

Pendrake gelang es schließlich, seinen erstaunten Blick von der unbelebten Eichentäfelung der Tür abzuwenden, hinter der der alte Kontorist verschwunden war. Verwundert schüttelte er den Kopf; dann ärgerte er sich gelinde über sich selbst. Doch als er sich an den Schreibtisch setzte, grinste er bereits wieder.

Den alten Mr. Nypers mußte heute morgen der Hafer stechen. »In den zwei Jahren, seit denen ...« Mal sehen, wie lange *war* er denn nun schon Geschäftsführer der Nesbitt-Gesellschaft? Bürogehilfe mit sechzehn Jahren – das war 1956 ... Buchhalter mit neunzehn, dann Oberbuchhalter, und schließlich Geschäftsführer. Als es mit dem Vietnam-Krieg Ernst wurde, hatte er sich beurlauben lassen. 1968 wieder an seinen Schreibtisch zurückgekehrt, hatte er bis zum heutigen Tag hart gearbeitet. Die Zeit war vorübergeweht, wie ein steter Nordwind.

Und nun war es schon 1975. Hm-m, sechzehn Jahre bei derselben Firma, die Kriegsjahre nicht mitgerechnet; sieben Jahre als Geschäftsführer. Das machte ihn in diesem Jahr genau fünfunddreißig Jahre alt.

Er runzelte die Stirn, mit einemmal irritiert. Was in der Welt konnte Nypers bewogen haben, das zu sagen, was er gesagt hatte? »In den zwei Jahren, seit denen Sie bei uns sind ...« Die Worte flochten sich in seinem Kopf zu einem Muster. Die Handlung, die er schließlich ausführte, war halbautomatisch. Er drückte auf einen Knopf auf dem Schreibtisch.

Die Tür ging auf und eine hagere, bleichgesichtige Frau von fünfunddreißig kam herein.

»Sie haben geläutet, Mr. Pendrake?«

Pendrake zögerte. Er begann, sich etwas albern vorzukommen und sich über seine eigenartige Erregung zu wundern. »Miß Pearson«, sagte er endlich, »wie lange sind Sie schon bei der Nesbitt-Gesellschaft?«

Die Frau sah ihn mit scharfem Blick an, und Pendrake dachte zu spät daran, daß ein Arbeitgeber in diesen Tagen der aggressiven Frauen-Emanzipation besser daran tat, einer weiblichen Angestellten nicht Fragen zu stellen, die mit dem Geschäft nicht viel zu tun hatten.

Nach einem Moment verloren Miß Pearsons Augen ihren harten, feindseligen Glanz, und Pendrake atmete freier. »Fünf Jahre«, entgegnete sie kurz.

»Wer«, zwang sich Pendrake fortzufahren, »hat Sie damals eingestellt?«

Miß Pearson zuckte die Achseln, doch mußte sich die Geste auf etwas in ihren eigenen Gedanken beziehen. Ihre Stimme klang normal, als sie sagte: »Nun, der damalige Geschäftsführer, Mr. Letstone.«

»Oh«, meinte Pendrake.

Er hätte fast mit der Feststellung gekontert, daß *er* in den letzten fünf Jahren Hauptgeschäftsführer gewesen war. Er tat es jedoch nicht – hauptsächlich deshalb, weil sich die Gedankenkette hinter den Worten im Nebelhaften verlor. Die Idee, die ihm schließlich kam, war logisch und ungetrübt. Er sprach sie mit ruhiger Stimme aus. »Bringen Sie mir bitte das Personalbuch von 1973.«

Sie brachte ihm das Buch und legte es auf den Tisch. Als sie gegangen war, öffnete Pendrake den Band unter GEHÄLTER für den Monat Dezember. Und da stand es: »James Pendrake, Hauptgeschäftsführer, 3250.«

Der November verzeichnete die gleiche Geschichte. Ungeduldig blätterte er bis zum Januar zurück. Hier hieß es:

»Agnes Letstone, Hauptgeschäftsführer, 2200.«

Eine Erklärung für das niedrigere Gehalt war nicht beigefügt. Die Monate Februar bis August hatten alle »Angus Letstone, Hauptgeschäftsführer, 2200.«

Zwei Jahre! »In den zwei Jahren, seit denen Sie bei und sind ...«

Der Winthrop-Vertrag lag ungelesen auf dem großen Eichentisch, als Pendrake aufstand, durch den Raum ging und aus den weiten Glasfenstern hinausblickte. Eine breite Avenue erstreckte sich unter ihm, ein von Bäumen eingefaßter Boulevard mit zahlreichen Steingebäuden. Viel Geld war in diese Straße geflossen ... und in diesen Raum. Er überlegte, wie oft er von sich selber schon als von einem jener glücklichen Männer am unteren Ende der Großeinkommens-Klasse gedacht hatte – ein Mann, der nach Jahren mühseligen Schuftens die höchste Position in dieser Gesellschaft erlangt hatte.

Reumütig schüttelte Pendrake den Kopf. Die Jahre mühseligen Schuftens hatten nicht stattgefunden. Die Frage mußte deshalb lauten: Wie hatte er es zu seiner jetzigen ausgezeichneten Stellung gebracht? Das Leben war freundlich und ungetrübt gewesen – ein geruhsames Idyll, ein klar verständliches Gebilde glücklichen Lebens.

Und jetzt dies!

Wie konnte ein Mann ausfindig machen, was er während der

ersten dreißig Jahre seines Lebens getan hatte? Es gab ein paar einfache Tatsachen, die er nachprüfen konnte, bevor er etwas unternahm. In plötzlicher Entschlossenheit kehrte er zu seinem Schreibtisch zurück, nahm das Mikrophon eines Diktiergeräts zur Hand und begann:

»Urkundenabteilung, Verteidigungsministerium, Washington, D.C. ... Sehr geehrter Herr! Bitte senden Sie mir möglichst umgehend Kopien meiner Personalakten aus dem Vietnam-Krieg. Ich war in der ...«

Er beschrieb die Tatsachen im Detail, und sein Selbstvertrauen wuchs mit fortschreitender Erinnerung. Sein Gedächtnis war klar und ungetrübt, soweit es die Hauptereignisse betraf. Die Einzelheiten des eigentlichen Soldatenlebens waren verschwommen und weit entrückt. Doch das war verständlich. Da war die Reise nach Kanada, die er mit Anrella im vergangenen Jahr unternommen hatte. Sie war bereits ein nebelhafter Traum, von dem nur hier und dort begeistige Bilder blitzartig aufleuchteten, die die Geschehnisse belegten.

Das ganze Leben besteht in dem Prozeß, die Vergangenheit zu vergessen.

Sein zweiter Brief war an die Statistische Sammelstelle für Geburtsurkunden in seinem Heimatstaat adressiert. »Ich bin am 1. Juni 1940 in Crescentville geboren«, diktierte er. »Bitte senden Sie mir sobald als möglich meine Geburtsurkunde.«

Er schellte nach Miß Pearson und gab ihr das Diktaphon-Band, als sie hereinkam. »Bitte verifizieren Sie diese Adressen«, instruierte er sie kurz. »Ich glaube, das wird einige Gebühren kosten. Machen Sie ausfindig, wieviel, legen Sie eine Geldanweisung bei und senden Sie beide Briefe per Luftpost.«

Er fühlte sich mit sich selbst zufrieden. Es hatte keinen Zweck, sich über diese Sache aufzuregen. Schließlich saß er ja nach wie vor fest im Sattel seiner Stellung, und seine Gedanken waren nüchtern und scharf. Es bestand nicht der geringste Anlaß, sich zur Nervosität zu steigern und andere Leute über seine mißliche Lage zu verständigen. Die Antworten auf seine Briefe würden bald eintreffen. Dann konnte man weitersehen.

Er nahm den Winthrop-Kontrakt zur Hand und begann zu lesen.

Zwanzig Minuten später wurde es ihm mit einem Schock bewußt, daß er den Hauptteil der Zeit damit verbracht hatte, sich angestrengt daran zu erinnern zu versuchen, was er im September 1973 gemacht hatte. Das war der Monat, in dem die Amerikaner die erste rollende Forschungsstation auf dem Mond gelandet hatten, drei Jahre nach den Sowjets. Pendrake rief sich die Schlagzeilen vor seine geistigen Augen zurück, wie er sie in Erinnerung hatte. Und da konnte kein Zweifel bestehen. Er *hatte* sie in Erinnerung, weil er sie gesehen hatte. Er konnte den September, der gemäß der Gehaltsbücher seinen ersten Monat bei der Nesbitt-Gesellschaft gebildet hatte, als festen Bestandteil der Kontinuität seiner augenblicklichen Existenz ansehen.

Wie stand es mit August? Im August war der innenpolitische Streit ausgebrochen, der beinahe die mächtige Union der Frauenvereine zum Platzen gebracht hätte. Und die Schlagzeilen hatten gelautet ... wie? Pendrake zermarterte sein Gedächtnis, doch kam nichts. Er dachte: Wie stand es mit dem 1. September? Wenn die Trennlinie zwischen August und September lag, mußte der 1. September möglicherweise etwas besonders Denkwürdiges verzeichnet haben, das ihn vor allen anderen Tagen kennzeichnete. Er war, wie er sich schwach erinnerte, um jene Zeit herum krank gewesen.

Sein Verstand war außerstande, jenen ersten Tag des Monats September heraufzubeschwören. Vermutlich hatte er ein Frühstück eingenommen. Vermutlich war er ins Büro gegangen, nachdem er von Anrella einen ihrer lange ausgedehnten Abschiedsküsse bekommen hatte. Seine Gedanken stockten mitten im Fluge. »Anrella!« dachte er. Sie mußte damals dagewesen sein, am 30. August und am neunundzwanzigsten, und im Juli, Juni, Mai, April, und noch viel früher.

Weder fand sich in seinem Gedächtnis die geringste Andeutung dafür, noch hatten ihre Handlungen in jenem wichtigen Monat September den geringsten Anlaß zu der Vermutung gegeben, daß sie nicht schon seit Jahren verheiratet gewesen waren.

Infolgedessen ... *wußte Anrella Bescheid!*

Es war eine Erkenntnis, die ihre emotionellen Grenzen hatte. Die wunderlichen Sprünge und Hakenschläge, die sein Verstand beim ersten Gewahrwerden der Idee auszuführen begann, wurden im Netz einer ruhigeren Logik eingefangen und legten sich. Anrella wußte also Bescheid. Nun, warum auch nicht. Er hatte offensichtlich schon seit vielen Jahren in diesem Land gelebt. Wenn irgendwelche Veränderungen eingetreten waren, so hatten sie in seinem Geist stattgefunden, nicht in ihrem.

Pendrake blickte auf die Wanduhr; kurz vor zwölf. Er hätte gerade noch Zeit, zum Mittagessen nach Hause zu fahren. Normalerweise nahm er den Lunch in der Stadt ein, doch konnten die Auskünfte, die er benötigte, nicht warten.

Eine Anzahl gut aussehender Frauen stand im Korridor, als er dem Aufzug zustrebte. Das plötzliche Gefühl, daß sie ihm mit geschärfter Aufmerksamkeit nachsahen, als er vorüberkam, war derart stark, daß er aus seinen tumulthaften Gedanken aufgeschreckt wurde. Er wandte sich um und blickte über die Schulter zurück.

Eine der Frauen war gerade dabei, in einen kleinen schimmernden Gegenstand an ihrem Handgelenk zu sprechen. Pendrake dachte mit erwachendem Interesse: »Ein Armbandradio!«

Dann befand er sich im Aufzug und vergaß den Zwischenfall

während der Abwärtsfahrt. Die Vorhalle war voller Frauen, als er aus dem Aufzug trat, und weitere drängten sich im Ausgangsportal. Am Bordstein stand ein halbes Dutzend imposanter schwarzer Limousinen mit einem weiblichen Fahrer hinter jedem Lenkrad. In wenigen Minuten würde die Straße von Menschen wimmeln, wenn die Mittagspause begann. Doch vorläufig war sie noch fast wie ausgestorben, abgesehen von den Frauen.

»Mr. Pendrake?«

Pendrake drehte sich um. Es war eine der jungen Frauen, die nahe am Eingang gestanden hatte – eine lebhaft erscheinende Frau mit seltsam strengem Gesichtsausdruck.

Pendrake starrte sie an. »Hmm?« sagte er.

»Sind Sie Mr. James Pendrake?«

Pendrake erwachte vollends aus seiner Träumerei. »Nun, ja, ich ... Was ...«

»Okay, Mädchen«, sagte die junge Frau.

Überraschend erschienen Pistolen. Metallisch glänzten sie in der Sonne. Pendrake hatte kaum noch Zeit zu blinzeln, als er an den Armen gepackt und auf eine der Limousinen zugeschoben wurde. Er hätte sich wehren können. Doch er rührte sich nicht. Er fühlte sich nicht in Gefahr. Statt dessen war sein Verstand von dem lähmenden Schock einer unvorstellbaren Überraschung erfüllt. Er befand sich bereits im Wagen, und das Fahrzeug rollte schon, als sich sein Geist genügend gesammelt hatte, um seine Funktion wieder aufzunehmen.

»Heh, was soll das!« begann er.

»Bitte stellen Sie keine Fragen, Mr. Pendrake.« Es war die junge Frau, die bereits einmal zu ihm gesprochen hatte; sie saß jetzt zu seiner Rechten. »Es wird Ihnen nichts Böses geschehen – es sei denn, Sie benehmen sich nicht.«

Wie um die Drohung zu untermalen, winkten die beiden anderen Frauen, die ihm mit ihren gezogenen Pistolen auf aufgeklappten Notsitzen gegenübersaßen, bedeutungsvoll mit ihren glänzenden Waffen.

Eine Minute verstrich, dann fragte Pendrake: »Wohin bringen Sie mich?«

»Keine Fragen, bitte!«

Die Entgegnung fachte den Ärger in ihm an; er kam sich wie ein hilfloses Kind vor. Wütend lehnte sich Pendrake zurück und fixierte seine Entführer mit feindseligem Blick. Sie waren typische »neue« Frauen, mit kurzen Röcken. Die beiden bewaffneten Frauen sahen wie weit über Vierzig aus, doch waren sie schlank und biegsam gebaut. Ihre Augen hatten den sehr hellen, starren Ausdruck derjenigen, die sich der Behandlung mit der Gleichmacher-Droge (»Macht Sie dem Manne gleichwertig!«) unterzogen hatten. Die junge Anführerin zur Rechten und das Mädchen zu Pendrakes Linker hatten das gleiche Aussehen, den gleichen glänzenden Blick.

Alle sahen sie sehr fähig aus.

Bevor Pendrake den Gedanken weiterverfolgen konnte, bog das Fahrzeug um eine Ecke und rollte auf eine lange, schräg ansteigende Rampe. Pendrake fand Zeit, festzustellen, daß es sich um die Garageneinfahrt des Wolkenkratzer-Hotels McCandless handelte, und dann befanden sie sich bereits im Innern der Garage und schossen auf ein Tor in der Ferne zu.

Der Wagen hielt an. Wortlos gehorchte Pendrake den Schußwaffen, die ihn aus dem Wagen winkten. Er wurde durch einen ausgestorbenen Korridor zu einem Warenaufzug geführt. Der Aufzug hielt im dritten Stock. Noch immer von seiner weiblichen Wache umringt, überquerte Pendrake den spiegelblanken Korridor und trat durch eine Tür.

Der Raum war groß, wohnlich und geschmackvoll eingerichtet. Auf einem grünen Sofa am jenseitigen Ende, den Rücken einem riesigen Fenster zugewandt, saß ein gut aussehender grauhaariger Herr. Zu seiner Rechten befand sich ein Schreibtisch, an dem eine junge Frau saß. Pendrake beachtete sie jedoch kaum. Mit staunend aufgerissenen Augen sah er, wie die jugendliche Anführerin seiner Eskorte auf den grauhaarigen Mann zuging und sagte:

»Ihren Anweisungen folgend, Präsident Dayles, bringen wir Ihnen Mr. James Pendrake.«

Es war der Name, von dem Mädchen so sachlich ausgesprochen, der die Identifizierung bestätigte. In ungläubigem Staunen hatte er das oft photographierte Antlitz bereits erkannt. Jetzt konnte kein Zweifel mehr bestehen. Dies war Jefferson Dayles, der Präsident der Vereinigten Staaten.

6

Seine Wut verrauchte fast augenblicklich, als Pendrake den großen Mann ansah. Er gewahrte, daß die Frauen, die ihn bis hierher eskortiert hatten, nun den Raum verließen. Ihr Verschwinden unterstrich das Eigenartige dieses Zwangsinterviews.

Er bemerkte, daß ihn der Mann prüfend betrachtete. Abgesehen von den grauen Augen, die wie aschfarbene Perlen glühten, entsprach Präsident Dayles' Aussehen genau seinem publizierten Alter von neunundfünfzig Jahren. Auf Zeitungsfotos sah sein Gesicht jugendlicher und faltenloser aus. Doch wenn man ihn, wie jetzt, aus der Nähe sah, war es offensichtlich, daß die Anstrengungen der zweiten Wahlkampagne seiner Lebenskraft ihren Tribut abverlangten.

Nichtsdestoweniger strahlte das Antlitz des Präsidenten Stärke und Autorität aus. Seine Stimme, die sich jetzt vernehmen ließ, enthielt die nachhallende Kraft, die an seinem großen Erfolg so viel Anteil gehabt hatte. Mit der Spur eines spöttischen Lächelns fragte er: »Wie finden Sie meine Amazonen?«

Dann rollte sein homerisches Gelächter durch den Raum. Offenbar erwartete er keine Antwort, denn seine Heiterkeit versiegte abrupt, und er fuhr ohne Pause fort: »Eine außerordentlich merkwürdige Erscheinung, diese Frauen. Wenn man die Drogen einmal eingenommen hat, kann man ihnen nicht mehr entgegenwirken, weil es kein Gegenmittel gibt. Ich betrachte es als Zeugnis für den grundlegenden Trieb der amerikanischen Mädchen zum Abenteuer, daß mehrere tausend von ihnen sich mit dem Mittel haben behandeln lassen. Unglücklicherweise hat es sie in eine Sackgasse gebracht und ihnen jegliche Zukunft geraubt. Ihre Existenz kann durchaus die Ursache dafür gewesen sein, daß die Frauenverbände ihren eigenen Präsidentschaftswahlkampf unternehmen. Überdies mußten die Amazonen als Individuen bald erkennen, daß nur wenige Unternehmen ihnen eine Arbeitsstelle geben wollen, und daß sie kein Mann heiraten würde.

In ihrer Verzweiflung sind ihre Anführer an mich herangetreten. Unmittelbar bevor die Situation ein tragisches Stadium erreichte, wurde ein sorgfältig gesteuerter Propagandafeldzug von mir eingeleitet. Danach nahm ich sie allesamt in meine Dienste, die – wie man allgemein annimmt – völlig legitimen Charakters sind. Tatsächlich jedoch wissen diese Frauen ganz genau, wer ihr Wohltäter ist und betrachten sich selbst als meine persönlichen Agenten und Leibwächter.«

Jefferson Dayles machte eine Pause und fuhr dann verbindlich fort: »Ich hoffe, Mr. Pendrake, damit erklärt sich Ihnen – zumindest einigermaßen – die seltsame Methode, mit der Sie zu mir gebracht wurden. Miß Kay Whitewood« – er wies auf die junge Frau am Tisch – »ist ihre intellektuelle Führerin.«

Pendrake stand reglos wie eine Steinfigur und empfand fast auch die geistige Leere einer solchen. Er hatte dem kurzen Abriß der Geschichte der Amazonen mit dem faszinierenden Gefühl des Unwirklichen zugehört. Denn die Geschichte erklärte ihm nicht das geringste. Was zählte, war nicht die Methode seines Hierherkommens, sondern das Warum.

Er sah, daß die Augen des Präsidenten belustigt zwinkerten. Jefferson Dayles sagte ruhig: »Es besteht die Möglichkeit, daß Sie den Wunsch verspüren werden, den Behörden und den Zeitungen mitteilen zu wollen, was Ihnen widerfahren ist. Kay, zeige Mr. Pendrake die Zeitungsmeldung, die wir für genau diese Eventualität bereithalten.«

Die junge Frau erhob sich aus ihrem Schreibtischsessel und kam auf Pendrake zu. Stehend sah sie älter aus. Sie hatte blaue Augen und ein hartgeschnittenes, hübsches Gesicht. Pendrake nahm aus ihrer Hand ein Blatt entgegen. Er las:

Ein bedauerlicher Zwischenfall störte heute die Autofahrt Präsident Jefferson Dayles' von Middle City. Ein junger Mann in einem elektrischen Auto erweckte den Anschein, den Wagen des Präsidenten rammen zu wollen, was zum sofortigen Einschreiten der Leibwache führte. Der junge Mann wurde in Haft genommen und später zum Verhör in die Hotelgemächer des Präsidenten gebracht. Seine Erklärungen wurden als zufriedenstellend erachtet, und es wurde auf Präsident Dayles' Anordnung hin keine Anklage erhoben. Der junge Mann wurde auf freien Fuß gesetzt.

Nach einem Moment des Schweigens gestattete sich Pendrake ein kurzes Auflachen. Die gefälschte Zeitungsmeldung war endgültig. Er konnte sich ebensowenig auf ein Presseduell mit Jefferson Dayles einlassen, wie er auf der Hauptstraße mit feuernden Revolvern entlanggaloppieren konnte. Er versuchte sich die Schlagzeilen vorzustellen:

OBSKURER GESCHÄFTSMANN BESCHULDIGT
JEFFERSON DAYLES
Schmierkampagne gegen den Präsidenten!

Pendrake lachte noch einmal, diesmal verächtlicher. Viel Zweifel konnte nicht mehr bestehen. Aus welchem Grund Jefferson Dayles ihn auch immer hatte kidnappen lassen ... Sein Gedanke stockte hier. Aus welchem Grund! Was konnte sein Grund sein? Verwundert schüttelte er den Kopf. Dann konnte er nicht länger an sich halten. Sein Blick heftete sich auf die grauen, halb-belustigten Augen des Staatsoberhaupts. »All dies«, staunte er, »so viele Mühen, so viel Arbeit, eine solch unehrenhafte Geschichte mit Sorgfalt vorbereitet ... wofür?

Und als er sein Gegenüber so anstarrte, kam ihm das Gefühl, daß es mit dem Interview jetzt Ernst wurde.

Der ältere Mann räusperte sich und sagte: »Mr. Pendrake, können Sie die wichtigsten Erfindungen aufzählen, die nach dem zweiten Weltkrieg gemacht wurden?«

Er verstummte. Pendrake wartete darauf, daß er fortfuhr. Doch das Schweigen dehnte sich aus, und der Präsident blickte ihn nach wie vor geduldig wartend an. Pendrake zuckte die Achseln und entgegnete: »Nun, viel grundlegend Neues hat es nicht gegeben. Ich bin über diese Dinge nicht besonders informiert, doch würde ich sagen: Raketen, der Flug zum Mond, ein paar Entwicklungen in der Elektronik, Vakuumröhren, Halbleiter, gedruckte und integrierte Schaltungen, und so fort, Laser, Maser, den genetischen Kode und die Krebsbekämpfung, und ...« Er brach ab. »Doch hören Sie, was soll das alles? Was ...«

Die kraftvolle Stimme unterbrach ihn. »Viel Neues hat es nicht gegeben, sagen Sie. Diese Feststellung, Mr. Pendrake, ist wohl der tragischste Kommentar über den Stand unserer Welt, den man sich vorstellen kann. Viel Neues hat es nicht gegeben. Sie erwähnten die Raketen. Mann, wir dürfen es nicht wagen, die Welt wissen zu lassen, daß die Rakete bereits während des zweiten Weltkriegs vervollkommnet worden ist, abgesehen von kleineren Details, und daß wir über dreißig Jahre gebraucht haben, um diese kleineren Details auszumerzen.«

Er hatte sich im Eifer seiner Entgegnung vorwärtsgeneigt. Jetzt lehnte er sich mit einem Seufzer zurück. »Mr. Pendrake, manche Leute behaupten, daß die Ursache für diese unglaubliche Stagnation des menschlichen Geistes in dem Zustand jener Welt zu suchen ist, die aus dem zweiten Weltkrieg heraus entstand, und daß sie das direkte Resultat davon darstellt. Ich glaube, daß trifft zum Teil zu. Eine Atmosphäre sittlicher Zerrüttung ermüdet und erlahmt den menschlichen Geist. Es ist schwer zu beschreiben. Es ist, als ob sich das Gehirn beim Kampf gegen seine intellektuelle Umwelt völlig verausgabt.«

Er verstummte und runzelte die Stirn, als ob er nach einer passenden Beschreibung suchte. Pendrake fand Zeit, erstaunt zu denken: Warum wurden ihm diese detaillierten und vertraulichen Vorhaltungen gemacht?

Der Präsident blickte auf. Es schien ihm nicht bewußt zu sein, daß er eine Pause eingelegt hatte. Er fuhr fort: »Doch das ist nur ein Teil der Ursache. Sie erwähnten Vakuumröhren und Halbleiter, Transistoren und Dioden, die ganze Mikroelektronik und die Technologie der Mikrowellen.« Er wiederholte mit eigenartig hilflosem Ausdruck in der Stimme: »Dioden!« Dann lächelte er müde. »Mr. Pendrake, einer meiner Titel ist der eines Diplomingenieurs. Ich bin gut genug in der Technik zu Hause, um das außerordentliche Problem zu erkennen, das unsere moderne Technologie konfrontiert — das Problem, daß es für den einzelnen Menschen unmöglich geworden ist, alles zu lernen, was es in einem einzelnen Wissensgebiet zu lernen gibt.

Doch um auf die Dioden zurückzukommen ... es ist allgemein nicht bekannt, daß eine Anzahl berühmter Laboratorien seit einigen Jahren schwache Radiosignale aus dem Weltraum empfangen, von denen man annimmt, daß sie von der Venus stammen. Vor sechs Monaten habe ich beschlossen, in Erfahrung zu bringen, weshalb in der Verstärkung dieser Signale bisher noch keinerlei Fortschritte gemacht worden sind. Ich habe drei der größten Experten auf ihren elektronischen Spezialgebieten zu mir rufen lassen und sie aufgefordert, mir zu erklären, woran es haperte.

Es scheint, man benötigt kryogenisch gekühlte Maser-Verstärker und neue Schüsselantennen von bisher unerreichtem Gütegrad, um den Störpegel herabzudrücken. Der erste dieser Männer entwickelt

Dioden, der zweite die nötigen Schaltschemata, und der dritte versucht, aus den Ergebnissen der beiden anderen das Gesamtsystem zu entwickeln und zusammenzubauen. Er nennt sich Systems-Ingenieur. Das Ärgerliche an der Sache ist, daß die Entwicklung moderner Dioden Studium und Erfahrung eines Lebensalters erfordert. Der Diodenspezialist hat also keine andere Wahl, als auf dem Fachgebiet der Schaltschemata Wissenslücken zu überbrücken. Der Schaltschema-Mann muß sich mit den Dioden zufriedengeben, die man ihm gibt, denn da er davon nur theoretische Kenntnisse hat, kann er weder wissen, wie die Diode aussehen muß, die er braucht, noch welche Leistungen er ihr zumuten kann. Gemeinsam genommen, verfügen jene drei Leute über das Können, neue Radioempfänger von nie dagewesener Leistungsfähigkeit zu bauen — doch auch in enger Teamarbeit scheitern sie immer und immer wieder. Sie können ihr Wissen nicht wirklich verschmelzen. Und so macht unsere Technologie zwar Fortschritte, doch sind diese immer nur mittelmäßig. Sie ...«

Er mußte des Ausdrucks auf Pendrakes Gesicht gewahr geworden sein. Er brach ab und fragte mit schwachem Lächeln: »Folgen Sie mir, Mr. Pendrake?«

Pendrake verneigte sich zur Antwort. Der lange Monolog hatte ihm Zeit gegeben, seine Gedanken zu sammeln. Er sagte: »Das Bild, das ich mir vorzustellen versuche, ist folgendes: Ein kleiner Geschäftsmann ist auf der Straße festgenommen, gewaltsam entführt und vor den Präsidenten der Vereinigten Staaten geschleppt worden. Der Präsident beginnt unverzüglich mit einem Vortrag über Radio- und Fernsehdioden. Sir, es scheint nicht sehr sinnvoll zu sein. Was wollen Sie von mir?«

Die Antwort kam schleppend. »In erster Linie wollte ich Sie mir mal ansehen. Zum anderen ...« Jefferson Dayles machte eine Pause, dann: »Was ist Ihre Blutgruppe, Mr. Pendrake?«

»Nun, ich ...« Pendrake fing sich und starrte den Mann ungläubig an. »Meine ... was?«

»Ich möchte eine Blutprobe von Ihnen haben«, entgegnete der Präsident. Er wandte sich an das Mädchen. »Kay«, sagte er, »bitte veranlasse das Nötige. Ich bin sicher, Mr. Pendrake wird keinen Widerstand leisten.«

Pendrake leistete keinen Widerstand. Das Mädchen ergriff seine Hand, und er spürte den feinen Stich, als die Nadel in seinen Daumen stach. Neugierig sah er zu, als sich die Spritze mit rotem Blut zu füllen begann.

»Das ist alles«, sagte der Präsident. »Leben Sie wohl, Mr. Pendrake. Es war mir ein Vergnügen, Sie kennenzulernen. Kay, würdest du bitte Mabel rufen und Mr. Pendrake zu seinem Büro zurückbringen lassen?«

Mabel war anscheinend der Name der Anführerin seiner Eskorte, denn sie war es, die jetzt in den Raum kam, begleitet von den Pistolenträgerinnen. Knapp eine Minute später befand sich Pendrake im Korridor, dann im Aufzug.

*

Nachdem Pendrake gegangen war, saß der große Mann mit einem erstarrten Lächeln auf den Zügen reglos auf dem Sofa. Einmal sah er kurz zur Frau hinüber, aber sie blickte mit starrem Ausdruck auf die Tischplatte hinunter. Langsam wandte sich Jefferson Dayles dann um und fixierte eine spanische Wand, die hinter ihm in der Ecke neben dem Fenster stand. Ruhig sagte er: »In Ordnung, Mr. Nypers, Sie können jetzt herauskommen.«

Nypers mußte bereits auf das Signal gewartet haben. Er erschien, bevor noch die Worte beendet waren, und ging energischen Schrittes auf den Sessel zu, auf den der Präsident wies. Jefferson Dayles wartete, bis die Finger des alten Mannes entspannt auf den ornamentalen Metallknaufen lagen, die die Armlehnen verzierten, und sagte dann langsam:

»Mr. Nypers, Sie beschwören, daß Sie uns die reine Wahrheit gesagt haben?«

»Jedes Wort!« entgegnete der alte Mann nachdrücklich. »Ich habe Ihnen die Geschichte unserer Gruppe offenbart, ohne Namen oder Orte zu nennen. Wir haben einen Engpaß, vielleicht sogar eine Sackgasse erreicht, in der wir in Kürze möglicherweise die Hilfe der Regierung benötigen werden, doch bevor wir darum nachsuchen, möchte ich Sie warnen, daß jeder Versuch Ihrerseits, uns nachzuforschen, darin resultieren wird, daß wir uns weigern werden, Ihnen unser Wissen mitzuteilen. Ich möchte, daß das klar verstanden wird.«

Es herrschte Schweigen. Schließlich warf Kay schroff ein: »Drohen Sie nicht dem Präsidenten der Vereinigten Staaten, Mr. Nypers!«

Nypers zuckte die Achseln und fuhr fort: »Vor etwas mehr als zwei Jahren wurde Mr. Pendrake zufällig dem Einfluß einer ungewöhnlichen Strahlungsart ausgesetzt. Es stand nicht in unserer Macht, diesen Vorfall zu verhüten. Er hatte etwas gefunden, was uns verlorengegangen war, und dann – statt die Finger von etwas zu lassen, das ihn nichts anging – Nachforschungen angestellt und uns schließlich aufgespürt. Auf diese Weise erfuhren wir, daß er – wie einige von uns vor ihm – durch den Einfluß der Strahlung totipotent geworden war. Während der fortschreitenden Neubildung der Zellen macht eine Person mit totipotenten Zellen ein kritisches Stadium durch, in dem sie das Gedächtnis verliert, und so haben wir Pendrake mittels Schlafsuggestionen und hypnotischen Behandlungen mit dem Gedächtnis ausgestattet, das wir für ihn angebracht hielten. Als Totipotentat machte er körperlich eine Verjüngung durch, und sein Blut, in üblicher Weise durch Transfusion übertragen, kann jeden anderen Menschen verjüngen, der seine Blutgruppe hat.«

»Doch rufen solche Transfusionen in der empfangenden Person keinen Gedächtnisschwund hervor?« Die Frau, Kay, äußerte die Frage rasch.

»Durchaus nicht!« entgegnete Nypers nachdrücklich.

»Für wie lange«, fragte Präsident Dayles nach einer Pause, »wird Mr. Pendrake im totipotenten Zustand bleiben?«

»Er befindet sich andauernd darin«, war die Antwort, »doch handelt es sich um einen latenten Zustand, der erst durch körperliche Beanspruchung und Spannungszustände aktiviert wird. Wir haben herausgefunden, daß man derartige Spannungen durch gewisse Injektionen hervorrufen kann, obgleich es mehrere Monate dauert, bis die Zellen zur vollen Totipotenz gereift sind.«

»Und diese Injektionen sind nun Mr. Pendrake verabreicht wordgen?« fragte der Präsident.

»Ja ... von seinem Arzt. Pendrake glaubt, daß es sich um Vitaminspritzen handelt. Er ist zwar normalerweise ein außergewöhnlich gesunder und aktiver Mann, doch ist es uns gelungen, ihn glauben zu machen, daß er solche Vitamine benötigt. Er ist in der Tat so stark, daß sich Ihre Mädchen glücklich schätzen dürfen, daß er sich nicht gewehrt hat.«

»Sie sind so stark wie Männer!« schnappte Kay.

»Sie sind bei weitem nicht so stark wie Jim Pendrake«, entgegnete Nypers gelassen. Er schien sich noch mehr über dieses Thema auslassen zu wollen, überlegte es sich dann aber anscheinend anders. Er sagte statt dessen: »Im Spätsommer oder Frühherbst wird er in das extrem totipotente Stadium eintreten, und dann können Sie eine Bluttransfusion bekommen.« Er blickte Jefferson Dayles an. »Wir führen eine Liste öffentlicher Personen mit verschiedenen Blutgruppen, und als Ihr Name schließlich daraufgesetzt wurde, waren wir überglücklich, feststellen zu dürfen, daß wir in Ihnen endlich eine Person mit gleichem Bluttyp gefunden hatten — das heißt, mit Blutgruppe AB, oder Gruppe IV in der Nomenklatur nach Jansky. Das versetzte uns in die Lage, mit einem Angebot an Sie heranzutreten, das es uns ermöglicht, Ihre Hilfe anzunehmen, ohne uns völlig Ihrer Macht auszuliefern.«

Kay entgegnete säuerlich: »Was hindert uns, Mr. Pendrake zu ergreifen und bis zum Herbst unter Verschluß zu halten?«

»Die Blutübertragung«, erwiderte Nypers bestimmt, »erfordert gewisse Spezialkenntnisse, und wir haben die Kenntnisse. Sie nicht. Ich hoffe, damit ist alles klar.«

Jefferson Dayles äußerte sich nicht. Er verspürte den Impuls, die Augen vor einem zu hellen Lichtschein zu schließen. Doch die Helligkeit war in seinem Gehirn, nicht in seiner Umgebung, und er überlegte unsicher, daß sie sein Hirn leerbrennen konnte, wenn er sich nicht in acht nahm. Endlich brachte er es fertig, sich nach Kay umzudrehen. Mit Erleichterung sah er, daß sie das Registrierinstrument des Lügendetektors auf ihrem Tisch fixierte. Der Polygraph stand mit den ornamentalen Knaufen an den Armlehnen des Sessels in Verbindung, in dem Nypers saß. Sie blickte jetzt auf, und als ihre Augen den seinen begegneten, nickte sie leicht.

Die Helligkeit war plötzlich eine weiße, gleißende Flamme, und er mußte mit sich ringen, um nicht aufzuspringen, sondern statt dessen reglos und starr sitzen zu bleiben, während sein Geist in dem ihn erfüllenden namenlosen Frohlocken heftiger und heftiger wirbelte. Es trieb ihn, zu Kays Tisch hinüberzueilen und auf den Lügendetektor hinunterzustarren und Nypers aufzufordern, seine Worte zu wiederholen. Doch auch damit wurde er fertig. Er bemerkte, daß der alte Mann wieder das Wort ergriffen hatte.

»Noch weitere Fragen, bevor ich gehe?« fragte Nypers.

»Ja.« Es war Kay. »Mr. Nypers, Sie selbst sind nicht gerade ein überzeugendes Beispiel totipotenter Jugendlichkeit. Wie erklären Sie das?«

Mit seinen hellen Augen, die der lebendigste Teil seines Körpers waren, blickte der alte Mann auf sie hinunter. »Madam, ich bin in meinem Leben zweimal verjüngt worden, und heute ... nun, um ehrlich zu sein ... ich weiß es nicht. Soll ich es noch einmal machen lassen? Die Welt ist so abschreckend, die Menschen sind so töricht, daß ich mir nicht darüber im klaren bin, ob ich in dieser primitiven Ära weiterleben soll.« Er lächelte schwach. »Mein Arzt meint, ich wäre bei bester Gesundheit; vielleicht werde ich es mir deshalb noch einmal überlegen.«

Er wandte sich um und ging zur Tür. Dort angelangt, blieb er stehen und blickte fragend zu ihnen zurück. Kay sagte: »Diese totipotente Phase Pendrakes ... wie ist er, wenn er sich darin befindet?«

»Das ist sein Problem, nicht Ihres«, lautete die kühle Antwort. »Doch wäre ich vermutlich nicht hier, wenn er gefährlich wäre.«

Damit verließ er den Raum.

Als er gegangen war, sagte Kay wild: »Diese Versicherung bedeutet gar nichts. Er behält wichtige Informationen bei sich. Was kann wohl ihr Spiel sein?« Ihre Augen verengten sich in angestrengtem Nachdenken. Mehrmals schien sie drauf und dran, zu sprechen, doch jedesmal unterdrückte sie die Worte.

Jefferson Dayles beobachtete das Wechselspiel der Gefühle auf dem von geballter Vitalität erfüllten Gesicht, einen kurzen Moment lang von dieser sonderbaren Frau, die alles so intensiv fühlte, in den Bann geschlagen. Schließlich schüttelte er den Kopf. Seine

Stimme klang kraftvoll, als er sagte: »Kay, darauf kommt es nicht an. Siehst du das nicht? Ihr Spiel, wie du es nennst, bedeutet gar nichts. Niemand auf der Welt, ob Individuum oder Gruppe, kann sich den Streitkräften der Vereinigten Staaten entgegenstellen.«

7

Pendrake saß essend im Restaurant. Seine Gedanken waren jedoch nicht bei seinem Gericht, sondern bei den beiden Ereignissen des Vormittags. Nach und nach begann die Episode mit Jefferson Dayles an Faszination einzubüßen. Denn sie enthielt keinen Sinn. Darin, daß sie mit dem normalen Ablauf seines Lebens keinerlei Beziehung hatte und sehr rasch wieder vergessen werden konnte, nachdem erst einmal Schock und Schmerz verklungen waren, glich sie einem Unfall, der einem Mann beim Überqueren der Straße zustieß.

Die Frage nach dem, was sich vor zwei Jahren zugetragen hatte, war etwas anderes. Es war noch immer ein Bestandteil seines Geistes und seines Körpers. Es war ein Stück seiner selbst, das sich nicht einfach durch die Mutmaßung abtun ließ, jemand anderes müßte verrückt sein. Pendrake blickte auf seine Armbanduhr. Es war zehn Minuten vor eins. Er schob den Nachtisch von sich und stand auf. Sein Entschluß war gefaßt. Er hatte keine andere Wahl mehr, als unverzüglich Anrella ins Verhör zu nehmen.

Sein Verstand blieb fast völlig leer von Gedanken, während er nach Hause fuhr. Erst als er seinen Wagen zwischen den Torflügeln aus massivem Eisen hindurchlenkte und das Herrschaftshaus sah, durchzuckte ihn ein neuer Schock. Auch das Haus mußte vor zwei Jahren schon hier gewesen sein.

Es war ein prunkvolles, teures Gebäude, mit Freiluft-Schwimmbecken und gepflegten Gartenanlagen. Wie er sich erinnerte, hatte er es in einem Gelegenheitskauf zum billigen Preis von neunzigtausend Dollar erworben. Er war bisher niemals auf die Idee gekommen, sich darüber zu wundern, wie er genügend Geld gespart haben konnte, um einen solchen Prunkpalast zu bezahlen. Irgendwie war es ihm immer vorgekommen, als ob die Geldsumme im Rahmen seiner Möglichkeiten war.

Anrella hatte es stets als ihre Aufgabe angesehen, ihr gemeinsames Bankkonto in Ordnung zu halten. Diese Abmachung gab ihm die Möglichkeit, sich in der Freizeit seinen Hobbies zu widmen – Lesen, dann und wann eine Runde Golf, vereinzelte Jagd- und Angelausflüge, und die Beschäftigung mit seinem elektrischen Flugzeug auf seinem Privatflugplatz. Doch andererseits hatte er dadurch keine gute Vorstellung vom wirklichen Stand seiner Finanzen.

Erneut wunderte er sich – und diesmal stärker als zuvor – über die eigenartige Tatsache, daß er sich bisher niemals für diese Angelegenheiten im geringsten interessiert hatte. Er parkte das Auto und begab sich ins Haus, dabei denkend: »Ich bin ein völlig normaler, recht erfolgreicher Geschäftsmann, der plötzlich auf etwas gestoßen ist, das nicht ganz zu passen scheint. Ich bin bei klarem Verstand. Eine Nachforschung kann mir physisch weder schaden noch nützen. Mein Leben liegt vor mir und nicht hinter mir.« Es würde keine Rolle spielen, sagte er sich, ob er jemals etwas in Erfahrung bringen würde oder nicht. Die Vergangenheit zählte nicht. Er könnte den Rest seines Lebens leben, ohne mehr zu verspüren als gelegentlich einen Funken von Neugier ... Wo zum Teufel war Nickson? Den Hut in der Hand, stand er in der großen Vorhalle und wartete darauf, daß der Butler das Geräusch der sich öffnenden Haustür mit seiner Gegenwart quittierte.

Doch es kam niemand. Stille herrschte im großen Haus. Er drückte auf Klingelknöpfe, aber es rührte sich nichts. Pendrake warf seinen Hut auf einen Sessel, spähte in das ausgestorbene Wohnzimmer und strebte dann ärgerlich zur Küche.

»Sybille«, begann er irritiert, »ich möchte ...«

Er verstummte abrupt. Das Echo seiner Stimme widerhallte in der leeren Küche, in der sich auch weder die Köchin noch die beiden hübschen Küchenmädchen sehen ließen. Auch die Speisekammer und der Vorratsraum waren leer. Wenige Minuten später stieg Pendrake die Haupttreppe hinauf, als er plötzlich das Geräusch murmelnder Stimmen vernahm.

Die Laute kamen aus dem Salon im ersten Stock. Seine Hand bereits auf der Türklinke, verharrte er reglos, als ein langer, spannungsgeladener Moment der Stille jählings von der klaren Stimme Anrellas durchbrochen wurde, die sagte: »Wirklich, dieses Argument ist unbegründet. In meinem Alter hat man nicht mehr das Gefühl des Besitztums. Es besteht keine Notwendigkeit für Sie, mich davon zu überzeugen, daß der arme Jim die logisch einzig in Frage kommende Person für diese Aufgabe ist. Was haben Sie unternommen, was Sie mir noch nicht gesagt haben?«

»Wir bringen seine Ehefrau zurück.« Zu Pendrakes Erstaunen war es die Stimme von Peter Yerd, einem der millionenschweren Kunden des Nesbitt-Unternehmens.

»Oh!«

»Sie dürfte in zwei Monaten oder so in Crescentville sein.«

»Was werden Sie ihr sagen?« fragte Anrella.

»Das ist noch nicht entschieden; aber wenn wir ihn ihr unmittelbar nach ihrer Rückkehr übergeben, und wenn sie den Zustand sieht, in dem er sich befindet, und die Aufgabe erhält, ihn zu pflegen, wird sie zu beschäftigt sein, um Ärger zu machen.«

»Das stimmt ...« Anrellas Stimme klang nachdenklich. »Was haben Sie sonst noch unternommen?«

Diesmal antwortete ihr Nypers' Stimme, und das überraschte Pendrake momentan mehr, als alles andere bisher Geschehene. Dann dachte er: »Natürlich!« Welche andere Erklärung gäbe es für die Bemerkung, die der alte Mann gemacht hatte, als die, daß er ebenfalls einer der Verschwörer war?

Als sich Pendrake von dem Schock erholt hatte, stellte er fest, daß Nypers dabei war, die Unterhaltung am Vormittag zu beschreiben. Nypers lachte in sich hinein. »Ich konnte buchstäblich sehen, wie es in ihm arbeitete, und später ließ er sich mehrere Akten kommen. Er hat also bereits zu grübeln begonnen.«

Die Stimme des alten Mannes fuhr fort: »Ich hatte keine Ahnung, daß ich über eine derartige Begabung zur Intrige verfüge. Ich habe alles getan, wozu ich bei unserer letzten Zusammenkunft beauftragt worden bin. Mr. Pendrake in Verwirrung zu bringen, war einfach genug, doch das Interview mit Präsident Dayles erforderte enorme Selbstkontrolle und eine sorgfältige Phrasierung der Antworten, damit der Lügendetektor nicht ausschlug. Da ich in den wesentlichen Punkten bei der Wahrheit blieb, befürchte ich keine üblen Rückwirkungen, obwohl ich glaube, daß diese Frau uns nachspüren wird. Ich fürchte, das Risiko müssen wir eingehen.« Er schloß: »Meiner Meinung nach haben wir den einzig richtigen Zeitpunkt abgepaßt, den Präsidenten einzuweihen — als er sich nämlich hier an Ort und Stelle befand und ohne Verzug Mr. Pendrake von Angesicht zu Angesicht kennenlernen konnte.«

»Wir haben wirklich keine andere Wahl«, sagte eine neue Stimme, und Pendrake schrak wiederum zusammen, denn es war die Stimme von Nesbitt selbst, dem Eigentümer der Nesbitt-Gesellschaft. »Es steht außer Zweifel, daß uns zur Zeit völlige Vernichtung droht. Die Morde unserer Wissenschaftler erwecken den Anschein, daß irgend jemand mit den gesamten Einzelheiten des Lambton-Projekts vertraut ist. Wenn wir recht haben — wenn eine Geheimgruppe krimineller Elemente, mit globaler Einflußsphäre und unter internationaler Oberleitung, dafür verantwortlich zeichnet —, dann ist dies nicht länger eine Sache privater Aktionen. Wir brauchen Hilfe. Die Regierung muß hinzugerufen werden. Deshalb diese erste Kontaktaufnahme mit Präsident Dayles.«

Die Stimme von Nickson, dem Butler, sagte nachdrücklich: »Trotzdem läuft das, was wir unternehmen, auf eine letzte, endgültige Privataktion hinaus.«

Peter Yerd ließ sich vernehmen: »Alles, was wir zur Zeit über die Mördergruppe wissen, sind nur Gerüchte. Sie soll aus einigen tausend Mitglieder bestehen, Angehörigen europäischer und amerikanischer Verbrecherorganisationen, der Unterwelt vieler Großstädte, Mafia-Leute, aber auch ehemalige Gestapo-Männer, Agenten des Beria-Geheimdienstes und Angehörigen der Schwarzen Hand.

Ihre Organisation läuft anscheinend unter dem Kodenamen RAGNARÖK.«

Als Pendrake noch bemüht war, mit der Erkenntnis fertigzuwerden, daß selbst die Dienstboten zur Führungsschicht dieser Gruppe zu gehören schienen, meinte Sybille, das Dienstmädchen, mit gelassener Autorität: »Anrella, wir ziehen sogar in Betracht, Jim zum Mond zu schicken.«

»Wozu denn das?« Anrella schien ehrlich erstaunt zu sein.

Sybille entgegnete: »Meine Liebe, wir gehen einer ernsthaften Notlage entgegen, und es wird höchste Zeit, daß wir die Angaben des verstorbenen Mr. Lambton über die Herkunft des Motors nachprüfen.«

»Nun, ja«, sagte Anrella nach einer Pause, »Jim ist gewiß die richtige Person dafür, da er der einzige ist, der unsere Geheimnisse nicht verraten könnte, im Falle etwas ginge schief.« In ihrer Stimme klang Verzicht.

Lange Zeit später machte sich Pendrake Vorwürfe darüber, daß er sich an diesem Punkt zurückgezogen hatte. Doch der Drang war übermächtig. Furcht kam – Angst davor, hier entdeckt zu werden, noch bevor er Zeit gefunden hatte, über das Gehörte nachzudenken. Er schlich die Treppe hinunter, nahm seinen Hut an sich und eilte zur Tür. Als er ins Freie trat, bemerkte er zum erstenmal, daß wenigstens ein Dutzend Autos in der Nähe des Hauses geparkt waren. Er war beim Hereinkommen zu abwesend gewesen, um sie zu beachten.

Ein paar Minuten später lenkte er sein eigenes Fahrzeug durch die eisernen Torflügel.

8

Die Tage nahmen ihren Lauf, und das Leben ging weiter. Jeden Morgen, ausgenommen samstags und sonntags, stieg Pendrake in seinen Wagen und fuhr ins Büro. Jeden Abend kehrte er wieder zum großen Haus hinter dem eisernen Tor zurück – zu einem Abendessen, das in einer makellosen Umgebung von bestgeschultem Dienstpersonal serviert wurde, zu angenehmen, erholsamen Stunden des Lesens in seinem Arbeitszimmer, und schließlich zu dem Bett, das er mit einer schönen und liebevollen Frau teilte.

Die Ereignisse, die ihn so außerordentlich bestürzt hatten, schienen mehr und mehr an Wirklichkeit zu verlieren und bloßen Träumen zu gleichen. Doch er vergaß sie nicht.

Am siebzehnten Morgen erreichte ihn der Brief mit der Geburtsurkunde. Pendrake las ihn mit großer Befriedigung und Erleichterung.

Da stand es schwarz auf weiß: James Somers Pendrake. Geboren am 1. Juni 1940, in der Stadt Crescentville, Bezirk Goose Lake. Vater John Laidlaw Pendrake. Mutter: Grace Rosemary Somers ...

Er war geboren worden. Sein Gedächtnis hatte ihm nicht etwas vorgegaukelt. Die Welt stand nicht völlig auf dem Kopf. In seinem Gedächtnis war eine Lücke, kein Abgrund. Seine Lage war die eines Menschen gewesen, der dicht neben einer Kluft von unermeßlicher Tiefe auf einem Bein balancierte. Jetzt glich er mehr einem Mann, der breitbeinig über einer schmalen, doch tiefen Spalte stand. Es traf zu, daß die Spalte aufgefüllt werden mußte, doch selbst dann, wenn dies nicht getan werden konnte, blieb ihm doch die Möglichkeit, weiterzugehen, ohne das entsetzliche Gefühl, in pechschwarzer Dunkelheit am Rand eines Abgrunds zu taumeln.

Ein lähmender Schwächeanfall überkam Pendrake, als er da saß. Er schwankte, fing sich wieder und lehnte sich dann schwer gegen die Sessellehne zurück. Der erstaunte Gedanke kam: »Was, ich wäre um ein Haar ohnmächtig geworden!«

Der Schwindel verging. Pendrake erhob sich vorsichtig und füllte ein Glas mit Wasser. Wieder im Sessel, hob er das Glas an die Lippen ... und sah, daß seine Hand zitterte. Es erschreckte ihn. Er hatte sich, das schien klar, tatsächlich von dieser ganzen Situation angreifen lassen. Gott sei Dank war das Schlimmste des rein persönlichen Teils bereits hinter ihm – allerdings noch nicht vollständig. Doch immerhin hatte er bereits den Beginn seiner Existenz nachgewiesen. Sobald seine militärischen Unterlagen eintrafen, würde er eine lückenlose Kette bis zum vierundzwanzigsten Lebensjahr aufstellen können. Das wäre, wenn man es genau betrachtete, eine ganz beachtliche Grundlage. Und da sich sein bewußtes Leben im Alter von dreiunddreißig wieder eingestellt hatte, verblieben damit noch neun Jahre, über die es Nachforschungen anzustellen galt.

Sein starkes Selbstvertrauen schwand. Neun Jahre! Das war nicht gerade eine kleine Lücke. Im Gegenteil, es war eine verdammt lange Zeit.

Seine militärischen Papiere trafen am Nachmittag des neunzehnten Tages ein. Es war gedrucktes Formular, auf dem die Antworten mit Schreibmaschine in die dafür vorgesehenen Stellen eingetragen worden waren.

Da stand sein Name, sein Alter ... Luftwaffeneinheit ... der Name seines nächsten Verwandten, »Eleanore Pendrake, Ehefrau«. Schwere Verwundungen oder Verletzungen: »Amputation des rechten Arms unterhalb der Schulter nach Verletzung bei Flugzeugabsturz ...«

Pendrake starrte entgeistert auf das Formular. Was sollte das? Er hatte doch noch seinen rechten Arm! dachte er.

Das Gefühl lastender Schwere verging, als er das Stück Papier ansah. Der Gedanke kam: »Was für ein Schnitzer! Irgendein Idiot in der Registrierabteilung des Pentagons muß eine falsche Urkunde erwischt und diese Information abgetippt haben.« Doch noch während eine Hälfte seines Gehirns diese Erklärung zurechtzimmerte, akzeptierte die andere Hälfte bereits das Geschriebene, übernahm es und wußte, daß kein Irrtum vorlag, daß dieses Formular keinen Schnitzer enthielt. Das Versehen, das Falsche, lag nicht in einer Registrierabteilung. Es war hier, in ihm. Er konnte sich nicht länger etwas vormachen. Ganz offensichtlich war er nicht der Jim Pendrake, der in diesen Akten beschrieben wurde.

Die Zeit war deshalb gekommen, denjenigen gegenüberzutreten, die wußten, wer er war. Was auch immer der Grund dafür sein mochte, ihn glauben zu machen, daß er Jim Pendrake war — er mußte ihn nun endlich ans Tageslicht zerren.

Es war vier Uhr, als er durch das offene Eisentor der sechs Meter hohen Umzäunung einbog und seinen Wagen der Einfahrt entlangsteuerte, die sich szenisch zwischen den Bäumen hindurchwand. Er brachte das Fahrzeug in die riesige Garage. Anrellas Chauffeur kam herbei.

Gregory fragte: »So früh zu Hause, Mr. Pendrake?«

»Ja«, entgegnete Pendrake brüsk.

Als er durch den Garten auf die französischen Flügelfenster zuging, glitt in seiner Nähe ein Schatten über den Boden. Er blickte auf und sah, daß er von einem Flugzeug stammte, das sich seinem Privatflugfeld näherte. In rascher Folge tauchten vier weitere Flugzeuge hinter dem ersten auf, und alle verschwanden kurz darauf hinter den Bäumen.

Pendrake zog ob der bevorstehenden Störung finster die Brauen zusammen, als Anrella ans Fenster kam. Sie rief: »Was war das, Liebchen?«

Er ließ es sie wissen, und sie sagte betroffen: »Flugzeuge!« Noch im selben Atemzug fügte sie hastig hinzu: »Jim — steige wieder in deinen Wagen! Fahre so schnell wie möglich fort von hier!«

Er blickte sie an. »Du kommst besser auch mit.«

Sie rannte aus Leibeskräften, und das allein sah schon merkwürdig genug aus. Als sie in den Wagen sprang, trieb sie ihn atemlos an: »Jim, wenn dir deine Feiheit lieb ist, *beeile dich!*«

Als sein Wagen auf das Tor zuschoß, das den Weg nach Alcina freigab, sah Pendrake zwei Jeeps durch die Öffnung einbiegen und seinen Weg verstellen. Er verlangsamte seine Fahrt; dann wurde ihm klar, daß er zur Fortsetzung seiner Flucht den Wagen umdrehen mußte, und so hielt er an. Einer der Jeeps setzte sich in Bewegung und kam herübergeflitzt.

Die kaltblickenden Frauen, die in ihm saßen, hielten Pistolen auf ihn gerichtet. Sie winkten ihm, zum Haus zurückzukehren. Er führte die Anordnung wortlos aus, doch hatte er bereits erkannt, daß er es mit den weiblichen Spezialagenten von Präsident Dayles zu tun hatte, und das erleichterte ihn ein wenig.

Am Haus angelangt, sah er, daß die ganze Bande umstellt und zusammengetrieben worden war. Versammelt im Garten waren Nesbitt, Yerd, Shore, Cathcott, und das gesamte Dienstpersonal, Gregory eingeschlossen. Alles in allem standen nahezu vierzig Personen vor einem regelrechten Arsenal von Maschinenwaffen aufgereiht, die etwa hundert Frauen in den Händen hielten.

»Ja, er war es tatsächlich!« meldete die Anführerin der Jeepmannschaft, die ihn gefangengenommen hatte. »Du hast recht gehabt mit deiner Vermutung, daß sie versuchen würden, ihn so schnell wie möglich fortzuschaffen.«

Die Frau, der sie die Meldung erstattete, war jung und gut aussehend, doch sehr ernst von Angesicht. Sie nickte kurz und befahl nun mit auffallend tiefer Stimme: »Sorge dafür, daß Jim Pendrake Tag und Nacht bewacht wird. Nur seine Frau darf zu ihm gelassen werden. Alle anderen werden per Flugzeug zum Gefängnis von Kaggat geschafft. Vorwärts!«

Wenige Minuten danach war Pendrake mit Anrella allein. »Liebling«, fragte er angespannt, »was geht hier eigentlich vor?« Es schien ihm, daß man ihm nun endlich nichts mehr verheimlichen konnte.

Sie stand am Fenster des großen Wohnraums und hatte hinausgeblickt. Jetzt wandte sie sich um und kam auf ihn zu, um ihn in ihre Arme zu schließen. Sie küßte ihn leicht auf die Lippen. Dann lehnte sie sich zurück und schüttelte den Kopf. Eine Andeutung eines belustigten Lächelns lag auf ihren Zügen.

Als Reaktion kam es in Pendrakes Geist zu einem Ausbruch. Als er sich aus ihrer Umarmung löste, war er sich nur sehr verschwommen bewußt, daß die Schnelligkeit, mit der sich sein Ärger äußerte, symptomatisch für die Überreiztheit seiner Nerven war. »Du mußt es mir sagen!« tobte er. »Wie kann ich auch nur den Versuch machen, nachzudenken, wenn ich nicht mehr erfahre? Siehst du nicht, Anrella ...«

Er brach ab. Ihr Gesicht zeigte den gleichen belustigten Ausdruck. Seine Wut ließ etwas nach, doch fühlte er sich beleidigt. »Ich nehme an, du weißt«, sagte er, »daß niemand anderes als Jefferson Dayles jene weiblichen Rowdies geschickt haben kann. Wenn du dies weißt, und wenn du auch weißt, warum, dann sage es mir, damit ich versuchen kann, einen Ausweg aus dieser Situation zu finden.«

»Es gibt keinen Ausweg«, entgegnete sie ruhig. »Ob wir hier eingesperrt sind oder anderswo, das spielt keine Rolle.«

Pendrake starrte sie an. »Bist du verrückt?« fragte er. Mit einemmal war es ihm, als ob er vollständig den Boden unter den Füßen verloren hätte. Er rief: »Ich habe euch neulich bei jenem Treffen belauscht. Du kannst mir nichts vormachen.«

Ihr Gesicht wechselte den Ausdruck. Das Lächeln verschwand. »Welches Treffen?« fragte sie scharf.

Als er es erzählt hatte, blickte sie besorgt drein. »Was hast du gehört?«

»Du sagtest etwas über eine bevorstehende Veränderung mit mir. Was meintest du damit? Eine Veränderung worin?«

Wieder veränderte sich ihr Ausdruck. Die Besorgnis verschwand. »Es scheint mir, du hast nicht zu viel vernommen. Die Veränderung betrifft dich, sie liegt in dir. Mehr kann ich dir nicht sagen.«

»Immerhin hast du mir schon soviel gesagt. Warum nicht mehr?«

Sie war wieder belustigt. »Ich habe dir gar nichts gesagt«, entgegnete sie. Sie kam auf ihn zu, schloß ihn wieder in die Arme. Sie sagte: »Jim, die Veränderung tritt rascher ein, wenn du unter Spannung stehst, und du stehst unter Spannung, nicht wahr?« Sie wechselte das Thema. »Es war eine schöne Zeit für dich, oder, Jim? Zwei Jahre voll ungetrübten Vergnügens.«

Er war zu wütend, um die Wahrheit ihrer Worte zu bestätigen. Er schnappte: »Nach dem, was ich gehört habe, bist du noch nicht einmal meine Ehefrau.«

»So haben wir dich also mit einer Gefährtin versorgt«, sagte sie. »Du mußt zugeben, es war alles frei. Im Gegenteil, du bist sogar sehr gut bezahlt worden.«

In seinem gegenwärtigen Geisteszustand erschien ihm dies als die endgültige Beschimpfung. »Ich bin kein Gigolo-Typ«, sagte er rauh, drehte sich auf dem Absatz um und verließ das Zimmer.

Was ihn betraf, so war er mit ihr völlig fertig.

Am Abend des gleichen Tages sagte Anrella, nachdem sie zu Bett gegangen waren: »Wir werden hier vermutlich Monate gemeinsam zubringen müssen. Wirst du während dieser ganzen Zeit böse auf mich sein?«

Pendrake drehte sich um und blickte zu ihrem Einzelbett hinüber. Er fragte scharf: »Monate?« Er war bestürzt. Vermutlich würde der Moment kommen, in dem der Hausarrest endete — aus einem Grund, den sie kannte. Er zwang sich mit Anstrengung zur Ruhe. »Du wirst mir während dieser Zeit nicht das geringste über die Hintergründe sagen?«

»Nein.«

»Aber du möchtest derweilen Hausfrau und Ehefrau spielen?«

»Wie bisher.«

Er schüttelte den Kopf, doch gelang es ihm nicht, wütend zu werden, und so stellte es nicht eine vollständige Abweisung dar. »Ich werde es mir überlegen«, meinte er langsam, »aber du weißt vielleicht, daß ein Mann nicht dazu geschaffen ist, in einer Situation wie dieser still zu sitzen und abzuwarten. Jedenfalls ich nicht.«

»Du kannst dagegen unternehmen, was du für richtig hältst«, lautete ihre Antwort, »doch sei nicht länger böse auf mich.«

Sein Ausdruck war unglücklich, als er sie ansah. »Wenn ich nachgebe und diese Einstellung annehme«, sagte er, »wird aus mir nichts anderes, als ein Lotusesser mehr. Es wäre ein leichtes für mich, die Tage und Wochen in einem Sexidyll zu verträumen.«

»Das scheint mir nicht gerade eine unangenehme Aussicht zu sein.« Sie lachte unterdrückt. »Oder?«

»So spricht der Lotusesser«, entgegnete er. »Und was ist mit meiner wirklichen Frau?«

Ihre Wangen überzogen sich mit einem Hauch von Farbe. Als sie sprach, geschah es im Tonfall der Selbstrechtfertigung. »Ich habe mich erst dann entschlossen, dieses Verhältnis einzugehen, als wir ermittelt hatten, daß ihr seit Jahren nicht mehr zusammengelebt habt.« Sie fügte hinzu: »Ich glaube, deine Frau hatte den Beschluß gefaßt, das Eheleben mit dir wieder aufzunehmen, doch war es noch nicht soweit gekommen.«

Pendrake sah wieder zu Anrella hinüber. Sie hatte ihre leichtmütige Art zurückgewonnen, denn sie lächelte wieder.

Der Sommer trieb wie in einem Traum vorüber. Wie er es erwartet hatte, wurde er zunehmend unruhiger und rastloser. Doch erst als sich die ersten Anzeichen des nahenden Herbstes zeigten, beschloß Pendrake endgültig, daß die Zeit gekommen war, aufzuwachen.

9

Pendrakes Finger tasteten über den Stein. Er war so intensiv bemüht, Gleichgültigkeit vorzutäuschen, daß seine Hand zitterte. Die Beobachtung besorgte ihn; es stand zu befürchten, daß er sich verraten würde, wenn er sich nicht beherrschte. Er schmiegte sich bequemer gegen die samtartige Grasdecke des Rasens, auf dem er, umringt von seinen sieben Wächterinnen, der Länge nach ausgestreckt lag.

Der Stein maß fünf Zentimeter im Durchmesser — fünf Zentimeter harter, lebloser Substanz. Und doch stellte er mit seiner winzigen Masse einen derartig großen Teil seiner Hoffnung dar, daß Pendrake einen Augenblick lang von lähmender Angst erfüllt wurde. Doch allmählich beruhigten sich seine Nerven, und er entspannte sich, um die Ankunft der Jungen abzuwarten. Jeden Samstag seit Schulbeginn Anfang September hatte er zu dieser Tageszeit ihre schrillen Stimmen vernommen. Ihre Ruhe und Geräusche kamen von jenseits einer dichtverwachsenen Reihe Bäume, die seinen Augen den Blick auf die hohe eiserne Umzäunung um das Anwesen verstellten, das zu seinem persönlichen Zuchthaus geworden war.

Die Bäume und der Zaun schlossen ihn von den Jungen und von

der Welt ab. Er hatte sich nicht träumen lassen, daß seine Flucht so viel minuziöse Planung, eine solch kniffelige Methode und zwei lange Monate geduldigen Wartens erfordern würde. Er hatte es während diesen Monaten verlernt, sich darüber zu wundern, daß niemand aus seinem Büro kam, um sich nach ihm zu erkundigen; zweifellos hatte jemand anderes die Leitung der Firma übernommen. Er hatte es zudem aufgegeben, Anrella gegenüber ernst und unnahbar zu sein. Sie ließ es einfach nicht zu.

Es war eine schlimme Situation. In wenigen Minuten würden die Jungen mit ihren Angelruten vorübergehen, in Richtung der tiefen Teiche stromaufwärts. Und er hatte keinen Plan, auf den er sich verlassen konnte, ausgenommen die Möglichkeit ... Was war das?

Ein Geräusch klang durch die Luft, ein schwacher Laut, den er jedoch in plötzlich zurückgekehrter innerer Anspannung erkannte. Es war das Gelächter der Jungen, noch weit entfernt.

Doch der Augenblick des Handelns war gekommen.

Pendrake lag still und schätzte seine Chancen ab. Zwei der Frauen hatten sich etwa ein Dutzend Schritte zu seiner Rechten bequem ausgestreckt. Drei andere Frauen saßen drei Meter entfernt links von ihm und etwas hinter ihm.

Er wußte, daß er sie nicht unterschätzen durfte. Es stand außer Zweifel, daß man ihm Wächterinnen zugeteilt hatte, die stark genug waren, um mit gewöhnlichen Männern ihrer Gewichtsklasse fertig zu werden. Von den beiden übrigen Frauen stand eine direkt hinter ihm in einer Entfernung von ungefähr drei Meter. Die andere ragte zwei Meter entfernt vor ihm auf, genau zwischen ihm und den hohen Bäumen, die den Zaun verbargen, hinter dem die Jungen gleich vorüberkommen mußten. Die rauchig-grauen Augen dieser kraftvoll gebauten Person blickten stumpf und alles andere als wachsam drein, als ob sie sich in Gedanken ganz woanders befand. Doch Pendrake ließ sich davon nicht täuschen. Sie war eine von Jefferson Dayles' Maschinen, und im Augenblick war sie, was sein Vorhaben betraf, sein gefährlichster Widersacher.

Das Gewirr der Stimmen auf der Straße kam näher.

Pendrake fühlte das Pochen in seinen Schläfen, als er mit erzwungener Bedächtigkeit in die Tasche langte und gemächlich einen Glaskristall hervorzog. Er hielt das kleine Stück Glas in der Hand, so daß sich die Strahlen der Morgensonne in feurigem Blitzen in seinem Innern fingen. Es gleißte förmlich, als er es leichthin in die Luft warf. Er fing den Kristall auf und löschte damit sein strahlendes Leuchten; dabei war er sich in fast übernormaler Deutlichkeit der Augen bewußt, die auf ihm lagen. Die Wächterinnen beobachteten ihn unablässig, ohne Verdacht, doch mit Wachsamkeit. Dreimal warf Pendrake den Glaskristall mehrere Meter hoch in die Luft. Und dann, so als ob er mit einemmal des Spieles überdrüssig wäre, ließ er ihn etwa eine Armlänge von sich entfernt zu Boden fallen. Das Glasstück lag dort glitzernd in der Sonne, weitaus der hellste Gegenstand in seiner Nähe.

Er hatte die Sache mit dem Glaskristall lange und gründlich durchdacht. Es war offensichtlich, daß keiner der Wachposten in der Lage war, ihn pausenlos unter konzentrierter Beobachtung zu halten. Er konnte damit rechnen, daß ihn von den sieben Frauen zu jedem Zeitpunkt nur immer drei gleichzeitig bewußt ansahen. Wenn er sich endlich in Bewegung setzte, würden selbst diese drei zweimal hinschauen müssen, weil das blendende Blitzen des Kristalls ihren Blick ablenken und ihr geistiges Bild dessen, was er wirklich tat, dementsprechend verzerren mußte.

So jedenfalls lautete seine Theorie ... und die Jungen waren bereits nahe.

Ihre Stimmen stiegen und fielen, ein glückliches Geplapper, mal prahlerisch, mal in Übereinstimmung, mal herrisch, und mal alle Stimmen gemeinsam. Es war praktisch unmöglich, auch nur abzuschätzen, wie viele von ihnen vorübergingen. Doch da kamen sie, wie er sie für seinen Fluchtplan benötigte.

Pendrake zog das Buch aus seiner linken Jackentasche. Er schlug es scheinbar abwesend auf, an beliebiger Stelle. Sein Blick ging hierhin, dorthin, las mal ein paar Worte, überflog ein anderes Mal einen Abschnitt, alles nur um den Frauen genügend Zeit zu geben, ihre Gedanken auf die immens alltägliche Tatsache einzustellen, daß er sich anschickte, zu lesen. Dann legte er das Buch ins Gras, so daß es mit der oberen Kante an den Stein anstieß.

Er schlug es diesmal zielbewußt am Buchzeichen auf, das von einem Stück Notizpapier gebildet wurde. Für die Wächterinnen mußte der Brief genau wie die Dutzende von unbeschriebenen Papierfetzen aussehen, die er in den letzten Monaten für Notizzwecke benützt hatte. Hinzu kam noch die Tatsache, daß er unbeschrieben war.

Trotz seines festen Vorhabens, seiner Haft ein Ende zu setzen, hatte er in der Tat den lokalen Behörden der Außenwelt nichts mitzuteilen. Bevor er nicht wußte, wer alles in diese Sache verwikkelt war und was dahintersteckte, mußte er sein Problem bei sich behalten. Sobald er einmal außerhalb des Zauns war, könnte er selbständig damit fertig werden. Er fühlte sich sehr selbstsicher und befähigt.

Die Frauen zu seiner Rechten rührten sich. Pendrake blickte nicht auf, doch sein Optimismus sank. Die beiden Posten, von denen er am allerwenigsten Interferenz erwartet hatte, begannen munter zu werden. Was für ein Pech!

Doch durfte er jetzt nicht länger zögern. Seine Finger berührten das weiße Notizblatt; schwitzend schob er es über die Kante des Buches und direkt über den Stein. Es dauerte nur wenige Sekunden, das Blatt mit den Gummibändern, die er zuvor sorgfältig daran befestigt hatte, an den Stein zu heften, indem er die Gummibänder darüber schob.

Einen Schrei ausstoßend – um die Frauen zu erschrecken – sprang er jäh auf die Füße und schleuderte den Stein mit seiner weißen Nutzlast mit ganzer Kraft von sich.

Er hatte keine Zeit, seine Balance wiederzugewinnen, um sich zu schützen. Zwei Leiber schmetterten gleichzeitig von verschiedenen Richtungen gegen ihn und warfen ihn drei Meter weit durch die Luft. Pendrake blieb liegen, wie er gefallen war; er fühlte sich schwindelig von dem Schlag, doch war er sich deutlich darüber im klaren, daß er unverletzt geblieben war. Er hörte die Anführerin, die große Frau, die vor ihm gestanden hatte, mit knappen Worten Befehle erteilen: »Karla, Marian, Jane – zurück zum Haus! Holt den Jeep! Schneidet jenen Kindern den Weg zur Stadt ab! Schnell, Rhoda! Lauf zum Tor und öffne es für sie! Nancy, wir beide werden über den Zaun klettern und die Jungen verfolgen oder nach der Botschaft suchen. Olive, du bleibst hier bei Mr. Pendrake.«

Pendrake vernahm eilige Schritte, als die Wächterinnen davoneilten. Er wartete. Gib ihnen Zeit. Gib Nancy und der Anführerin Gelegenheit, über den Zaun zu kommen. Und dann ... Phase Zwei!

Nach Ablauf von zwei Minuten begann er zu stöhnen. Er richtete sich auf. Er sah, daß ihn die Frau beobachtete. Olive war eine hübsche, doch etwas grobknochige Frau mit dünnen Lippen. Sie kam heran.

»Brauchen Sie Hilfe, Mr. Pendrake?«

Mister Pendrake! Diese Leute mit ihrer höflichen Besorgtheit machten ihn verrückt. In höchst ungesetzlicher Weise hielten sie ihn hier in Haft – und doch geschah es in aller Sanftheit und Freundlichkeit. Doch wenn er jemals entfliehen würde, so mußte es jetzt sein. Er würde den Trick nicht noch einmal anwenden können, um sich der Wachen zu entledigen. Pendrake versuchte mühsam, sich auf ein Knie aufzurichten. Als er schließlich so kniete, schüttelte er den Kopf, als ob er noch immer benommen wäre. Schließlich murmelte er unglücklich: »Helfen Sie mir auf.«

Sie kam heran und beugte sich nieder, um ihm die Hand zu reichen. Das war der Moment, in dem Pendrake in Aktion ging. Er fühlte keine Spur von Mitleid, als er zuschlug. Diese Frauen mit ihrer Gleichmacher-Droge, ihren Schußwaffen und ihrer Skrupellosigkeit konnten nicht mit Samthandschuhen angefaßt werden. Ein blitzschneller Eins-Zwei, Eins-Zwei zur Kinnspitze beendete den Kampf siegreich für ihn.

Olive ging zu Boden wie ein Klotz. Ohne die geringste Rücksichtnahme, genau so als ob er es mit einem Mann zu tun gehabt hätte, stürzte sich Pendrake auf sie und rollte sie auf den Rücken. Rasch zog er einen der Knebel aus der Tasche, die er vorbereitet hatte. Es dauerte etwa eine Minute, ihr den Mund sicher zu verschließen.

In weniger überstürzter Weise, doch ohne Zeit zu verschwenden, zog Pendrake sein Hemd aus dem Hosenbund und begann die starke Wäscheleine abzuwickeln, die er um die Hüften trug. Als er damit fertig war, begann sich die Frau zu rühren, und er beeilte sich, sie aufs gründlichste zu fesseln.

Es dauerte kaum länger als drei Minuten. Dann erhob er sich etwas schwach in den Knien, doch sonst ruhig. Er schenkte seiner Gefangenen keinen weiteren Blick mehr, sondern entfernte sich. Eine Zeitlang hielt er sich parallel zum Zaun. Schließlich zwängte er sich durch das Gestrüpp der Baumreihe und nahm das Gelände jenseits des hohen Zauns in Augenschein. Es war, wie er es in Erinnerung hatte, dicht bewaldet. Befriedigt eilte Pendrake zum Zaun und begann daran emporzuklettern. Wie er bei seinem ersten Versuch vor mehr als zwei Monaten festgestellt hatte, bot das Erklettern des Zaunes keine Schwierigkeit. Es war fast so leicht, als ob er an einem Seil emporklomm.

Mit steigender Erregung erreichte er das obere Ende und schob sich über die scharfen Speerspitzen des Zaunes auf die andere Seite. Erst danach erkannte er, daß ihn das Gefühl der bevorstehenden Freiheit dabei unvorsichtig werden ließ.

Er rutschte ab.

Und da beging er einen zweiten Fehler: den instinktiven Fehler, blindlings auszulangen, zuzugreifen, um einen Absturz zu verhindern. Als er stürzte, stieß einer der eisernen Spieße dicht unterhalb des Ellbogens in seinen rechten Unterarm und ging hindurch. Er hing in der Schwebe, sein Sturz durch den Arm aufgehalten, der am Zaun aufgespießt war. Der scharfe Schmerz tobte durch seinen Körper und durch sein Bewußtsein, und etwas Warmes, Salziges und Klebriges spritzte in sein Gesicht, in seine Augen und an seinen Mund.

Er hob sich in die Höhe. Das war das allererste, was Pendrake dann über und jenseits der sengenden Qual von der Außenwelt wahrnahm. Hob sich allein mit seinem linken Arm in die Höhe und versuchte zur gleichen Zeit, den rechten Unterarm hochzustemmen und von dem Spieß zu befreien, der ihn festnagelte.

Höher und höher! Und es gelang! Stöhnend vor Schmerz fiel er sechs Meter auf den Erdboden hinunter.

Er schlug hart auf. Die Muskeln seines Körpers waren schmerzverkrampfte Knoten, die weder federten noch nachgaben. Der Aufschlag erschütterte seinen Körper. Er sank in einen Abgrund, raffte sich dann jedoch wie ein Tier auf, mit nur einem Gedanken, der in seinem geschundenen Leib geblieben war: Weg von hier! Nicht hier verweilen! Sie mußten bald kommen, nach ihm suchen. Weg! Auf die Beine! Weg von hier!

Pendrake wußte nichts mehr, bis er den Flußlauf erreichte. Das Wasser war warm, doch es linderte den Brand seiner Lippen und brachte Verstand in seine fiebrigen Augen. Er wusch das Gesicht, rang sich dann mühsam aus dem Jackenärmel und benetzte und wusch seinen Arm. Das Wasser färbte sich rot. Das Blut sprudelte und strömte aus einer Wunde, die soweit klaffte und so entsetzlich aussah, daß er zu schwanken begann und sich gerade noch rücklings aufs grasige Ufer fallen lassen konnte.

Wie lange er dort gelegen hatte, konnte er nicht sagen. Doch kam schließlich der harte Gedanke: »Aderpresse ... abbinden ... oder sterben!« Mit einer ebenso großen Anstrengung des Willens wie seiner Stärke riß er den blutigen Hemdsärmel an der Schulter ab und wickelte ihn mehrfach um den rechten Oberarm. Mit einem kurzen, abgebrochenen Stück eines Astes spannte er die Presse daraufhin, bis sie so eng war, daß seine Muskeln schmerzten. Das Blut hörte auf zu fließen.

Er erhob sich torkelnd und setzte sich in Bewegung, dem Flußlauf folgend. Dies war sein ursprüngliches Vorhaben gewesen. Es war für ihn leichter, einer bereits zuvor ausgewählten Route zu folgen, als sich eine neue auszudenken. Die Zeit verstrich. Er hätte später nicht sagen können, wann der Gedanke zum erstenmal kam, daß er in seinem Zustand nicht geradewegs zur Sparkasse gehen und Geld abheben konnte. Doch irgendwann während seines Marsches begegnete er jemandem und sagte:

»Habe meinen Arm verletzt! Wo wohnt der nächste Arzt?«

Er mußte eine Antwort bekommen haben. Denn nach einem weiteren Ablauf unbestimmter Zeit sah er sich auf einer Straße entlanggehen, die von Herbstlaub dünn überhangen war. Mehrmals wurde ihm bewußt, daß er nach einem Namensschild Ausschau hielt – nur um dann wieder in Bewußtlosigkeit zu versinken. Sein Arm hatte schon vor langer Zeit sämtliches Gefühl verloren. Er hing hinunter und schwang hin und her, als er ausschritt, doch es war das leblose Schwingen eines toten Gegenstandes.

Er wurde schwächer, und die Müdigkeit lag wie ein Gewicht auf ihm. Immer wieder tastete er über die Aderpresse, um sich zu vergewissern, daß sie sich nicht gelöst hatte und das Blut, das ihm noch verblieben war, ausströmen ließ. Dann schob er sich auf Knien eine Reihe von ausgetretenen Stufen empor.

»Himmel!« rief eine Männerstimme aus. »Was ist das?«

Dann kam wieder eine Lücke, in der nichts geschah. Eine Stimme durchdrang den Schleier in Abständen; dann befand er sich in einem Automobil, und die gleiche Stimme drang schwankend, mal laut, mal leise, an seine Ohren.

»Du unglaublicher Narr, wer immer du auch sein magst! Du hast die Presse mindestens eine Stunde zu lange angehabt. Wußtest du nicht ... Aderpressen müssen alle fünfzehn Minuten gelöst werden, damit das Blut fließt. Ein Arm braucht Blut, um am Leben zu bleiben. Zu spät. Jetzt haben wir Wundbrand. Bleibt nichts übrig, als zu amputieren!«

10

Pendrake erwachte unvermittelt und wandte den Kopf, um ausdruckslos auf den Stumpf seines Armes zu starren. Seine gesamte Schulter hing in einer netzartigen Schlinge, und der Arm war unbedeckt und vollständig sichtbar. Eine Infrarot-Lampe ergoß ihre Wärme über ihn, und das Gefühl im Stumpf war angenehm und behaglich, und nicht im geringsten schmerzhaft.

Er blutete nicht, und er wies ein neugewachsenes Gebilde auf – ein geringeltes, rosarotes, fleischiges Ding, das auf den ersten Blick wie ein zerfetztes Stück des fehlenden Armes aussah, das aus irgendeinem Grund nicht abgetrennt worden war. Doch dann erkannte er, was es wirklich war.

Er starrte und starrte, und die Erinnerung an eine militärische Personalakte wurde in ihm wach, die besagt hatte: »Amputation des rechten Armes unterhalb der Schulter ...«

Er schlief ein, noch während er bemüht war, das Geheimnis zu enträtseln.

In weiter Ferner sagte eine Männerstimme: »Es kann kein Zweifel mehr bestehen. Es ist ein neuer Arm, der an Stelle des abgerissenen wächst. Wir haben chirurgisch etwas nachgeholfen, doch wie ich schon zu Pentry gesagt habe, lasse ich mich hängen, wenn ich nicht überzeugt bin, daß das Gewächs grundlegend so gesund ist, daß es sich auch ohne ärztliche Hilfe entwickeln könnte. Es wird mehrere Tage dauern, bis er das volle Bewußtsein wiedererlangt. Schock, weißt du.«

Die Stimme entschwebte und kam dann zurück:

»Totipotent ... totipotente Zellen, mein Freund. Wir haben natürlich schon immer gewußt, daß jede menschliche Zelle die Form des gesamten Körpers latent enthält, in Form des genetischen Kode. Irgendwann in der fernen Vergangenheit hat der Körper anscheinend die leichtere Methode erwählt, beschädigte Gewebe einfach zu reparieren, statt neu wachsen zu lassen.«

Eine Pause trat ein. Pendrake hatte den ausgeprägten Eindruck, daß sich jemand voller Befriedigung die Hände rieb. Eine zweite Männerstimme murmelte etwas Unverständliches, dann fuhr die erste Stimme nachhallend fort: »Wir haben noch keinerlei Hinweise auf seine Identität. Dr. Philipson, der ihn hierher gebracht hat, hatte ihn noch niemals zuvor gesehen. Natürlich leben eine ganze Menge Leute sowohl von Big Town als auch von Middle Town über den ganzen Algina-Distrikt verstreut, doch ... Nein, wir haben noch nichts verlauten lassen und haben auch nicht die Absicht, es zu tun. Wir wollen zuerst einmal die weitere Entwicklung mit dem Arm dort abwarten. Ja, ich werde dich anrufen.«

Die murmelnde zweite Stimme sagte etwas, und dann kam das Geräusch einer sich schließenden Tür.

Der Schlaf legte sich wie eine besänftigende Decke des Vergessens über ihn.

Als er das nächste Mal erwachte, wußte er nicht, wer er war.

Die Erkenntnis dieser Tatsache stellte sich ein, als eine Krankenschwester, die sein Erwachen bemerkt hatte, den Arzt herbeirief. Der Arzt kam herein, ein Notizbuch in der Hand und gefolgt von einer zweiten Schwester. Er setzte sich und fragte in fröhlichem Ton: »Und nun, mein Freund, wie ist Ihr Name?«

Der Mann im Bett starrte ihn verwundert an. »Mein was?«

»Wie nennt man Sie? Wie heißen Sie? Verstehen Sie ... Ihr Name?«

Das namenlose Wesen im Bett lag reglos. Es bereitete ihm keine Schwierigkeit, den Begriff zu erfassen. Ohne sich zu überlegen, wieso er ihn verstand, erkannte er nun, daß dies Dr. James Trevor war, und daß dies das war, was der andere einen Namen genannt hatte. Schließlich schüttelte er den Kopf.

»Versuchen Sie es!« drängte der Arzt. »Versuchen Sie sich zu erinnern!«

Schweißtropfen bildeten sich auf Pendrakes Gesicht und liefen daran herunter. Er spürte die wachsende Spannung gewaltsamer Anstrengung von seinem ganzen Körper Besitz ergreifen, und ein plötzlicher scharfer Schmerz durchzuckte seinen Armstumpf. Vage und verschwommen, wie in einem Traum, war er der weißgestärkten Gestalten seiner Krankenschwester und ihrer Kollegin gewahr, die mit bereitgehaltenem Bleistift und Notizbuch im Hintergrund saß, und der dunklen Nacht außerhalb des Fensters.

Er zwang den Schmerz mit zusammengebissenen Zähnen aus dem Bewußtsein und krümmte sich innerlich förmlich im Bemühen, das Netzwerk von Nebel, Schleier und Schlieren zu durchdringen, das wie eine Wolke über seinem Gedächtnis lag. Bilder nahmen dort vage Formen an, gestaltlose Gedanken und Schattenerinnerungen von fernen Tagen voll unaussprechlicher Trübheit. Es war nicht Erinnerung, sondern Erinnerung einer Erinnerung. Er stand isoliert auf einer winzigen Insel von Gegenwartseindrücken, und das entsetzliche Meer der Schwärze um ihn drängte näher, kam näher mit jeder Minute, jeder Sekunde.

Mit einem Aufstöhnen gab er nach, und der Druck der Anspannung in ihm ließ nach. Hilflos sah er den Arzt an.

»Zwecklos«, sagte er einfach. »Da ist etwas über einen hohen Eisenzaun und ... Welche Stadt ist dies? Vielleicht hilft das.«

»Middle Town«, erwiderte der Doktor. Seine braunen Augen beobachteten Pendrake aufmerksam. Doch der schüttelte den Kopf.

»Wie ist es mit Big Town?« fragte der Arzt. »Das ist eine Stadt ungefähr sechzig Kilometer von hier. Dr. Philipson brachte Sie von Alcina hierher, weil er die Krankenhäuser hier kannte.« Er wiederholte langsam: »Big Town!«

Einen Moment lang erweckte der Laut verschwommen das Gefühl der Vertrautheit. Und dann schüttelte Pendrake erneut den Kopf. Ein neuer Gedanke kam. »Doktor, wieso kann ich die Sprache gebrauchen, wenn alles andere so trübe ist?«

Der Arzt sah ihn fast grimmig an. »Sie werden in wenigen Tagen nicht mehr in der Lage sein, zu sprechen, wenn Sie nicht jede freie Minute zum Lesen und Reden verbringen, nur um diese besonderen bedingten Reflexe in Übung und am Leben zu halten.«

Er sah, daß sich der Arzt halb von ihm abkehrte und sich den beiden Schwestern zuwandte. »Ich möchte, daß ein detaillierter Bericht für den Patienten angefertigt wird, der sämtliche Einzelheiten seines Falles enthält, soweit sie uns bekannt sind. Lassen Sie ein Radio und ein Fernsehgerät hereinstellen, und« – er wandte sich mit leichtem Lächeln zum Bett zurück – »Sie lassen mindestens eines davon unausgesetzt laufen. Hören Sie sich die Hörspiele an. Und wenn Sie nicht zuhören oder schlafen, dann lesen Sie, lesen Sie laut.«

»Was passiert, wenn ich es nicht tue?« Seine Lippen waren trokken. »Warum muß ich all dies tun?«

Die Stimme des Arztes war ernst. »Weil Ihr Gehirn fast ebenso leer werden wird wie das eines Neugeborenen, wenn Sie es nicht tun. Es könnten noch andere Reaktionen auftreten, doch darüber wissen wir nichts. Wir wissen, daß Sie in alarmierendem Tempo Ihr Gedächtnis verlieren. Wir erklären uns das damit, daß normalerweise die Zellen im menschlichen Körper und Gehirn sich in einem fortwährenden Zustand des Gebrauchs und der Reparatur befinden. In jeder Stunde, jeden Tag, werden die Milliarden unserer Gedächtniszellen unausgesetzt repariert und erneuert, und offensichtlich wird die Menge des Informationsmaterials, das elektrisch in diesen Zellen gespeichert ist, während dieses Vorgangs nicht in Mitleidenschaft gezogen. Auf die Dauer jedoch bewirkt diese ständige Erneuerung der Gewebe zweifellos eine Verminderung des Gedächtnisses. Nun, bei Ihnen ist das etwas anderes. Sie haben in diesem Augenblick totipotente Zellen. Anstatt repariert zu werden, sind Ihre Armzellen gegen funkelnagelneue, gesunde Zellen ausgewechselt worden; und diese neuen Zellen wissen nichts von den Erinnerungen der alten, denn Erinnerung ist anscheinend nicht erblich. Und falls sie die alten Erinnerungen übernehmen sollten, dann fehlt ihnen der Mechanismus zur Übertragung dieser Informationen. Aus diesem Grund verfügen Sie über Zellen, die ebenso die Fähigkeit haben, Erinnerungen zu speichern, wie die alten Zellen, doch können Sie in ihnen, bevor sie ihrerseits ersetzt werden, nicht mehr speichern als die Eindrücke, die Ihr Verstand im Zeitraum — sagen wir — einer Woche, vielleicht ein wenig länger, aufnimmt. Offensichtlich ist der Prozeß der Totipotenz auf Ihren gesamten Körper übergegangen, nachdem er in Ihren Arm seinen Ausgang genommen hat. Diese Vollständigkeit des Gedächtnisschwundes ist ein wenig überraschend, denn Laboratoriumsversuche mit Planarwürmern haben gezeigt, daß bedingte Reflexe in neue Wachstumsgebilde übergehen. Wir können mutmaßen, daß die Erinnerungen ihre Spuren zurücklassen. Doch Worte, Begriffe und einfache, angelernte Handlungen verschwinden offenbar oder rücken außerhalb des Stadiums der Anwendbarkeit.«

»Aber was werde ich später tun?« fragte Pendrake verwirrt.

»Wir haben Ihre Fingerabdrücke nach Washington gesandt«, erwiderte der Arzt beruhigend. »Sobald einmal Ihre Identität festgestellt ist, können wir ein planvolles Unterrichtsprogramm für Sie ausarbeiten, das auf den tatsächlichen Fakten Ihres bisherigen Lebens beruht. Inzwischen tun Sie, was ich Ihnen geraten habe.«

Pendrake starrte den Mann an. »Aber er ist mehr an dem Phänomen selbst interessiert, als an meiner Person«, dachte Pendrake.

Aus den Tiefen seines Körpers kam ebenfalls die Empfindung, daß die Lage nicht so schlimm war, wie sie der Arzt ausgemalt hatte, und daß die Erreichung des Normalzustandes ein leichtes sein würde, sobald einmal dieser neue Wachstumsprozeß abgeschlossen war.

11

Der neue Mann sagte: »Ich bin Dr. Coro, Mr. Smith. Ich bin Psychiater, und ich würde gerne mit Ihnen einige Tests vornehmen. Sind Sie damit einverstanden?«

Der fast namenlose Mann im Bett sah den Neuankömmling mit glänzenden Augen an. Er erkannte, daß er wie ein Kind behandelt wurde, doch das störte ihn nicht. Und er ahnte auf seltsame Weise, daß die meisten der Tests bei ihm nicht funktionieren würden.

Doch er sagte nichts, sondern sah ausdruckslos zu, als der Psychiater, sein Einverständnis wie selbstverständlich voraussetzend, einige Papiere auf dem Nachttisch ausbreitete, einen Stuhl heranzog und sich darauf niederließ. Er war ein untersetzt gebauter Mann mit einem freundlichen, bestimmten Wesen, und er begann geduldig zu erklären, daß er mit »Ihrem Arzt gesprochen« hätte, und er »erachtet es für vorteilhaft für uns alle, festzustellen, was in Ihrem Gehirn vor sich geht. Sind Sie einverstanden?«

Der zündende, ansteckende Komplex der Begriffe, Gedanken und Gefühle, der von Dr. Coro kam, ließ keine andere Antwort zu als Ja. Pendrake empfand kein Widerstreben, und so wartete er einfach.

Dr. Coro heftete einen seiner Papierbögen auf ein Klammerbrett und reichte Pendrake das Brett und einen Schreibstift. »Das ist ein Labyrinth«, sagte er dazu. »Ich möchte, daß Sie den Stift nehmen, die Schreibspitze auf den kleinen Pfeil dort setzen und dann den Weg durch das Labyrinth suchen, und dabei Ihren Fortschritt mit einem Strich markieren.«

Pendrake blickte auf die Darstellung, sah den offenen Durchgangsweg augenblicklich und zog eine Linie. Er reichte das Brett dem Psychiater zurück, der erstaunt darauf starrte, es jedoch dann wortlos zur Seite legte.

Er gab Pendrake jetzt ein Blatt mit über tausend kleinen Quadraten darauf, die in Gruppen von jeweils zwei, eines über dem anderen, angeordnet waren. Jede Gruppe war numeriert, und im ganzen waren es 594 Gruppen. Dr. Coro sagte: »Ich werde Ihnen jetzt für jede dieser Nummern einen Satz vorlesen. Wenn der Satz auf Sie zutrifft, das heißt, wenn er aus Ihrer Sicht korrekt ist, dann schreiben Sie ein X in das obere Quadrat. Der Ausspruch für Nummer Eins lautet: ›Ich möchte gern ein Bibliothekar sein.‹ Ist das richtig oder falsch?«

»Falsch«, entgegnete Pendrake.

»Nummer Zwei«, fuhr der Psychiater fort, »lautet: ›Ich liebe Bastelmagazine.‹ Richtig oder falsch?«

Pendrake schrieb schweigend ein X in das »Falsch«-Quadrat. Er blickte auf und sah, daß Dr. Coro ihn beobachtete. Der Mann sagte ruhig: »Wir wollen uns versichern, daß wir diesen Test völlig verstehen. Können Sie mir sagen, warum Sie kein Bibliothekar sein wollen?«

»Man hat mir hier ein paar Bücher zum Lesen gegeben«, erwiderte Pendrake, »und die Worte darin verzerren und entstellen jede Wahrheit, die ich in der Welt und in den Leuten um mich herum sehe. Warum sollte ich also etwas mit Büchern zu tun haben? Überdies ist das ein Frauenberuf.«

Der Psychiater öffnete den Mund, als ob er etwas sagen wollte, doch schien er es sich dann anders zu überlegen. Nach einem Moment des Überlegens meinte er: »Doch das kann nicht auf Bastelmagazine zutreffen. In ihnen werden mechanische Prozesse beschrieben, und doch haben Sie den Satz als falsch bezeichnet. Warum?«

»Ich habe einen Stapel technischer Zeitschriften und Bastelmagazine dort drüben auf dem Regal«, entgegnete Pendrake, mit dem linken Arm auf das Regal deutend. »Sie sind zu naiv. Sie erklären einem, wie man Dinge macht, die bereits offensichtlich sind.«

»Ich verstehe«, entgegnete Dr. Coro. Doch seine Stimme verriet seine Verblüffung. Er zögerte und fuhr dann fort: »Nehmen wir an, ich würde Ihnen den Auftrag erteilen, etwas zu bauen. Wie würden Sie vorangehen?«

»Was wäre zu bauen?« fragte Pendrake interessiert.
Dr. Coro langte in seine Aktentasche und zog ein rechteckiges Kästchen hervor. Er trat ans Bett heran und leerte den Inhalt auf die Bettdecke. Es waren zahlreiche grüne Plastikstücke in den verschiedensten Größen und Formen.
Der Psychiater sagte: »Das sind siebenundzwanzig Stücke, und sie können nur auf eine Weise zu einem Würfel zusammengesetzt werden. Wie wär's, wenn Sie es versuchen?«
Pendrake schob die Bausteine auf dem Bett auseinander, um sie besser in Augenschein nehmen zu können. Ohne eine Pause einzulegen, setzte er sie zu einem zusammenhängenden, ineinandergreifenden Muster zusammen, das innerhalb von dreißig Sekunden einen perfekten Würfel ergab. Er reichte den fertigen Gegenstand Dr. Coro.
Der Psychiater fragte mit ungläubiger Stimme: »Wie haben Sie das gemacht?«
Pendrake zögerte; er hatte es bereits wieder vergessen, und es beschämte ihn ein wenig. »Nehmen Sie ihn wieder auseinander und lassen Sie es mich noch einmal versuchen. Diesmal werde ich aufpassen, wie es gemacht wird.«
Dr. Coro ließ die Bausteine schweigend aufs Bett fallen. Pendrake reichte ihm den Würfel zwanzig Sekunden später und sagte: »Es ist um so vieles einfacher, als die Weise, in der Atome und Elektronen zusammengefügt sind, daß es überhaupt kein Problem darstellt. Diese Stücke sind für den Zweck geformt, eines zum anderen zu passen, und so muß man nur feststellen, welches Stück wohin gehört. Beim Zusammensetzen ist es nur die Schnelligkeit der Finger, die eine Grenze setzt.«

Der Psychiater schluckte schwer, doch fragte er schließlich: »Wie meinen Sie das, die Weise, in der Atome und Elektronen zusammengefügt sind?«

»Es ist ein Gitterwerk, das aus Milliarden glühender Kugeln besteht«, begann Pendrake. Er hielt inne und runzelte die Stirn. »Das ist keine besonders gute Erklärung, denn sie zeigt einem nicht, was wirklich geschieht. Nehmen wir diesen Tisch, zum Beispiel, an dem Sie sitzen. Wenn ich das Gebiet durchdringe, wo die Beine den Boden berühren, sehe ich ein interessantes Phänomen.«

»Durchdringe?« schnappte Dr. Coro.

Und so ging der Test vonstatten. Einige Stunden später, als Dr. Trevor hereinkam, blickte ein käseweißer Psychiater zu ihm auf und sagte: »Ich fürchte, die Tests, die ich mitgebracht habe, sind nicht geeignet für das, was wir hier haben. Aufgrund meiner Tests muß er einen IQ von ungefähr 500 haben. Er ist entweder völlig bei gesundem Verstand oder völlig geisteskrank, und er hat ein Verständnis und ein Begriffsvermögen für räumliche Verhältnisse, das auf der ESP-Ebene zu arbeiten scheint. Ich muß darüber nachdenken und werde in ein paar Tagen wiederkommen.«

Der Arzt erwiderte, daß alle Tests vorgenommen werden müßten, während der regenerative Wachstumsprozeß im Gange war, da sich die gesamte Zellstruktur im Zustand besonderer Erregung zu befinden schien. Er prophezeite, daß nach Abschluß des Wachstumsprozesses eine Rückkehr zum Normalzustand eintreten würde. »Und dann«, fuhr er fort, »werden wir in ihm vermutlich eine weitere Durchschnittsperson haben, der in mühsamer Kleinarbeit alles das wieder beigebracht werden muß, was sie nicht aus ihren letzten Minuten als totipotentes Wesen hinübergerettet hat.«

Der Arzt zog einen Brief aus der Tasche. Er reichte ihn seinem Kollegen, der ihn las und dann zurückgab.

»Sein Name ist also Pendrake«, meinte Dr. Coro.

Der andere Mann nickte. »Ich werde an seine Frau schreiben, sobald der Wachstumsprozeß beendet ist. Nach seiner Gesundung wird es zweifellos für ihn das beste sein, von jemandem gepflegt zu werden, der seine Vergangenheit kennt.«

Von seinem Bett aus fragte Pendrake: »Wie, sagten Sie, ist mein wirklicher Name?«

Die beiden Männer drehten sich um und sahen ihn überrascht an. Sie hatten sich verhalten, als ob sie sich in Gegenwart eines leblosen Objektes, oder doch eines Wesens befanden, das nicht denken konnte.

Dr. Trevor zögerte und sagte dann: »James Pendrake. Klingt der Name vertraut?«

Die Antwort war nein.

»Wiederholen Sie ihn immer und immer wieder«, sagte der Doktor, »bis Sie sich völlig daran gewöhnt haben.«

*

»Dies ist Ihre Frau, Mrs. Eleanore Pendrake«, erklärte der Arzt.

Pendrake war im voraus von ihrem Kommen unterrichtet worden, und so empfand er jetzt echte Neugier, als er die schlanke, gutaussehende junge Frau in Augenschein nahm, die dicht bei der Tür stand.

Er konnte sich nicht daran erinnern, sie jemals zuvor gesehen zu haben, aber sie kam auf ihn zugeeilt, warf ihre Arme um ihn und küßte ihn auf die Lippen. Dann trat sie zurück. »Er ist es«, sagte sie, und sie klang wie jemand, der gerade aus einem Gefängnistor herausgetreten und nun in Freiheit war. Sie warf dem Arzt einen dankbaren Blick zu.

»Ich danke Ihnen dafür, daß Sie uns zusammengebracht haben«, sagte sie. »Wie bald kann ich ihn hier herausnehmen?«

»Heute noch«, lautete die Antwort. »Da er unter ausreichender ärztlicher Aufsicht bleiben wird, ist der beste Platz für ihn in seinem eigenen Heim, um seine Erinnerungen wieder aufzubauen. Und machen Sie sich keine Sorgen, es wird nichts publik gemacht. Ich werde mit Ihrem Arzt sprechen. Wie Ihnen vermutlich bekannt ist, sieht es die Ärztevereinigung nicht gern, wenn eine Krankheitsgeschichte verfrüht veröffentlicht wird. Wir werden eine Studie über die Wiederherstellung Ihres Gatten durchführen, doch werden wir vor Ablauf von drei, vier oder vielleicht fünf Jahren von heute keine Berichte veröffentlichen.«

Entgegen der Prophezeiung des Arztes kehrte Pendrakes Zustand nicht mehr zum Normalen zurück. Ein Teil seiner neuen Fähigkeiten blieb ihm zugänglich. Doch dienten sie nicht länger einzig den Zwecken des Selbstschutzes. Wo er vorher Leute und Dinge bloß anzusehen gebraucht hatte, um die Zusammenhänge zu verstehen, ohne ein Interesse an Wortausdrücken über sie zu haben, drängte es ihn nun nach derartigen Informationen. Bücher mit ihren Kenntnissen wurden mit einemmal von Wichtigkeit.

Während seiner Genesung im Haus auf dem Pendrakeschen Besitztum Crescentville wurde sein Gehirn bald behutsam fehlgeleitet. Eleanore konnte in sehr weiblicher Art und Weise nicht umhin, die Tatsachen ihrer langen Trennung etwas abzuändern. Da dies eine Änderung einer großen Anzahl anderer persönlicher Tatsachen nach sich zog, hatte sie bald ein Phantasiegebilde um ihre gemeinsame Vergangenheit errichtet, das in der Hauptsache von ihrer unendlichen Liebe zueinander sprach.

Sie ließ ihn jedoch wissen, wie er den Motor gefunden hatte, wie sie gemeinsam die Aerogel-Türme aufgesucht hatten und wie sie danach einige Zeit in einer Farmkolonie auf der Venus zugebracht hatte. »Sie nennen sich Idealisten, diese Lambton-Anhänger«, meinte sie ärgerlich. »Sie behaupten, sie wollen nicht, daß der Wahnsinn der Erde zu den Planeten verschleppt wird. Deswegen wird alles geheimgehalten. Aber sie haben mich dort ohne meinen Ehemann festgehalten. Ich war die einzige alleinstehende Frau.«

»Aber wo war ich währenddessen?« fragte Pendrake verblüfft.

Die Unterhaltung fand statt, als sie sich eines Abends zum Schlafengehen anschickten. Eleanore sagte nichts, bis sie in ihr Nachthemd gechlüpft war, und dann kam sie zu ihm herüber und erklärte mit besorgter Stimme: »Eine furchtbare Notlage war entstanden, und da dein Körper den Energien ihres Raumantriebs ausgesetzt gewesen war und dein Blut überdies eine sehr seltene Blutgruppe hat, mußten sie in dieser Notlage von dir Gebrauch machen. So jedenfalls wurde es mir erklärt. Ich habe es niemals ganz begriffen, doch da es die gleiche Fähigkeit ist, die deinen Arm wiederwachsen ließ, habe ich im Grunde eigentlich nichts gegen sie. Ich habe keine Ahnung, wie du es fertiggebracht hast, ihnen zu entkommen – und ich wollte es nicht glauben, bis ich dich dort in jenem kleinen Krankenhaus wiedersah.«

Danach lag Pendrake wach und lauschte auf ihre leisen Atemzüge. Er ging in Gedanken durch die Daten und Kenntnisse, die er jetzt über sich selbst hatte. Es war noch sehr wenig, und er kam sich völlig ungeschützt und verletzlich vor. Denn diese Leute, die still und heimlich versucht hatten, andere Planeten zu kolonisieren, wußten zweifellos, daß sein festes Zuhause in Crescentville war. Beweis: Sie hatten Eleanore zur Erde transportiert und dann zu ihrem Heim zurückgebracht.

Sie wußten alles über ihn ... doch er wußte nichts.

Bevor er sich schließlich auf die Seite drehte und einschlief, hatte er den Entschluß gefaßt. Die Situation konnte nicht derartig ungewiß bleiben.

Er mußte die Wahrheit herausfinden.

12

Pendrake durchschritt den Ausgang des Drugstores, trat auf die Fünfzigste Straße hinaus ... und blieb wie angewurzelt stehen.

Die Zwillingstürme aus Aerogel ragten auf der anderen Seite der Straße auf, genau an der Stelle, die ihm Eleanore beschrieben hatte. Sie kamen ihm sogar irgendwie bekannt vor, als ob sich tatsächlich eine Erinnerung in ihm zu regen begänne. Doch er tat das als bloße Einbildung ab. Es stand für ihn außer Zweifel, daß alles, was er über sich selbst wußte, genau das war, was man ihm erklärt hatte, und nicht mehr.

Nichtsdestoweniger erkannte er einen Moment später, daß etwas nicht stimmte. Er sah, was es war. Eleanore hatte gesagt: »Da hängt ein großes Schild zwischen den Türmen, auf dem steht: Cyrus Lambton Landbesiedlungs-Projekt.«

Das Schild war nirgends zu sehen.

Mit zusammengezogenen Brauen überquerte Pendrake die Straße und spähte durch ein Fenster. Doch auch das kleinere Plakat, das einst im Schaufenster gestanden hatte, war ebenfalls verschwunden.

Jenseits des Fensterrahmens, im Innern des Gebäudes, saß eine Frau an einem Schreibtisch. Ihr Rücken war ihm zugekehrt, und er nahm ohne weitere Überlegung automatisch an, daß sie Mona Grayson war, die Tochter des Erfinders des Supermotors.

Pendrake schob sich durch die Drehtür. Er war mit der Absicht hierher gekommen, sich mit Dr. Grayson zu unterhalten, und er sah keinen Grund, von seinem Vorhaben abzugehen.

»Wollen Sie was?«

Die nicht gerade freundliche Anrede kam wie ein Schlag ins Gesicht. Pendrake blieb stehen und ging dann langsam um den Tisch herum, bis er die Frau von vorne sah.

Sie hatte ein breites, plumpes Gesicht, dunkle Augen und dunkles Haar. Ihre ganze Erscheinung hatte etwas Ungeschlachtes an sich.

Pendrake zwang sich, seine kritische Einstellung zu unterdrükken. Er fragte: »Kann ich Dr. Grayson sprechen?«

»Wen soll ich melden?«

»Pendrake«, erwiderte er verstimmt. »Jim Pendrake.«

»Von hier?«

Pendrake winkte ungeduldig mit der Hand und wies auf die geschlossene Tür, die zum anderen Turm führte. »Ist er dort drinnen?«

»Ich werde Sie anmelden, wenn Sie mir zuerst sagen, woher Sie kommen. Mr. Birdman wird Ihnen dann alles erklären.«

»Mister . . . wer?«

»Einen Moment. Ich werde ihn rufen.«

Pendrake spannte sich. Etwas stimmte hier nicht; er wußte nicht, was es war. Diese Witzfigur einer Empfangsdame mit ihrem Akzent trug nicht gerade viel zu einer Beruhigung seines Verdachts bei. Aus irgendeinem Grund mußten Dr. Grayson und die anderen diese Türme, die die Zentrale ihrer interplanetaren Aktivitäten gewesen waren, aufgegeben haben, und eine Gruppe unfreundlicher Gesellen mit ausländischem Akzent hatte die Gebäude übernommen. Er blickte in plötzlicher Entschlossenheit auf. »Sie brauchen niemanden zu rufen. Es ist mir klar, daß ich mich geirrt habe Ich . . .«

Er brach ab, kniff die Augen zu und schlug sie wieder auf. Der Revolver mit dem Perlmuttergriff zielte noch immer über den Rand des Tisches auf ihn.

»Wenn Sie eine einzige Bewegung machen«, sagte sie mit gutturaler Stimme, »werde ich Sie mit dieser geräuschlosen Waffe erschießen.«

Ein untersetzter Mann tauchte auf. Er hatte rotblondes Haar und Sommersprossen. Seine Augen glitten flink über Pendrake; dann sagte er sanft in perfektem, akzentfreiem Amerikanisch: »Gute Arbeit, Lena. Ich hatte schon angefangen zu glauben, daß wir alle losen Fäden aufgeklaubt hätten – und da kommt hier noch ein weiterer anmarschiert. Wir werden ihn in einen Raumanzug stecken und ihn per Lastwagen zu Feld A hinausschicken. Ein Flugzeug ist dort in einer halben Stunde fällig. Wir können ihn später ins Verhör nehmen. Er muß irgendwo eine Frau haben und vielleicht auch Freunde.«

Nach einer Stunde entsetzlich holperiger Fahrt hielt der Wagen an. Die Ketten wurden von dem Anzug gelöst, in dem Pendrake steckte. Als er schwankend und schwindelig aufstand, erblickte er ein Haus und mehrere kleinere Gebäude. Zwischen ihnen stand ein kleines Privatflugzeug, das anscheinend über Düsenantrieb verfügte.

Einer der Lastwagenfahrer winkte mit einer Pistole. »Hinüber mit dir.«

Drei Männer befanden sich im Flugzeug. Sie trugen den gleichen Metall-Kunststoff-Anzug, den Pendrake anhatte, und sie sagten kein Wort, als er an Bord gestoßen wurde.

Einer von ihnen wies auf einen Sitz. Der Mann an den Kontrollen schob einen Hebel vor, und geräuschlos begann sich die Maschine zu bewegen — zunächst vorwärts, dann aufwärts. Die absolute Geräuschlosigkeit der überwältigend krafterfüllten Bewegung war alles, was Pendrake brauchte. Eleanore hatte dieses Phänomen bereits beschrieben. Hier endlich war der Grayson-Motor!

Mit überraschender Plötzlichkeit wurde der Himmel dunkelblau. Die Sonne verlor ihre scheibenförmige Rundheit und wurde zu einem flammenden Feuergebilde in einem nachterfüllten Universum.

Hinter der Flugmaschine schrumpfte die Erde zusammen und begann ihre Kugelgestalt zu zeigen. Vor dem Bug glitzerte die wachsende Sichel des Mondes.

*

Die Signallämpchen des Sprechgeräts flackerten in dem bekannten Rhythmus. Birdman nahm den Hörer ab und fühlte dabei das eigenartig leere Gefühl, das ihn immer überkam, wenn er *diesen* Anruf erhielt.

»Birdman hier, Eure Exzellenz.«

Die kalte Stimme am anderen Ende sagte: »Es wird Sie freuen, zu erfahren, daß wir innerhalb von drei Tagen alle nötigen Unterlagen über den Mann Pendrake gesammelt haben. Wie Sie wissen, ist es von zwingender Notwendigkeit, daß wir jede einzelne Person, die etwas vom Grayson-Motor weiß, zum Zwecke des Verhörs ausfindig machen, und daß dies ferner geschieht, ohne daß wir den geringsten Verdacht auf uns lenken. Sie werden deshalb darum bemüht sein, Mrs. Pendrake zu entführen und zum Mond zu bringen. Zwingen Sie sie, irgendeine Mitteilung an ihre Hausangestellten zu schreiben, die ihr Verschwinden erklärt — zum Beispiel, daß sie beabsichtige, zu ihrem Ehemann zu reisen und deshalb für einige Zeit abwesend sein würde.«

»Sie möchten nicht, daß sie getötet wird?«

»Auf dem Mond ist es nicht nötig. Wie Sie wissen, herrscht dort sowieso Frauenknappheit. Sagen Sie ihr, daß sie einen Monat Zeit hat, um sich unter den Arbeitern dort einen Mann auszusuchen.«

Das flackernde Lämpchen erlosch. Der untersetzte Birdman schüttelte sich wie ein Tier, das einen wolkenbruchartigen Regen über sich hat ergehen lassen müssen. Mit raschen Schritten ging er zu einem Schränkchen in einer Ecke seines Büros. Schnapsflaschen schimmerten ihm entgegen. Fast ohne hinzusehen, langte er nach einer, goß sich ein Glas voll von goldgelber Flüssigkeit und schüttete es mit einem Schluck hinunter.

Er kehrte dann langsam zu seinem Schreibtisch zurück. Seltsam, dachte er, welche starke Wirkung der Klang jener Stimme immer auf ihn hatte.

13

Er lag in tiefer Dunkelheit.

Pendrake runzelte die Stirn. Er erinnerte sich an den Kampf mit den drei Bandenmitgliedern – dumme Narren, ihn für völlig ungefährlich zu halten! –, und er erinnerte sich auch an die Bruchlandung auf dem Mond.

Er hatte sie nicht geplant. Doch die Geschehnisse hatten sich sehr rasch abgespielt, und es war ihm nicht mehr genug Zeit geblieben, um zu lernen, wie die fremdartigen Kontrollen des Raumantriebs funktionierten.

Ja, die Bruchlandung und die Geschehnisse davor waren klar genug in seinem Gedächtnis. Es war die Dunkelheit, die ihn verblüffte.

Es herrschte undurchdringliche Schwärze um ihn, und so hatte der Weltraum nicht ausgesehen. Das Universum war ein Vorhang aus Samt gewesen, auf dem Myriaden winziger Brillanten saßen, und die Sonne hatte durch die Bordluken der rasenden Flugmaschine gelodert und geflammt. Dunkelheit, ja – aber nicht so, wie jetzt!

Pendrake zog in seiner Verwirrung unbewußt die Brauen zusammen und versuchte, den Arm zu bewegen.

Er bewegte sich zögernd und schwer, als ob ihn Treibsand umklammerte. Oder als ob er in einem Sandhaufen begraben ...

Sein Verstand machte einen einzigen, gewaltigen Erkenntnissprung. Pulverisierter Bimsstein! Er lag in einem »See« von lockerem Steinstaub, der sich auf der der Erde abgekehrten Seite des Mondes angesammelt hatte, und alles, was er zu tun hatte, war ...

Er brach aus seinem Gefängnis von Staub empor und stand blinzelnd im gleißenden Schein der Sonne. Sein Mut sank. Er befand sich inmitten einer schier endlosen Wüste. Etwa hundert Meter entfernt zu seiner Linken ragte eine Flugzeugtragfläche aus dem Sand empor. Zu seiner Rechten, etwa fünfhundert Meter entfernt, erstreckte sich ein langer, niederer Hügelkamm, vor dem die schräg einfallenden Strahlen der Sonne nahezu pechschwarze Schatten hervorriefen.

Der Rest war Wüste. Soweit sein Auge zu blicken vermochte, erstreckte sich die glatte Fläche aus pulverisiertem Bimsstein, gesprenkelt mit zahlreichen kleineren und größeren Felsbrocken. Pendrakes Blick kehrte zu der hervorstehenden Tragfläche zurück, und mit jäher Intensität kam der Gedanke: »Das Triebwerk!« Er begann zu laufen. Seine Schritte waren langgestreckt und federnd, und er lernte rasch, die Balance zu bewahren. Neue Hoffnung hatte sich eingestellt, denn der Schaden, den die Zelle des Raumschiffs erlitten hatte, spielte keine Rolle. Das Leitwerk und die Tragflächen mochten abgerissen, der Rumpf zerschellt sein. Solange das Triebwerk und die Antriebswelle intakt und in einem Stück waren, würde das Gerät fliegen können.

Es war die fast lotrechte Stellung des Flügels, die ihn täuschte. Er benützte eine lose Metallplatte als Schaufel und begann unter der Tragfläche zu graben. Mindestens eine halbe Stunde lang wühlte er verbissen im Sand, bis er endlich zum abgerissenen Ende des Flügels kam.

Darunter war kein Flugzeug, kein Motor, kein Leitwerk – nichts als pulverisierter Bimsstein.

Der Flügel wies in den Himmel hinauf, ein stummes Überbleibsel einer Flugmaschine, die irgendwie ein Stück ihrer selbst abgestoßen hatte und dann in die Unendlichkeit davongezogen war. Wenn die Gesetze der Wahrscheinlichkeit nicht logen, würde die Maschine und ihr Triebwerk bis zum Ende der Zeit durch den Raum fliegen.

Doch es blieb noch eine letzte Hoffnung. Vielleicht ... Pendrake begann eilig auf den Hügelkamm zuzugehen. Die Abhänge des Grats waren steiler, als er aus der Ferne geschätzt hatte, und sie lagen in tiefen Schlagschatten begraben. Die Sicht war schlecht; immer wieder rutschte er zurück, gefolgt von kleinen Bergrutschen des losen Sandes. Nach langen Minuten angestrengter Arbeit hatte er erst die Hälfte des Weges zur Grathöhle zurückgelegt, die sich etwa sechzig Meter über der Ebene erhob. Und es begann kalt zu werden.

Zunächst spürte er die Kälte kaum, doch dauerte es nicht lange, bis sie zu einem stechenden Beißen wurde, das sich in seinen Körper fraß und sein Inneres lähmte. Nach wenigen Minuten war fast sein ganzer Leib gefühllos, und seine Zähne klapperten. Erschrokken dachte er: Der verfluchte Raumanzug mußte nur dafür bestimmt gewesen sein, die ungeheure Hitze des Mondtages vom Träger abzuhalten – ohne jegliche Berücksichtigung der Kälte der Nacht.

Er erreichte die Grathöhe und blieb stehen, seine Vorderseite mit geschlossenen Augen der vollen Gewalt der niedrig stehenden Sonne aussetzend. Träge begann die Wärme in seine Adern zurückzuströmen; er erinnerte sich an seine letzte Hoffnung und sah sich um. Während er seinen Blick lange schweifen ließ, begann in ihm ein Gefühl wachsender Verzweiflung fühlbar zu werden. Er hatte gehofft, daß die Flugmaschine nach dem Verlust ihrer Tragfläche doch noch irgendwo hinter dem Hügelkamm in die Sandwüste gestürzt war. Doch abgesehen von kleineren Felsbrocken unterbrach nichts die glatte Fläche der Staubebene, außer sieben Kratern, die sich wie gähnende Hexenmünder in der Ferne sehen ließen.

Er war bereits seit über einer Stunde auf sie zugegangen, die als »Schaufel« dienende Metallplatte noch immer in der Hand, bevor es Pendrake plötzlich auffiel, daß die Sonne tiefer am Firmament stand, als eine Weile zuvor.

Die Nacht brach herein.

Die Situation war grotesk: Ein einzelner, verlassener Mensch in einer öden Wüste, der von Krater zu Krater lief, während eine phantastisch flackernde Sonne an einem Firmament tiefer und tiefer sank, das schwärzer war als der Mitternachtshimmel der Erde. Die erloschenen Vulkane waren ohne Ausnahme klein; der größte von ihnen maß nur etwa dreihundert Meter im Durchmesser. Die langen Schatten der Kraterkämme wurden von den schräg einfallenden Sonnenstrahlen auf die Kraterböden geworfen, und es war allein der von den Wänden reflektierte Schein, der es Pendrake ermöglichte, zu erkennen, daß der Bimsstein-Ozean auch hier seine schweigenden, alles verhüllenden Wellen lockeren Staubes ausgebreitet hatte.

Zwei ... vier, fünf Krater – und noch immer keine Spur von dem, wonach er suchte. Wie er es bei den anderen gemacht hatte, erkletterte er den sechsten von der sonnenbeschienenen Seite und stand dann leicht schwankend auf seinem Grat, um in die schwarzen Schatten der flachen Vertiefung zu spähen. Bimsstein, scharfkantige Brocken von Lava, aufragende Haufen von Felsstücken, die schwärzer waren als die sie verschlingenden Schlagschatten ... der Anblick war inzwischen so vertraut geworden, daß ihn seine Augen nur flüchtig aufnahmen, um dann in dumpfer Enttäuschung weiterzuschweifen.

Sein suchender Blick hatte den Höhleneingang am jenseitigen Rand des Kraterbodens bereits dreißig Meter hinter sich gelassen, bevor er siedend heiß erkannte, daß seine Suche von Erfolg gekrönt war.

Es schien ihm, daß er am Rand der Ewigkeit stand. Der Rand des Kraters begrenzte die lichtübersäte Schwärze des Weltraums zur einen und die zackigen Vorsprünge des Vulkans zur anderen Seite. Er eilte aufs neue voran. Die Sonne hing wie ein Flammentropfen am samtenen Firmament. Er konnte sie zu seiner Rechten aus dem Augenwinkel sehen, und sie schien zu erzittern, als ob sie sich zum Sprung in die Tiefe vorbereitete. Ihr blendender, strahlender Schein warf Schatten, die mit jedem verstreichenden Augenblick länger und schärfer zu sein schienen. Jede Rille, jede Unebenheit des Bodens besaß ein eigenes Bett der Schwärze.

Pendrake mied die Schlagschatten. Sie waren wahre Brunnenschächte der Kälte, und seine Beine wurden gefühllos, wenn er sie durchmaß. Sein Anzug enthielt eine Lampe – der einzige Gegenstand, der ihm von seinen Entführern gelassen worden war. Er schaltete sie ein. Die Sonne sah jetzt wie ein halbes Rad mit wehenden Bändern aus, das zu seiner Rechten aufrecht auf dem Boden des Horizonts zu stehen schien. Die übrigen Krater waren nun in Dunkelheit gehüllt, in eine abgrundtiefe Nacht. Pendrake schauderte und sprang in den Höhleneingang hinunter. Der Lichtstrahl aus seiner Helmlampe löste aus der Dunkelheit ein Stück des Bodens, der mit Bimssteinstaub bedeckt war.

Die fürchterliche Kälte drang auf ihn ein, als er aus Leibeskräften grub. Selbst angestrengte, kraftvolle Bewegungen genügten jetzt nicht mehr, um ihn warmzuhalten, wie sie es vorher im Schein der Sonne getan hatten. Die Kälte zehrte von seiner Stärke. Öfters und öfters entglitt die Metallplatte seiner gefühllosen Hand.

Wie ein müder, alter Mann legte er sich schließlich in die flache Grube, die er im Steinstaub ausgehoben hatte. Unter Aufbietung seiner ganzen Willensstärke zwang er sich dazu, seinen gesamten Körper mit dem lockeren Material zu bedecken und sich dergestalt selbst zu begraben. Seine letzte körperliche Anstrengung bestand darin, daß er seinen Arm durch die dicke Schicht stieß, die Helmlampe ausschaltete und den Arm unter die Staubdecke zurückzog. Dann lag er reglos; sein Körper fühlte sich an, als ob er zu einem Eisblock geworden sei.

Etwas später stellte sich die Überzeugung ein, daß er in seinem Grab lag.

Doch die Lebenskraft in ihm war zäh und unnachgiebig. Es begann ihm wärmer zu werden. Das Eis wich aus seinen Knochen, das Fleisch seines Körpers begann zu prickeln, seine bisher gefühllose Hand wurde zu einem Herd flammenden Schmerzes, und seine Finger erwachten zum Leben. Die tierische Wärme seines Leibes erfüllte den Raumanzug; es war ein sattes, behagliches Gefühl. Doch die Wärme erreichte nicht die Höhe, die er sich gewünscht hätte. Dafür war die Außentemperatur zu niedrig. Nach einer langen Weile erkannte er plötzlich, daß sein bloßes Eingegrabensein letzten Endes keines seiner wirklichen Probleme zu lösen vermochte. Er mußte tiefer, weitaus tiefer ins wabenartige Innere des Mondes eindringen.

Auf dem ersten Stufenabschnitt jener Höhle reglos in seinem einsamen Grab aus Bimsstein liegend, wurde Pendrake nach und nach gewahr, daß er zusätzliche Informationen besaß, die er bisher noch nicht verwertet hatte – daß noch nicht alles verloren war, daß es doch noch einen Ausweg für ihn gab. Sein logisch denkender Verstand griff den Faden auf und baute daraus die Überlegung, daß der geheime Mond-Stützpunkt der internationalen Organisation, die ihn gefangengenommen hatte, nicht weit von seinem gegenwärtigen Standort entfernt sein konnte.

Die Verschwörer mußten ebenfalls nach unten gegangen sein. In größerer Tiefe würde es wärmer sein. Allein die Reibung zwischen zähflüssigem Gestein und Metall in großen Tiefen, hervorgerufen durch das ständige Sich-Winden und -Krümmen des Mondes unter dem Gezeitendruck der Erde, würde eine erhöhte Temperatur verursachen, deren Abkühlung nach außen durch die isolierenden Bimssteinstaub- und Lavaschichten erschwert werden würde. Da wäre natürlich noch das Problem, genügend Nachschub von Proviant und Wasser zu erhalten, doch wenn man einen perfekten Raumschiffsantrieb besaß wie diese Bande, machte das keine großen Schwierigkeiten.

Pendrake war nun krampfhaft bemüht, sich aus seinem Grab zu befreien, und so hatte er keine Zeit mehr zu weiteren Überlegungen. Sich auf seine Füße aufrichtend, schaltete er die Lampe ein und begann sich in der Höhle seinen Weg abwärts zu suchen.

Der schmale Gang krümmte sich, als ob er einst eine rohrartige Lavaleitung des Vulkans gewesen wäre, die von den Verschiebungen in der Kruste des Monde umgeformt worden war. Es ging hinab, immer nur hinab. Pendrake konnte nicht mehr sagen, wie oft er in einem Bett aus Steinstaub Wärme gesucht hatte. Er schlief zweimal, doch hatte er keine Ahnung wie lange. Es konnte nur ein minutenlanger Schlummer gewesen sein, oder auch ein tiefer Schlaf, der sich über viele Stunden erstreckte.

Die Höhle war zeitlos. Eine Welt der Nacht, durch die sich das Licht seiner Helmlampe wie ein dünnes Flämmchen zögernd tastete. Er war rücksichtslos gegen sich selbst und eilte mit langen Schritten voran, manchmal sogar im Dauerlauf, nachdem ihm ein kurzzeitiges Einschalten der Lampe den weiteren Verlauf des Tunnelgangs gezeigt hatte. Andere Gänge begannen nun von dem Hauptgang abzuzweigen. Meistens waren es klar erkennbare kleinere Seiteneingänge, doch wenn die Möglichkeit eines späteren Sich-Verirrens bestand, zwang sich Pendrake, stehenzubleiben, obwohl die entsetzliche Kälte in ihm fraß, und sorgfältig mit einem Pfeil die Richtung zu markieren, aus der er gekommen war.

Er schlief mehrmals. Fünf Tage, dachte er und wußte dabei doch, daß er sich leicht irren konnte. Ein Körper, der derart gnadenlos der tödlichen Kälte ausgesetzt war, mußte mehr Schlaf benötigen als ein normaler. All seine große Stärke konnte eine solche Reaktion des menschlichen Systems nicht abwehren. Doch fünfmal geschlafen ... fünf Tage. Ohne sich noch länger mit Zweifeln aufzuhalten, zählte er sie als volle Schlafperioden und berechnete jeden Schlaf mit einem ganzen Tag ... sechs, sieben, acht, neun ...

Allmählich wurde es wärmer. Er merkte dies erst nach langer Zeit. Doch endlich sickerte die Erkenntnis in sein Bewußtsein, daß die Zeitintervalle zwischen den Ruhepausen im hastig geschaufelten Grab länger geworden waren. Es war am zehnten »Tag« noch immer bitter kalt, aber die Kälte hatte ihr stechendes, lähmendes Brennen verloren. Die Wärme verweilte länger in ihm. Zum ersten Mal seit langer Zeit konnte er bei völlig klarem Bewußtsein durch die Gänge eilen und dabei die deutliche Einsicht erlangen, daß es töricht von ihm war, noch weiter in dieser ewigen Nacht voranzustreben.

Andere Gedanken stellten sich ein. Er müßte früher oder später die Hoffnung aufgeben, daß sich die Rettung irgendwo vor ihm befand. Er müßte umkehren und sich auf den Weg zurück zur Mondoberfläche machen, wo er eine kurze, verzweifelte Suche nach einem der Stützpunkte der Organisation vornehmen konnte. Das wäre das einzig Logische, überlegte er.

Aber die Gedanken setzten sich nicht in Handlung um, denn er strebte nach wie vor hartnäckig voran.

In den folgenden Stunden kamen Augenblicke, in denen Pendrake völlig vergaß, worauf sich seine Hoffnung begründete, und es stellten sich bittere Stunden ein, in denen er die Intensität der Lebenskraft verfluchte, die ihn in dieser verzweifelten Suche vorantrieb. Doch die Unbestimmtheit seines Vorhabens und Plans zerfraß seinen Willen, geschwächt bereits durch die Qualen des Hungers und des Durstes, die so unerträglich waren, daß jede Minute zur Stunde wurde, und jede Sekunde zur Hölle.

Kehr um, sagte sein Verstand. Aber seine Füße gingen weiter. Hinab, immer weiter hinab. Er stolperte. Er stürzte zu Boden. Und er stand wieder auf. Er bog in dem schmalen Tunnel um die enge Haarnadelkehre, die in den lichterfüllten Gang führte, ohne es zunächst bewußt gewahr zu werden. Und er trat bereits durch den eigentlichen Eingang, als die plötzliche Erkenntnis erst über ihn hereinbrach.

Pendrake hechtete hinter einen aufragenden Felsvorsprung. Zitternd blieb er dort liegen, schwach und elend vor Schock.

Die Wiederherstellung kam nur langsam. Seine Nervenenergie, dieses außergewöhnliche, übermenschliche Reservoir seiner großen Stärke, war vollkommen erschöpft. Doch nach einer Weile begann sein Geist wieder an Leben zu gewinnen. Vorsichtig spähte er über die Felsnadel, hinter der sich sein Körper in seinem ungefügen Raumanzug zusammenkauerte. Es war natürlich verrückt von ihm, auch nur für eine Minute zu glauben, daß er sich bewegende Gestalten in der Ferne gesehen hatte, aber ...

Vor seinen Augen erstreckte sich der Höhlengang, leicht abfallend. Sein erster konzentrierter Blick galt der Feststellung, daß er nicht die geringste Spur von Leben enthielt. Es dauerte einen langen Moment, bis er danach feststellte, daß er nicht durch elektrische Lampen erhellt wurde, und daß seine ursprüngliche Überzeugung, daß hier Licht gleichbedeutend mit organisierten Gangstern sein mußte, falsch gewesen war.

Er befand sich allein in einer alten Höhle tief im Innern des Erdtrabanten, wie ein Wurm, der in einer ausgetrockneten Arterie durch das zerfallende Fleisch eines Körpers kroch.

Der helle Schein von den Wänden war ihm unerklärlich; er bildete weder Muster noch Textur. Als er vorsichtig hinter dem Felsvorsprung hervorkam und vorwärtsschritt, beschienen ihn Punkte und ganze Flecken von Licht. Auf der rechten Wand zeichnete sich eine lange, gezackte Linie ab, während auf der Wand zur Linken eine grobgeformte Sichel zu sehen war. Andere formlose und sinnlose Figuren glühten und leuchteten den Korridor entlang, soweit sein Auge zu blicken vermochte. Pendrake dachte jäh: Ein strahlendes Mineral, das eine Gefahr bilden konnte ...

Gefahr! Sein bitteres Lachen hallte betäubend im Innern des Helmes, riß neue Sprünge in seine trockenen Lippen und brach abrupt ab, als der Schmerz unerträglich wurde. Ein Mann, der am Rande des Todes stand, brauchte sich nicht über zusätzliche Gefahren den Kopf zu zerbrechen. Er stürzte aufs neue voran – eine Zeit lang ohne Umsicht und Rücksicht. Und dann kam erneut der Gedanke an die Existenz des lichterfüllten Korridors. Die Wahrheit brach mit einemmal über ihn herein, als er an einer Biegung stehen blieb und einen lang abfallenden, schnurgeraden Tunnelgang vor sich sah, der in der Ferne zu einem Lichtpunkt zusammenschrumpfte.

Der Gang war künstlich.

Und alt! Phantastisch alt. So alt, daß die Wände, die ursprünglich glatt wie Glas und härter als das härteste Material der Menschen gewesen sein mußten, unter dem fressenden Druck ungezählter Jahrhunderte nachgegeben hatten und zerbröckelt waren. Zerbröckelt – und dieser schutzbietende, mit Lichtflecken übersäte Tunnelgang war das Resultat.

Er stolperte weiter, und dann überlegte er, daß es ihm der Lichtschein der Wände ermöglichte, die Batterie für die Helmlampe zu sparen. Aus unerfindlichem Grund schien dies plötzlich von immenser Wichtigkeit. Er begann zu kichern. Es schien mit einemmal unwiderstehlich komisch, daß er, der im Begriff war zu sterben, in diesen letzten Momenten seines Lebens auf ein unterirdisches Reich getroffen war, in dem einst Wesen gelebt hatten.

Sein Kichern ging in einen wilden, unkontrollierbaren Lachanfall über. Er war unfähig, damit aufzuhören, bis schließlich die schiere Erschöpfung die Oberhand gewann und die Erlösung brachte. Geschwächt lehnte er sich gegen die Wand und starrte auf den kleinen Bach hinunter, der quer durch die Höhle floß. Er kam aus einer großen Spalte im Felsen herausgesprudelt und verschwand auf der gegenüberliegenden Seite in einer Öffnung. »Zuerst werde ich diesen Bach überqueren«, sagte er sich zuversichtlich, und dann ...«

Bach! Der Schock der plötzlichen Erkenntnis brachte einen derartigen Schwindelanfall, daß er zu taumeln begann und dann wie ein angeschossenes Tier zu Boden fiel. Der Krach von Metall und Kunststoff auf Stein hallte lange in seinen Ohren nach, und der Klang rief einen Teil seines Verstandes in sein Bewußtsein zurück.

Er wurde ruhiger, klarer und vernünftiger.

Wasser! Die Überraschung, es hier vorzufinden, begann sich erst jetzt in ihm auszuwirken. Der Gedanke daran, die schiere Erkenntnis des Phänomens, wuchs in ihm ins Riesenhafte und pflanzte sich aus seinem Gehirn bis hinunter in seine Muskeln fort. Wasser! *Und dazu noch fließend!* Erst jetzt fiel es ihm auf, daß ihm schon seit langer Zeit nicht mehr kalt gewesen war. Irgendwie mußte er seinen Kopf vom Helm befreien, Luft hin oder her. Er fühlte, daß er am Leben bleiben würde, wenn er nur Wasser bekam.

Er kletterte unsicher auf die Füße und sah die Männer auf sich zukommen. Verwundert zwinkerte er bei ihrem Anblick mit den Augen; dann dachte er schließlich mit erstauntem Stirnrunzeln: »Keine Schutzanzüge, keine Helme! Seltsame Kleidung. Merkwürdig!«

Bevor er weiter zu denken vermochte, erklang ein Durcheinander von Schritten hinter ihm. Er wirbelte herum und sah sich einem Dutzend weiterer Männer gegenüber, die auf ihn zustürzten. Noch im selben Augenblick blitzten Messer auf. Eine rauhe Stimme schrie:

»Es ist einer von diesen Ragnarök-Gangstern!«

»Bringt den verdammten Kerl um! Gemeiner Spion!«

»Heh!« keuchte Pendrake.

Seine Stimme wurde von einem Chor blutrünstiger Rufe und Schreie verschluckt. Er wurde zu Boden gestoßen, und es fehlte ihm die Kraft, auch nur den Arm zu heben. Im selben Moment, als ihn ein Keulenschlag am Kopf traf, erreichte sein Erstaunen seinen Höhepunkt. Denn ...

Seine Angreifer waren Amerikaner!

2. Teil

1

Vier Jahre waren verstrichen, seit Pendrake an jenem schicksalhaften Nachmittag im August 1972 den Motor gefunden hatte. Fast ein Jahr war es nun her, daß er Jefferson Dayles' Amazonen entkommen war und dabei ein zweites Mal seinen rechten Arm eingebüßt hatte. Den größten Teil dieses Jahres hatte er mit Eleanore zusammen verbracht und zu seiner Erholung und zur Pflege des nachwachsenden Arms benützt. Wieder war es Sommer. In diesem Monat August des Jahres 1976 gab es allem Anschein nach nicht den geringsten Hinweis auf das Schicksal des verschwundenen Luftwaffenoffiziers a. D. und seiner entführten Ehefrau. Es schien in diesen Tagen auch niemand am Verbleib von Mr. und Mrs. James Pendrake interessiert zu sein.

Doch gab es einen Fingerzeig.

Der August 1976 ging zu Ende. Der 1. September glitt über die internationale Datumsgrenze. Als er die Ostküste der Vereinigten Staaten erreichte, war ein Nordostwind aufgekommen, und ein paar Dutzend Meteorologen zeichneten ihre Isobaren auf den Karten ein und stellten lakonisch fest, daß der Winter dieses Jahr früh kommen würde.

Am Nachmittag des 1. September wurde der Fingerzeig entdeckt. Der Sonderbeauftragte für Luftfahrt, Commissioner Blakeley, war von einem schlimmen Grippeanfall genesen und in sein Büro zurückgekehrt. Damit beschäftigt, die liegengebliebenen Vorgänge aufzuarbeiten, stieß er zufällig auf eine Akte über Mrs. Pendrake. Der Name rief nicht sofort eine Erinnerung hervor. »Was tut dies auf meinem Tisch?« fragte er seine Sekretärin.

»Diese Dame versuchte, mit Ihnen in Verbindung zu treten, als Sie krank waren«, kam die Antwort. »Sie war geradezu hysterisch und plapperte etwas über einen Atommotor und eine internationale Geheimorganisation, die Emigranten auf den Planeten Venus transportiert. Es kam mir alles völlig konfus vor, doch als ich sie gestern in ihrem Haus telefonisch zu erreichen versuchte, wurde mir gesagt, daß sie abgereist sei, ohne jemanden zu verständigen. Eine Nachricht wurde später aufgefunden, aber das Hausmädchen, das mir davon berichtete, sagte, die Schrift sähe gar nicht wie Mrs. Pendrakes normale Handschrift aus. Da Sie mit den

Pendrakes bekannt sind, das heißt, mit Mr. Pendrake, hielt ich es für besser, Sie von der Sache zu unterrichten.«

Blakeley nickte und lehnte sich zurück. »Pendrake!« sann er. Dann lief sein Gesicht rot an, als er sich an seine Demütigung erinnerte. »Das war der einarmige Mann, der mich aus seinem Haus geworfen hat, und der mir einige Zeit später eine Liste mit Namen und Adressen von Atomwissenschaftlern sandte . . .«

Seine Gedanken verharrten an dieser Stelle in schrecklicher Vorahnung. Der Puls begann in seinen Schläfen zu hämmern. »Dies könnte mich ruinieren!« dachte er ernüchtert. Nach einer Weile richtete er sich käseweiß auf und begann die Pendrake-Akte zu sichten. Mit besonderer Aufmerksamkeit las er Pendrakes damaligen Brief mit der Namensliste: Dr. McClintock Grayson, Cyrus Lambton . . . Jetzt, da er daran dachte, erinnerte er sich, vom Tod dieser beiden Männer in einem Unfall gelesen zu haben. Diese Angelegenheit sah mit jedem verstreichenden Augenblick größer aus! Schwitzend las er die Kopie seiner damaligen Antwort auf Pendrakes Brief: ». . . Weitere Korrespondenz wäre sinnlos und erübrigt sich damit . . .«

Für eine lange Minute starrte er auf das anklagende Dokument hinunter. Schließlich schob sich sein Kinn vor. Er langte nach dem Summer, drückte nachhaltig auf den Knopf und sagte: »Verbinden Sie mich sofort mit Cree Lipton vom Bundeskriminalamt. Anschließend möchte ich mit Patentanwalt Ned Hoskins sprechen.«

*

Der untersetzte Mann betrat das Hotel durch den Geheimeingang. Er fühlte, daß er prüfend gemustert wurde, doch schließlich schwang die Tür auf. Er wurde einen Korridor entlanggeführt. Wenige Minuten später befand er sich im inneren Heiligtum.

»Exzellenz!« Er verneigte sich.

Der hochgewachsene, hagere Mann, der in dem Büro mit dem Ausblick auf Fifth Avenue hinter einem großen Metall-Schreibtisch saß, starrte ihn mit Augen an, die so hart und glänzend waren, daß sie wie helle Löcher in seinem Kopf aussahen. »Mr. Birdman«, sagte er, seinen Akzent nicht verbergend, »das FBI hat begonnen, das Verschwinden von Mrs. Pendrake zu untersuchen. Spezialagent Lipton vom Bundeskriminalamt hat bereits ermittelt, daß eine Flugmaschine gelandet und später im Senkrechtstart aufgestiegen war. Dies hätte strikt untersagt werden müssen.«

Der untersetzte Mann verschluckte sich vor Bestürzung. Dann murmelte er: »Vielleicht hatten die Leute keine andere Wahl. Manchmal ist ein rasches Verschwinden erforderlich.«

»Ich will weder Gründe noch Entschuldigungen hören.« Die eiskalte Stimme war unerbittlich. »Es gibt nur einen Grund, warum diese Männer nicht aufs allerschärfste bestraft werden. Bis jetzt hat uns noch niemand mit dieser Angelegenheit in Verbindung gebracht, und deshalb ist vielleicht jetzt die Zeit gekommen, als Vorsichtsmaßregel gewisse Gebäude unter Plan D 2 abzubrennen. Wir müssen gewährleisten, daß nichts zurückbleibt, das Ragnarök auch nur im geringsten belasten könnte. Sorgen Sie dafür.«

»Es wird geschehen, Exzellenz, sofort.«

»Noch eine Sache. Was diesen Pendrake selbst betrifft ... wir dürfen nicht damit rechnen, daß er tot ist. Seine Spur führte von der zerfetzten Flugzeugtragfläche auf der Mondoberfläche zu einer Höhle in einem Krater. Eine flüchtige Untersuchung mit elektronischen Geräten ergab, daß er in einer Tiefe von einer Meile noch am Leben war. Es wurde ferner ermittelt, daß er sich in kurzen Abständen ins Erdreich eingrub, und daraus können wir schließen, daß das automatische Heizungssystem seines Raumanzugs beim Absturz beschädigt worden ist.

Um vor ihm auch in Zukunft sicher zu sein, glaube ich, daß wir jetzt eine militärische Kampagne gegen die Höhlenbewohner vorbereiten sollten. Wir haben ihre Raubzüge auf unsere Frauen lange genug geduldet ...«

2

Pendrake erwachte beim Laut eines melodischen Summens. Es kam von irgendwo zu seiner Linken, doch ließ es die köstliche Schwäche seiner Nerven und Muskeln und das angenehme Gefühl, lang ausgestreckt auf einer weichen und bequemen Unterlage zu liegen, als zu große Anstrengung erscheinen, den Kopf zu wenden und den Mann in Augenschein zu nehmen, der ihn mit seiner gesummten Melodie geweckt hatte.

Eine kurze Weile verging; dann kam die jähe Erkenntnis, daß er am Leben war – und das paßte nicht ganz zu den Ereignissen, an die er sich erinnerte.

Doch er lag nichtsdestoweniger hier und atmete. Wieder verging ein Moment. Dann zog er in ungläubigem Staunen die Brauen zusammen, als er die beleuchtete Höhlendecke über sich sah. Sie mußte mindestens eine Meile entfernt sein. Er schloß die Augen, schüttelte sich unwillkürlich, als ob er sein Gehirn von den Spinnweben der Phantasie befreien wollte, und schlug die Augen dann wieder auf. Die Höhle war noch immer so ungeheuerlich hoch. Aus dem engen Tunnelgang, durch den er gekommen war, war eine Grotte, waren riesenhafte, sublunare Räume geworden.

Der Anblick beschleunigte sein Erwachen. Er begann eine leichte Brise zu verspüren, die über ihn wegstrich und den süßen Duft einer üppigen Vegetation brachte, den Geruch von Bäumen und Gärten in voller Blüte. Pendrake rührte sich in steigender Erregung. Die

Bewegung brachte die Feststellung, daß er nicht mehr im Raumanzug eingepfercht war.

Die Bewegung verursachte noch etwas anderes. Das Summen brach ab. Schritte erklangen. Die Stimme eines jungen Mannes sagte: »Oh, Sie sind aufgewacht!«

Der Sprecher kam ins Sichtfeld. Es war ein schmächtig gebauter junger Mann mit einem schmalen Gesicht und hellen Augen. Er trug einen eigenartig altmodischen, fadenscheinigen Rock, und seine Beine steckten in Hosen, die mit Riemen unter seine Schuhe geschnallt waren. Er sagte: »Sie waren vier Schlafperioden lang bewußtlos. Von Zeit zu Zeit habe ich Wasser und Fruchtsäfte zwischen Ihre Lippen geträufelt. Übrigens, mein Name ist Morrison.«

»Ich hatte mich verirrt«, entgegnete Pendrake und blinzelte mehrmals, als er es sagte, denn keine Worte hatten sich hören lassen, nur ein rauhes, heiseres Krächzen.

»Am besten versuchen Sie noch nicht zu sprechen«, riet ihm der junge Mann. Sie sind noch in recht üblem Zustand. Sobald Sie kräftig genug sind, sollen Sie zum Großen Trottel zum Verhör gebracht werden, deswegen hat man Sie noch am Leben gelassen.«

Die Worte sickerten nicht sogleich in sein Bewußtsein ein. Pendrake lag ganz still und dachte: Die Kälte und sein Wille zum Leben hatten ihn vorangetrieben. Und *deshalb* war er noch am Leben. Was diesen Kerl betraf, diesen Großen Trottel ...

Großer ... *was?*

Seine Verblüffung war größer als seine Absicht, nicht zu sprechen. Diesmal gelang es ihm, ein heiseres Flüstern von sich zu geben. Der junge Mann grinste über das ganze Gesicht. »Ja, das ist sein Name. Jemand hat ihn einst so genannt, und es hat ihm irgendwie gefallen. Niemand hat es bisher gewagt, ihm die wahre Bedeutung des Wortes zu erklären. Er ist ein Neandertaler, wissen Sie. Lebt hier schon seit mindestens einer Million Jahre – fast so lange wie die Teufelsbestie im Abgrund.«

Ein erschrockener Ausdruck überzog das Gesicht des jungen Mannes. »Oh!« sagte er bestürzt, »ich hätte Ihnen das nicht sagen sollen.« Er war plötzlich von Angst erfüllt. Heftig atmend kauerte er sich neben Pendrake nieder und zerrte an seinem Arm. »Um Himmels willen«, flüsterte er, »sagen Sie niemandem, daß ich Ihnen verraten habe, wie alt wir hier unten alle sind. Ich habe mein Möglichstes für Sie getan. Ich habe Sie zum Leben zurückgebracht. Ich habe Sie gefüttert. Ich hatte Befehl, Sie eingeschlossen zu halten. Ich bin Ihr Wächter, wissen Sie, und Sie befinden sich im Gefängnis. Aber ich habe Sie hier herausgebracht und ...« Er brach ab. »Bitte, sagen Sie nichts!«

Sein Gesicht bildete eine verzerrte Maske der Angst, die sich jedoch nun veränderte. Verschlagenheit zeigte sich auf ihr, dann Wildheit. Mit jäher Plötzlichkeit langte er nach einem Messer, das unter seinem Rock in einer Scheide hing. »Wenn Sie es mir nicht versprechen«, drohte er wild, »werde ich erzählen, daß Sie zu fliehen versucht haben und daß ich Sie deswegen töten mußte.«

Pendrake fand seine Stimme wieder. »Natürlich verspreche ich es«, flüsterte er. In den verzerrten Zügen über ihm erkannte er sofort, daß ein einfaches Versprechen die angsterfüllte Kreatur nicht besänftigen würde. Deshalb fügte er rasch hinzu: »Sehen Sie denn nicht, daß es in meinem eigenen Interesse ist, mein Wissen bei mir zu behalten, wenn ich etwas weiß, das sie vor mir geheimhalten wollen? Das sehen Sie doch ein, nicht wahr?«

Langsam erstarb die Furcht in den Augen des jungen Mannes. Er kletterte schwankend auf die Füße; dann begann er leise zu pfeifen. Nach einer Weile sagte er: »Sie werden Sie ohnehin der Teufelsbestie vorwerfen. Sie gehen kein Risiko ein, außer mit den Frauen. Doch lassen Sie meinen Namen und was ich gesagt habe aus allem heraus. Mehr will ich nicht.«

»Einverstanden!«

Pendrake flüsterte das Wort mit einem erzwungenen Lächeln, doch dachte er dabei grimmig: »Leicht schlafen. Auf sein Messer aufpassen ... kann mich im Schlaf erstechen.«

Er mußte eingeschlafen sein, noch während der Gedanke in ihm Form annahm.

Seine erste Überlegung bei seinem zweiten Erwachen war: Ein Mann namens Morrison ... im Innern des Mondes. Diese Leute waren von der Erde gekommen und lebten schon seit langer Zeit hier. Es war ein seltsames Phänomen, und er mußte versuchen, möglichst bald mehr darüber ausfindig zu machen.

Ein Geräusch neben ihm erweckte seine Aufmerksamkeit. Ein dünnes, bekanntes Gesicht beugte sich über ihn. »Ah!« sagte Morrison. »Sie sind wieder wach. Ich habe die ganze Zeit hier gesessen und auf alles gelauscht, was Sie im Schlaf geredet haben. Ich habe den Befehl, alles weiterzumelden, was Sie sagen.«

Pendrake wollte halb abwesend nicken. Sein Verstand hörte zwar die Worte, verarbeitete sie aber nicht. Doch dann sickerte die Erkenntnis dessen in sein Bewußtsein, was sie im weiteren Sinn bedeuteten. Es war das geistige Bild eines Jemands, einer Person ... dort draußen ... ein Wesen namens Großer Trottel, das Befehle erteilte, in schlauer Intrige die Berichte seiner Spione entgegennahm, vorläufige Hinrichtungsaufschübe erteilte ... Jähe Empörung erfüllte ihn. Er richtete sich auf. »Hören Sie mal«, begann er, »wer Teufel ...« Seine Stimme war klar und kräftig, doch es war nicht die Feststellung seiner wiedergewonnenen Stärke, die ihn veranlaßte, abzubrechen. Was tatsächlich geschah, war, daß er eine Szene vor sich sah, die er vorher, im Liegen, nicht hatte sehen können.

Unter ihm breitete sich ein Städtchen aus, das anmutig in Bäumen und Blumengärten eingebettet lag. Es gab breite Straßen, und er konnte Männer und uniformierte Frauen sehen.

Dann vergaß er die Bewohner der Ortschaft. Sein Blick glitt von Horizont zu Horizont. Jenseits des Städtchens dehnte sich eine grüne Wiese aus, auf der Vieh weidete. Dahinter wölbte sich die Decke der Höhle herunter, um an einer Stelle hinter dem Abgrund – von seinem Standort aus unsichtbar – mit dem Boden zu verschmelzen.

Einen Moment lang nahm sie seine Aufmerksamkeit gefangen, jene Linie, wo die strahlende Höhlendecke einen fernen Höhlenhorizont berührte.

Dann kehrte sein Blick zu der anmutigen Ortschaft zurück. Sie begann weniger als fünfzig Meter entfernt. Zunächst kam eine Reihe hoher Bäume, die eine schwere Last von großen grauen Früchten trugen. Die Bäume beschirmten das nächststehende von zahlreichen Gebäuden. Das Bauwerk war klein und sah zierlich aus. Zu seinem Bau schien man eine leichte, muschelähnliche Substanz verwendet zu haben. Es glühte und leuchtete, als ob sich eine Lichtquelle in seinem Innern befand, deren Strahlen durch seine durchscheinende Wände drang. Der Form nach sah es mehr wie ein wohlgeformter Bienenkorb aus als wie eine Seemuschel, doch die Ähnlichkeit mit einer Muschel war ebenfalls vorhanden. Die anderen Gebäude, deren lockendes Schimmern er zwischen den Bäumen hindurch sehen konnte, unterschieden sich in den Einzelheiten weit voneinander, doch sowohl das zentrale architektonische Motiv als auch das leuchtende Baumaterial waren ihnen allen gemeinsam.

»Die Ortschaft hat immer so ausgesehen«, sagte Morrison, »seit meiner Ankunft hier anno 1853, und der Große Trottel sagt, daß sie bereits unverändert gestanden hat, als er ...«

Pendrake wandte sich um. Die Zeitspanne, die Morrisons Worte andeuteten, war atemberaubend, doch etwas anderes interessierte ihn im Augenblick brennender. »Und er lebt seit einer Million Jahre hier, sagten Sie.«

Das hagere Gesicht verzerrte sich angstvoll. Der Mann sah sich hastig um. Seine Hand fuhr zum Griff seines Messers. Dann sah er Pendrakes Blick und ließ den Knauf los. Er zitterte am ganzen Körper. »Sagen Sie das nicht noch einmal«, flüsterte er verzweifelt. »Es war verrückt von mir, es Ihnen zu sagen, aber es ist mir zufällig entschlüpft.«

Es konnte kein Zweifel an seiner Furcht bestehen. Sie war echt, und sie machte auch alles andere wahr und echt – die Million Jahre, den Großen Trottel, die ewige Stadt dort unten. Einen Moment lang beobachtete er, wie es im Gesicht des Schwächlings arbeitete. Dann sagte er: »Ich werde kein Wort sagen, aber ich möchte genau wissen, was es mit all diesem hier auf sich hat. Wie sind Sie hierher auf den Mond gekommen?«

Morrison beugte sich vor. Schweißtropfen rannen ihm die Wangen hinunter. Pendrake erschien es nahezu unglaublich, daß ein Mann sich derart fürchten konnte. »Ich kann es Ihnen nicht sagen«, entgegnete Morrison mit panikerfüllter Stimme. »Sie werden mich sonst ebenfalls der Bestie vorwerfen. Der Große Trottel hat mehrmals schon gesagt, daß es zu viele von uns hier gibt, von dem Augenblick an, als wir jene ausländischen Mädchen zu entführen begannen.«

»Ausländische Mädchen!« rief Pendrake aus und verstummte dann jäh, während sich seine Augen zu schmalen Schlitzen verengten. Das würde die Frauen in Uniform erklären, die er auf den Straßen gesehen hatte. Demnach trugen die Angehörigen der Geheimorganisation Ragnarök in ihren Stützpunkten Uniform! Doch in welch Hornissennest stocherten diese Höhlenbewohner da herum!

Morrison fuhr mit scharfem Tonfall fort: »Der Große Trottel und seine Freunde sind ganz versessen auf Frauen. Trottel hat jetzt fünf Frauen, nicht gezählt die beiden, die Selbstmord verübt haben, und er hat weitere Raubexpeditionen ausgeschickt. Wenn sie zurückkehren ... nun, er wartet bloß auf eine Gelegenheit, die letzten anständigen Männer hier umzubringen.«

Das Bild war jetzt klarer; was an Einzelheiten noch fehlte, schien weniger wichtig zu sein. Pendrake war grimmig, als er reglos saß und sich in Gedanken die Katastrophe ausmalte, die die Hölle in den Garten von Eden gebracht hatte. Diese Narren, Morrison und die anderen »anständigen Männer«, dachte er, warteten wie eine Herde zitternder Schafe auf den Schlächter und summten dabei noch fröhliche Liedchen, um sich die Zeit zu vertreiben. Er öffnete die Lippen, um zu sprechen ... und wurde von einer Donnerstimme hinter ihm jäh unterbrochen. »Was ist denn das, Morrison? Der Gefangene ist kräftig genug, um sich aufzurichten, und du hast es nicht gemeldet? Vorwärts, marsch, Fremder! Ich bringe dich zum Großen Trottel.«

Einen Augenblick lang saß Pendrake still und reglos. Der nadelscharfe Gedanke, der sich schließlich einstellte, sagte: Er war zu krank, zu schwach. Die Krise war zu früh gekommen.

Nichtsdestoweniger erfüllte ihn Wachsamkeit und Kampfbereitschaft, als er die Straße der Ortschaft entlangging. Daß er überhaupt gehen konnte, war ermutigend. Er durfte noch nichts wagen, was irgendwelche Kraftanstrengungen erforderte, doch mußte er versuchen, noch ein paar »Tage« länger am Leben zu bleiben. Es galt, Zeit zu gewinnen, um zu beobachten, Wechselbeziehungen aufzustellen und schließlich die Anständigen unter den Männern, die laut Morrison niedergemetzelt werden würden, zu organisieren. Er verschwendete kaum einen Blick an den Häusern, an denen er vorüberkam, und das bunte Gemisch in Lumpen gekleideter Männer und uniformierter Mädchen aus Europa und Asien berührte nur die Ränder seiner Wahrnehmung. Sein Verstand, sein gesamtes Bewußtsein, war auf die Aufgabe konzentriert, die Schlüsselpositionen der Siedlung ausfindig zu machen.

In plötzlichem Verständnis der nahezu militärischen Regelung, die hier hinter den lebenswichtigen Gütern stand, sah er zwei halbnackte Männer mit blauer Hautfarbe und breiten, flachen Nasen über einem Wasserlauf Wache stehen, der aus einer Felswand heraussprudelte und gurgelnd in einem Loch im Boden verschwand. Es gab andere bewachte Stellen, vor allem vier große Gebäude, doch war es auf den ersten Blick nicht ersichtlich, welchen Objekten die Bewachung galt.

Pendrake schritt einige Meter weiter. Dann verhielt er plötzlich den Schritt und starrte. Fast genau im Mittelpunkt der Ortschaft, halb versteckt in einer Gruppe von Bäumen, erhob sich ein Bollwerk. Es bestand aus Baumstämmen, die mit Stricken zusammengezurrt waren. Mächtig ragte es empor, fünfzig Meter weit, fünfzehn Meter hoch, mit einem massiven Tor, um das ein Dutzend Männer mit Speeren, Langbogen und gezückten Messern herumlungerten. Das Bauwerk kontrastierte scharf mit den pastellfarbenen, muschelartigen Häusern der Umgebung, doch konnte kein Zweifel daran bestehen, daß hier in diesem monströsen Fort der Befehlshaber dieser Welt innerhalb einer Welt hauste.

Der Gedanke verging, als sie von einem der Wachposten, einem zerlumpt gekleideten Individuum, der Sporen an seinen hohen Stiefeln trug und wie eine schlechte Karikatur eines Cowboys aussah, angerufen wurden: »Willst du diesen Kerl zum Großen Trottel 'reinbringen, Troger?«

»Ja«, antwortete Pendrakes bärtiger Geleitmann mit seiner Donnerstimme. »Vorher solltest du ihn jedoch besser durchsuchen.«

»Was ist mit Morrison? Soll er auch hinein?« fragte ein dunkeläugiger Mann in den glänzenden, zerlumpten Überresten eines ehemals vornehmen schwarzen Anzugs fremdartigen Schnitts. Während gierige Finger in seine Taschen stocherten, wußte Pendrake mit einemmal, was ihm an dieser Figur so bekannt vorkam. Der Mann sah aus wie die Filmversion eines Glücksspielers aus dem Wilden Westen.

Pendrake war fasziniert von der Bedeutung dieser Beobachtung. Gegen seinen Willen begann er nun die anderen Männer bewußt wahrzunehmen. Sie waren nur verschwommene Gestalten in seinem Gesichtsfeld gewesen, denn er war bemüht gewesen, sich von nichts in seiner Konzentration auf die bevorstehenden Ereignisse ablenken zu lassen. Doch nun rückten sie in Scharfeinstellung: Männer aus allen Zeitperioden des Wilden Westens, eine bunt zusammengewürfelte Gruppe, auch wenn ein paar von ihnen anscheinend nicht dazu paßten.

Doch für Pendrake konnte kein Schatten eines Zweifels mehr bestehen. Sie waren alle West-Amerikaner. Es war, als ob vom Mond aus ein Netz ausgeworfen worden wäre, in das ausschließlich Männer der mittleren Periode der Entwicklung der westlichen Vereinigten Staaten hineingefallen waren. Und die Beute war hier angesammelt und vom Einflußreich der Zeit abgetrennt worden. Von der Stelle am Tor des Forts aus, wo er stand, konnte er rund hundert Männer sehen. Sieben von ihnen waren Indianer in Lendenschurz, mit hochgewachsenen, kerzengeraden Körpern. Sie *paßten*. Und das galt auch für die in grobem Zwillich gekleideten Männer mit bunten Hemden, deren Krägen weit offenstanden, und mit Ledergürteln um ihre engbeinigen Hosen. Und es galt auch für die zerlumpten Cowboys.

Morrison paßte nicht dazu, obgleich es Kontoristentypen wie ihn in den Städten des Wilden Westens stets gegeben hatte. Pendrake sah ferner einige gedrungene, häßliche Gesellen und ein paar gut aussehende große, dunkelbraune Typen, die ebenfalls nicht paßten; auch ein weiterer der halbnackten, blauhäutigen, flachnasigen Männer war zu sehen. Eines schien jedoch klar. Wer auch immer diese Mannschaft versammelt hatte, er hatte einige der härtesten Burschen erwischt, die der alte, harte Westen jemals hervorgebracht hatte.

Eine große Hand packte ihn am Kragen und stieß ihn vorwärts. »Hinein mit dir!« befahl die Stimme Trogers.

Pendrakes Reaktion war automatisch. Wenn er einen Moment Zeit gehabt hätte, um zu denken — wenn er nicht so abgrundtief in seinen Überlegungen versunken gewesen wäre, hätte er sich rechtzeitig beherrschen können. Doch der grobe Schock des jähen Stoßes kam zu plötzlich. Seine Erwiderung war ebenso gewaltsam, wie unwillkürlich. Ein Arm schoß in die Höhe, seine Finger packten das gegnerische Handgelenk, und einen kurzen, blitzartigen Augenblick lang pumpte jeder müde Nerv in seinem Körper schiere Kraft in seine Muskeln.

Ein Schmerzensgebrüll durchschnitt die Luft, gefolgt von einem harten, dumpfen Aufschlag, als Troger ein Rad in der Luft schlug und zehn Meter entfernt landete. Kochend vor Wut sprang der Mann augenblicklich auf die Füße. »Ich schlage dich zu Klumpen! Niemand darf . . .«

Er brach ab; sein Blick heftete sich auf jemanden hinter Pendrake, und sein ganzer Körper wurde steif. Pendrake, vor Anstrengung zitternd und verärgert über seine Dummheit, das Ausmaß seiner Körperkräfte zu enthüllen, wandte sich um.

Eine Kreatur stand hinter dem Tor, und ein Blick genügte, um sie zu identifizieren: Hier war der Große Trottel, die Neandertal-Monstrosität.

Er besaß eine annähernd menschliche Gestalt, einen Kopf mit

Augen, Nase und Mund. Doch damit endete auch schon seine physische Ähnlichkeit mit menschlichen Attributen. Sein Körper war etwa einssechzig hoch und fast einen Meter breit in der Brust. Die Arme hingen bis unter die Knie herunter. Sein Gesicht war tierisch; lange Zähne ragten wie Fänge zwischen überaus dickwülstigen Lippen hervor.

Er stand dort wie ein Wesen aus einem urzeitlichen Dschungel, nackt und haarbedeckt, abgesehen von einem Stück schwarzen Fells, das von einem Gurt um seinen Bauch herunterhing. Seine Haltung war vornübergeneigt, die Schultern hingen schräg nach vorne, und es dauerte einen langen Moment, bis Pendrake erkannte, daß ihn die Schweinsäuglein des Unholds schlau betrachteten. Noch während er im Begriff war, diese Erkenntnis aufzunehmen, öffnete das Wesen seine riesigen Lippen und gurgelte in kehligem Englisch: »Bringt den Kerl herein! Ich werde von meinem Thron aus zu ihm sprechen. Laßt etwa fünfzig Leute ein.«

Im Innern der Stockade erhob sich ein geräumiges, leuchtendes, muschelähnliches Haus. Außerdem sah Pendrake einen kleinen Bach murmelnden Wassers, Obstbäume, einen Gemüsegarten, und eine hölzerne Plattform, auf der ein mächtiger Holzsessel stand.

Der Holzsessel war der Thron, und es war für Pendrake augenscheinlich, daß derjenige, der dem Großen Trottel die Idee eines Königtums eingeredet hatte, keine gute Vorstellung von königlicher Pracht und Herrlichkeit gehabt haben konnte.

Doch der Große Trottel ließ sich mit Selbstsicherheit nieder und fragte: »Wie nennt man dich?«

Dies war nicht die Zeit, Widerstand zu leisten. Pendrake gab ruhig seinen Namen.

Der Große Trottel wirbelte in seinem Sessel herum und deutete mit einem dicken, behaarten Finger auf einen hochgewachsenen, grauäugigen Mann in einem verschossenen schwarzen Anzug. »Was für ein Name ist das, MacInthos?«

Der große Mann zuckte die Achseln. »Englisch.«

»Oh!« Die Schweinsäuglein schwenkten zu Pendrake zurück und starrten ihn überlegend an. Der Unhold sagte: »Was hast du zu deiner Verteidigung zu sagen?«

Der gutturale Tonfall der Stimme, die überdies einen Wildwestdialekt sprach, machte es für Pendrake schwer, zu erfassen, daß er hier vor Gericht stand. Es war eine psychologische Hürde, die sein Geist überwinden mußte. Doch schließlich hatte er sich zu der Erkenntnis durchgerungen, daß es um sein nacktes Leben ging, und begann mit seiner Erzählung. Er schloß lange Minuten später in überstürzter Eile, indem er auf dem Absatz herumwirbelte, zu dem schmalgesichtigen jungen Mann hinüberblickte, der sein Gefängniswärter gewesen war, und mit klingender Stimme rief: »Morrison wird jedes einzelne Wort bestätigen. Er sagte mir, daß ich im Delirium über meine Erlebnisse gesprochen hätte. Stimmt das nicht, Morrison?«

Pendrake starrte dem jungen Mann über die Köpfe der anderen hinweg gerade ins Gesicht. Morrisons Augen wurden weit, und dann sprudelte es aus ihm hervor: »Ja, das stimmt, Großer Trottel. Du weißt, daß du mir befohlen hast, auf jedes Wort zu lauschen, und genau das hat er gemeint. Er ...«

»Schnauze!« grollte der Große Trottel, und Morrison fiel wie ein angestochener Luftballon zusammen und verstummte.

Pendrake empfand nicht das geringste Bedauern darüber, den kleinen Feigling unter Druck gesetzt zu haben. Er sah, daß ihn das Monstrum unausgesetzt betrachtete, und etwas war in seinem Ausdruck ... Pendrake vergaß Morrison, als Trottel mit eigenartig sanfter Stimme sagte:

»Haut ihn, Leute. Ich möchte sehen, wieviel er einstecken kann.«

Eine Minute später: »In Ordnung, das genügt.«

Pendrake kam mühsam auf die Füße, und das wenigste dabei war Verstellung. In der Aufregung der »Gerichtssitzung« hatte er vergessen, daß er im Grund noch immer ein kranker Mann war. Taumelnd und benommen hielt er sich aufrecht und hörte den Tiermenschen sagen: »Nun denn, Kerls, was sollen wir mit ihm machen?«

»Abmurksen!« Es war ein rauher Schrei aus mehreren Kehlen. »Wirf ihn der Teufelsbestie vor. Wir haben schon seit langem kein Schauspiel mehr gehabt.«

»Das ist kein Grund, jemanden umzubringen«, meinte ein hagerer Mann im Hintergrund der Menge. »Wenn es nach diesen Burschen ginge, hätten sie jede Woche eine Schau, und dann hätten wir alle nicht mehr lange zu leben.«

»Ja, Chris Devlin«, knurrte ein Mann, »das ist genau, was *dir* eines nicht mehr fernen Tages bevorsteht.«

»Fang bloß etwas an!« schnappte Devlin zurück. »Auf dich haben wir gerade gewartet.«

»Das genügt!« Es war der Große Trottel. »Der Fremde bleibt am Leben. Du kannst dich für eine Weile mit Morrison zusammentun. Und paß auf, Pendrake, ich möchte mit dir reden, sobald du dich gut ausgeschlafen hast. Habt ihr gehört. ihr Kerle? Bringt ihn dann zu mir. Und jetzt haut ab, alle zusammen.«

3

Pendrake aß und schlief, aß und schlief ein zweites Mal.

Er erwachte aus seinem dritten Schlaf mit der klaren Erkenntnis, daß er seinen Besuch beim Großen Trottel nun nicht länger hinausschieben durfte.

Doch er blieb noch ein paar Minuten liegen. Nicht, daß sein Schlafraum besonders komfortabel gewesen wäre. Das flimmernde Licht von den Wänden war zu hell für Augen, die zum Ausruhen Dunkelheit benötigten. Das Bett, wenn auch weich, war trogförmig, die beiden langen, lehnenlosen Hocker ebenfalls. Die Tür, die zum benachbarten Raum führte, war sechzig Zentimeter hoch, wie der Eingang zu einem Iglu.

Ein kratzendes Geräusch ließ sich vernehmen. Ein Kopf schob sich durch die Türöffnung, und ein hagerer, langer Mann kam hereingekrochen und stand auf. Es dauerte einen Moment, bis Pendrake Chris Devlin erkannte, den Mann, der sich gegen seine Hinrichtung ausgesprochen hatte. Devlin sagte: »Ich stehe unter Beobachtung. Mein Kommen macht Sie deshalb zu einer verdächtigen Person.«

»Gut«, entgegnete Pendrake.

»Was!« Der Mann sah ihn erstaunt an, und Pendrake erwiderte den Blick kühl. Devin fuhr zögernd fort: »Sie haben sich also die Dinge durch den Kopf gehen lassen.«

»Und wie«, meinte Pendrake.

Devlin ließ sich auf einem der Segeltuchstühle nieder. »Hören Sie«, sagte er, »Sie scheinen ein Mann nach meinem Geschmack zu sein. Ich möchte Sie etwas fragen: Die Methode, mit der Sie Troger fertiggemacht haben ... war das ein Zufall?«

»Ich könnte auch mit dem Großen Trottel so umspringen«, entgegnete Pendrake ausdruckslos.

Er sah, daß Devlin beeindruckt war, und er lächelte bei sich über die Wirksamkeit der simplen Psychologie, die er angewendet hatte – die Psychologie der wohlerwogenen Positivität.

»Es ist zu schade«, meinte Devlin, »daß ein Mann mit Ihrem Mumm so dumm sein kann. Mit dem Großen Trottel kann es niemand aufnehmen. Darüberhinaus würde er einem direkten Angriff von vornherein aus dem Weg gehen.«

Pendrake erwiderte rasch: »Worauf es wirklich ankommt, ist: Auf wie viele Männer können Sie sich fest verlassen?«

»Auf etwa einhundert. Zweihundert weitere würden auf meine Seite kommen, wenn sie den Mut hätten; wir können erst dann mit ihnen rechnen, wenn sich die Lage zu unseren Gunsten gewendet hat. Damit verbleiben zweihundert entschlossene Gegner, und vielleicht können sie noch ein weiteres hundert so weit einschüchtern, daß sie sich ebenfalls gegen uns wenden.«

»Hundert Leute genügen vollauf«, sagte Pendrake. »Sehen Sie, die Welt wird nur von kleinen Gruppen von Männern regiert. Fünfhundert entschlossene Männer und zweihunderttausend Nachläufer stürzten die Zarenherrschaft in einem Rußland von hundertfünfzig Millionen Menschen. Hitler ergriff die Macht in Deutschland mit einer verhältnismäßig kleinen Gruppe tatkräftiger Gefolgsleute. Doch ich habe ein paar Ratschläge für Sie, Devlin.«

»Ja?«

»Besetzt die Wasserquelle. Erobert die Stellen, die unter Bewachung stehen, und haltet sie unter allen Umständen. Ergreift das Vieh!« Pendrake zögerte einen Moment; dann: »Wie viele Ehefrauen haben Sie, Devlin?«

Der Mann fuhr auf und wechselte die Farbe. Dann sagte er wütend: »Wir lassen die Frauen besser aus dem Spiel, Pendrake. Unsere Leute haben so lange ohne Frauen leben müssen, daß ... wir sämtliche Anhänger verlieren würden.«

»Wie viele Frauen?« fragte Pendrake unerschüttert.

Devlin starrte ihn an. Er war jetzt bleich, und seine Stimme klang rauher. »Der Große Trottel war verdammt schlau«, gab er zu. »Als wir jene fremden, uniformierten Frauen entführten, gab er jedem seiner hundert ärgsten Gegner zwei Frauen.«

»Sagen Sie Ihren Leuten«, befahl Pendrake, »sie sollen sich davon diejenige aussuchen, die ihnen am besten gefällt, und die andere in Ruhe lassen. Haben Sie verstanden?«

Devlin war aufgesprungen. »Pendrake«, sagte er mit schlecht verhüllter Erregung, »ich warne Sie. Rühren Sie dieses Thema nicht an. Es ist Dynamit.«

»Sie Narr!« schnappte Pendrake. »Sehen Sie denn nicht, daß Sie zuerst Ordnung im eigenen Haus schaffen müssen, wenn Sie einen neuen Anfang machen wollen? Das menschliche Wesen tendiert dazu, gewisse Gewohnheiten anzunehmen. Wenn die Gewohnheiten schlecht sind – und die Weise, in der jene Frauen verteilt wurden, stempelt sie zu Vieh und ist deshalb durch und durch schlecht – ich wiederhole, wenn die Gewohnheiten schlecht sind, hat es gar keinen Zweck, den Geist ummodeln zu wollen. *So* ein Zustand kann nur durch Tod bereinigt werden, bevor man von Neuem beginnt ...« Er brach ab. »Überdies haben Ihre Leute keine andere Wahl. Wie Sie wissen, sollen Sie alle früher oder später getötet werden, und jene Frauen sind natürlich dazu bestimmt, Ihre Leute ruhig zu halten, bis der richtige Augenblick gekommen ist. Das ist Ihnen doch klar, oder?«

Devlin nickte widerstrebend. »Vermutlich haben Sie recht.«

»Und ob ich recht habe!« entgegnete Pendrake kalt. »Außerdem möchte ich meinen Standpunkt ein für allemal klar darstellen: Entweder wird dieses Spiel nach meinen Regeln gespielt, oder es wird ohne mich gespielt« – er stand in einer raschen, flüssigen Bewegung auf, und seine Stimme wurde grimmig, als er schloß – »und mir tun jetzt schon diejenigen leid, die sich mit dem Großen Trottel anlegen, ohne daß ihnen diese Muskeln hier damit helfen, daß sie ihn von ihnen abhalten. Nun, was sagen Sie dazu?«

Devlin blickte stirnrunzelnd zu Boden. Schließlich sah er auf, und ein mattes Lächeln glitt über sein Gesicht. »Sie gewinnen, Pendrake. Ich verspreche keine Resultate, aber ich werde mein Bestes tun. Unsere Leute sind im Grunde gutherzige Burschen – und zumindest wissen sie, daß sie sich mit einem prima Kerl eingelassen haben. Doch jetzt beeilen Sie sich besser, zum Großen Trottel zu kommen. Schreien Sie laut, wenn er was anfängt.«

»Haben Sie eine Ahnung«, fragte Pendrake, »was er von mir will?«

»Nicht die geringste«, lautete die Antwort, und Pendrake war bereits halbwegs zur Festung, als ihm erst einfiel, daß er noch immer nicht wußte, wie diese Wildwestleute zum Mond gekommen waren, und daß er vergessen hatte, Devlin zu fragen, ob die Höhlenbewohner intelligent genug gewesen waren, sich auf den bevorstehenden Angriff von Ragnarök – als Vergeltung für ihre Raubzüge – vorzubereiten.

Schweigend ließen ihn die Wachposten am Tor der Stockade passieren. Wenige Minuten später kroch der Große Trottel aus der niedrigen Tür seines Hauses und stand auf. Selbst in der aufrechten Haltung berührten seine Fingerknöchel den Boden. »Du hast dir ganz schön Zeit gelassen«, knurrte er.

»Ich bin ein kranker Mann«, erklärte Pendrake. »Diese Mondschwerkraft ermöglicht es, auch dann noch herumzugehen, wenn man auf der Erde das Bett hüten müßte. Die Prügel, die ich von deinen Leuten bezogen habe, waren meiner Genesung auch nicht gerade förderlich.«

Das Monstrum grunzte als Antwort, und Pendrake beobachtete es wachsam. Sie befanden sich allein im Innern der Pfahlfestung.

Pendrake sah, daß ihn die kleinen Augen der Kreatur prüfend betrachteten. Der Große Trottel brach das Schweigen. »Ich lebe hier seit sehr langer Zeit, Pendrake. Als ich hierher kam, war ich zuerst dumm und töricht, wie es alle diese anderen Kerle noch sind. Doch mein Gehirn ist im Laufe der Jahre irgendwie aufgewachsen, und jetzt verfüge ich über Verstand und denke über Dinge nach, die ihnen niemals auch nur einfallen würden. Wie zum Beispiel über diese Ragnarök-Gangster.«

Er schwieg einen Moment und sah Pendrake an. Pendrake zögerte und erwiderte dann: »Darüber zerbrich dir lieber den Kopf, und zwar schnellstens.«

Der Große Trottel winkte mit einem affenähnlichen Arm ab und zuckte die weit ausladenden Schultern. »Ich habe das nur als Beispiel erwähnt. Ich habe meine Pläne für diese Burschen schon gemacht. Was ich sagen will, ist: Wenn du mich ansiehst, denke von mir als von jemandem, der ein Gehirn mit einem klaren Verstand besitzt, und kümmere dich nicht um den Körper. Was meinst du dazu, heh?«

Pendrake blinzelte unwillkürlich. Der Appell kam derart unerwartet und das von ihm heraufbeschworene Bild eines gefühlvollen Geistes, der des tierhaften Körpers schmerzlich gewahr war, kam derart überraschend, daß er ungeachtet seiner inneren Einstellung gerührt war. Doch dann dachte er an die fünf Frauen und an die beiden anderen, die Selbstmord begangen hatten. Langsam sagte er: »Hast du sonst noch Kummer, Großer Trottel?«

Es schien ihm, daß die Andeutung eines enttäuschten Ausdrucks über das behaarte Gesicht huschte, als er die abweisenden Worte sprach. Dann sagte der Große Trottel: »Ich bin auf der Erde einen Pfad entlanggegangen, und mit einemmal befand ich mich hier.«

»Wie war das?« fuhr Pendrake auf.

Ungläubig ging er in Gedanken ein zweites Mal über die Bemerkung des Affenmenschen, und wieder kam der Schock. Er brauchte einen langen Moment, bis es ihm voll bewußt wurde, daß er gerade in das Geheimnis eingeweiht wurde, wie diese Menschen zum Mond gekommen waren.

Der Große Trottel fuhr fort: »Mit den anderen war es genau das gleiche. Aus ihren Erzählungen geht deutlich hervor, daß sie denselben Pfad entlanggekommen waren. Das macht mir Angst, Pendrake.«

Pendrake runzelte die Stirn. »Wie meinst du das?«

»Es befindet sich etwas dort unten auf der Erde; nichts, das man sehen könnte. Doch an diesem Ende kommt man aus der Maschine heraus. Pendrake, wir müssen diese Maschine irgendwie abstellen. Wir können nicht einfach hier so sitzen, ohne Einfluß darauf, wen oder was uns die Maschine als nächstes in den Schoß wirft.«

»Ich verstehe, was du meinst«, entgegnete Pendrake gedankenvoll.

Diesmal war es die Gelassenheit und Ruhe seiner Stimme, die ihm einen Schock versetzte. Denn tatsächlich zitterte er innerlich mit jedem Nerv. Eine Maschine, die Gegenstände über große Entfernungen transportierte, ohne ihnen Schaden zu tun ... die auf einen Pfad im Westen der Vereinigten Staaten eingestellt war! Eine Maschine, durch die eine ganze Armee auf den Mond kommen konnte, um die Stützpunkte der Ragnarök-Organisation anzugreifen, um eines der phantastischen Grayson-Triebwerke zu ergreifen, um ...

Mit jähem Schreck sah Pendrake, daß ihn der Neandertaler finster anstarrte. Der Affenmensch hatte auf der Kante der hölzernen Plattform gekauert, auf der der Thronsessel stand. Jetzt lehnte er sich vor; die großen Muskeln auf seiner Brust standen wie Ankerseile hervor. »Fremder«, sagte er gepreßt, »täusche dich nicht. Diese Gegend hier ist eingezäuntes Territorium. Sehr viele Menschen werden es niemals sehen, die hier herunterkommen. Die ganze Welt würde verrückt werden, wenn es jemals bekannt werden würde, daß es im Mond eine Ortschaft gibt, in der man ewig leben kann. Verstehst du jetzt, warum wir jene Maschine abstellen und uns von der Außenwelt völlig abtrennen müssen? Wir haben hier unten etwas, um dessen Besitz die Erdmenschen Morde begehen würden. Warte« — seine Stimme wurde härter — »ich werde dir zeigen, was mit Kerlen passiert, die anderer Meinung sind. Komm mit.«

Pendrake folgte ihm. Der Große Trottel rannte die Straße entlang ins offene Gelände hinaus, und Pendrake, der mit langen Sprüngen hinter ihm hereilte, sah bald, welches Ziel er im Sinn hatte: die Klippenwand.

Der Große Trottel deutete in den Abgrund hinunter. »Schau«, rief er heiser.

Pendrake näherte sich der Felskante vorsichtig und beugte sich vor, um hinunterzuspähen. Er sah, daß die Felswand etwa hundert Meter tief senkrecht abfiel. Bäume und Buschwerk wuchsen am Fuß der Wand, und dahinter erstreckte sich eine grasbestandene Ebene. Und ...

Pendrake schluckte schwer. Er taumelte einen Moment, doch gelang es ihm, sein wirbelndes Bewußtsein zum Stillstand zu zwingen. Dann sah er ein zweites Mal hinunter.

Das gelb-grün-blau-rote Tier auf dem Boden des Abgrunds saß auf seinen Keulen. Es sah so groß wie ein Pferd aus. Sein Schädel war erhoben, seine glühenden Augen starrten zu den beiden Männern herauf. Und die erschreckend langen Reißzähne, die aus seinem Oberkiefer hervorragten, bestätigten Pendrakes augenblickliche Identifizierung.

Die Teufelsbestie war ein Säbelzahntiger.

Langsam wurde Pendrakes wildes Herzklopfen langsamer und ruhiger. Das große Staunen kam: Seit wie vielen Äonen mußte jene Maschine auf den Pfad in der Wildnis ausgerichtet gewesen sein, um solch ein prähistorisches Monstrum erwischt zu haben! Und vor welch unendlich langen Zeiten mußten die Wesen, die die Maschine und dieses Dorf gebaut hatten, gestorben sein!

Ein weiterer Gedanke stellte sich ein, eine lähmende Vorstellung. Es war ein Extrakt einer urzeitlichen Erinnerung in ihm, der einen Schrei des Grauens und Unglaubens ausstieß, als ob jede seiner Zellen voll Entsetzen ausrief: »Um Gottes willen, ich glaubte, wir hätten dieses Schreckgespenst schon seit langem überdauert!« Die Zellen erinnerten sich des vormaligen Feindes und krümmten sich in instinktiver Panik zuammen.

Pendrake benetzte seine trockenen Lippen; diesmal kam eine bewußte Überlegung: »Natürlich ist die Gefahr aus der Tierwelt noch nicht vorüber. Der Kampf, in dem sich der Mensch befindet, gilt nicht nur der Überwindung der Untiere und der Unordnung der Natur, sondern auch der Überwindung seiner eigenen tiefverwurzelten tierhaften Triebe und Impulse.«

Der Gedanke verging. Mit verengten Augen blickte er zum Großen Trottel hinüber. Der Tiermensch kniete ein Dutzend Schritte entfernt an der Felskante, ihn aufmerksam betrachtend. Pendrake sagte ausdruckslos: »Er muß gefüttert worden sein. Er muß mit Absicht am Leben erhalten worden sein.«

Blau-graue Augen, hart wie Schiefer, begegneten seinem Blick. »Anfangs«, erwiderte der Große Trottel, »fütterte ich ihn, um Gesellschaft zu haben. Ich war sehr allein. Ich verbrachte meine Zeit damit, auf der Felskante hier zu sitzen und ihm Worte zuzurufen. Dann, als die blauen Männer mit einer Herde Büffel erschienen, kam mir die Idee, daß ich ihn vielleicht eines Tages gut gebrauchen könnte. Er kennt mich jetzt.« Er schloß drohend: »Er hat eine Menge Männer in seinem Bauch, und er wird noch mehr kriegen. Paß auf, Pendrake, daß du keiner von ihnen sein wirst.«

Pendrake entgegnete langsam und ruhig: »Ich beginne zu verstehen. Diese ganze Mühe, die du dir mit mir machst ... du sprachst davon, daß die Maschine abgestellt werden müßte – und ich bin der einzige Mann hier, der etwas von Maschinen versteht. Bin ich auf der richtigen Fährte, Großer Trottel?«

Der Neandertaler erhob sich auf seine krummen Beine, und Pendrake folgte seinem Beispiel. Schritt um Schritt wichen sie von der Felskante zurück, ohne sich dabei aus den Augen zu lassen. Es war der Große Trottel, der dann sprach. »Du bist nicht der erste, aber die anderen sind nicht mehr hier.« Er zögerte einen Moment, dann: »Pendrake, ich biete dir die Hälfte von allem an. Ich und du, wir werden hier die Bosse sein, mit erster Wahl, was die Frauen und alle die anderen guten Sachen hier betrifft. Du weißt, wir dürfen die Erde nicht von diesem Ort wissen lassen. Es geht einfach nicht. Wir werden hier ewig leben, und wenn es dir gelingt, all die Maschinen in diesen Bauwerken dort in Gang zu setzen, dann können wir vielleicht eines Tages hinausgehen und uns von überall her alles holen, was wir wollen.«

Pendrake sagte: »Großer Trottel, hast du jemals von einer Wahl gehört?«

»Ah!« Die Schweinsäuglein starrten ihn argwöhnisch an. »Was ist das?«

Pendrake erklärte es ihm, und das behaarte Monstrum fuhr auf. »Du meinst«, explodierte es, »wenn es diesen Dummköpfen nicht gefällt, wie ich den Betrieb hier schmeiße, dann können sie mich einfach hinauswerfen?«

»So ist es«, erwiderte Pendrake. »Und nur auf diese Weise spiele ich mit.«

»Zum Teufel damit«, war die gefauchte Entgegnung. Und auf dem Rückweg zur Ortschaft sagte der Große Trottel mit gepreßter Stimme: »Man hat mir mitgeteilt, daß du dich mit Devlin unterhalten hast, Pendrake. Du ...« Er brach ab. Die Wut erstarb in ihm, als ob er sie mit einem Skalpell sauber herausgeschnitten hätte. Als Pendrake voller Verwunderung die Transformation vonstatten gehen sah, breitete sich ein Grinsen über das affenähnliche Gesicht aus. »Ich bin wütend geworden!« sagte der Große Trottel. »Ein Kerl, der eine Million Jahre gelebt hat und eine weitere Million Jahre vor sich hat, wenn er seine Karten richtig ausspielt!«

Pendrake schwieg; er fühlte die Augen des anderen auf sich. Die Worte des Affenmenschen gaben ihm zu denken. Mehr denn je erwies sich der Große Trottel als ein außerordentlich gefährlicher »Kerl«.

»Ich habe alle Asse in meiner Hand, Pendrake«, ertönte die Stimme des Großen Trottels, »und einen Royal Flush in meinem Ärmel. Ich kann nicht getötet werden – es sei denn, ein Felsblock fällt von der Decke ...« Er warf einen Blick in die Höhe und sah dann Pendrake an, während sein Grinsen breiter wurde. »Es ist mal mit einem Kerl passiert.«

Sie waren stehengeblieben. Sie befanden sich in einer kleinen Talsenke unter einer Gruppe von Bäumen. Die Ortschaft befand sich hinter dem Hügel vor ihnen, der alle Lebenszeichen abschirmte. Man hörte weder Lachen, noch Stimmen. Allein in einem seltsamen, fremdartigen Universum – so sahen sich Mensch und Halbmensch an.

Pendrake brach den Zauber des Augenblicks. »Ich rechne nicht damit, daß es dir zustößt.«

Der Große Trottel grinste von Ohr zu Ohr. »Jetzt scheinst du vernünftig zu werden. Ich wußte, daß du rasch begreifen würdest. Hör mal, Pendrake, du kannst es mit mir nicht aufnehmen; deshalb laß dir durch den Kopf gehen, was ich gesagt habe. In der Zwischenzeit möchte ich dein Versprechen, daß du dich mit niemandem in irgendwelche Verschwörungen gegen mich einläßt. Ist das fair?«

»Absolut«, entgegnete Pendrake. Er spürte keine Gewissensbisse bei dem raschen Versprechen. Es bestand kein Zweifel, daß er in seiner Opposition bis zur äußersten Grenze gegangen war und vorläufig kein weiteres Wagnis eingehen durfte. Er war noch nicht bereit. Wenn alle die endlosen Jahre des Kämpfens jedem vernunftbegabten Menschen auf der Erde etwas gelehrt hatten, dann war es die Erkenntnis, daß sich der Tod sehr rasch und leicht bei denen einstellte, die fair blieben in ihrem Kampf gegen jene, die es nicht blieben.

Der Große Trottel fuhr fort: »Vielleicht können wir auch bei ein paar Dingen zusammenarbeiten, zum Beispiel an dieser Gangsterorganisation. Vielleicht lasse ich dich sogar nach der nächsten Schlafperiode jene Maschine in Augenschein nehmen. Halt mal ...«

»Ja?« Pendrake sah ihn wachsam an.

»Hast du mir nicht erzählt, daß jene Ragnarök-Kerle, die dich entführt haben, dir gesagt hätten, daß sie deine Frau als Gefangene haben? Was würdest du dazu sagen, für ein paar Wochen als Anführer eines Kommandotarupps auf Expedition zu gehen, um zu versuchen, sie zu befreien?«

Pendrake fühlte eine Welle der Hoffnung. Dann bemerkte er, daß ihn die kleinen, schlauen Augen des anderen aufmerksam beobachteten, und die Erregung verging ebenso schnell, wie sie gekommen war. Eleanore mußte zwar befreit werden, aber sie wäre hier unten genauso wenig in Sicherheit, solange er nicht Devlin und die anderen hinter sich hatte. Außerdem kam es für ihn nicht in Frage, eine Expedition anzuführen, deren Zweck die Massenentführung von Frauen war.

4

»Es ist Zeit, aufzustehen!«

Mit dieser Ankündigung betrat Morrison am nächsten Morgen den Schlafraum.

»Zeit?« Pendrake sah den schlanken, jugendlich erscheinenden Mann verwundert an. »Ist die Zeit hier unten nicht völlig belanglos, da sie doch stillsteht? Warum kann ich nicht einfach liegenbleiben, bis ich Hunger kriege?«

Zu seiner Überraschung schüttelte Morrison entschieden den Kopf. »Du bist krank gewesen, aber das ist jetzt vorbei. Von nun an mußt du dich in die tägliche Routine einfügen. Der Große Trottel will es so.«

Pendrake betrachtete das sehnige Gesicht des anderen. Er dachte an die Möglichkeit, daß Morrison dazu benützt wurde, ihn zu bespitzeln. Er hatte schon zuvor den Eindruck gewonnen, daß dieser kleine Bursche ein Lakai des Großen Trottels war, aber es war nicht klar, in welchem Ausmaß er ihm diente. Er überlegte, daß er sein Vorhaben, während der nächsten paar Tage seine Umgebung und alle Umstände dieses seltsamen Landes kennenzulernen, bereits hier und jetzt beginnen könnte. Nicht, daß Morrison als Individuum gefährlich gewesen wäre. Der Mann würde stets ein Mitläufer jenes Regimes sein, das gerade am Ruder war.

»Der Große Trottel«, antwortete Morrison auf seine Frage, »hat alles bis ins kleinste organisiert. Zwölf Stunden für die Schlafperiode, vier Stunden für Mahlzeiten, und so weiter . . . doch brauchst du natürlich nicht zu essen und zu schlafen, wenn du nicht willst. Du kannst tun und lassen, was du willst, solange du nur bereit bist, deine acht Stunden pro Tag zu arbeiten.«

»Arbeiten?«

Morrison erklärte: »Da ist der Wachdienst, zum Beispiel. Die Kühe müssen zweimal täglich gemolken werden. Die Gemüse- und Obstgärten müssen unterhalten werden, und wir schlachten mehrere Stiere pro Woche. Es gibt mengenweise Arbeit.« Er deutete mit einer schweifenden Armbewegung. »Die Gärten liegen dort drüben hinter den Bäumen, genau in entgegengesetzter Richtung des Abgrunds mit der Teufelsbestie.« Er schloß: »Der Große Trottel verlangt zu wissen, was du tun kannst.«

Pendrake lächelte heimlich. Der Affenmensch ließ ihn also wissen, wie das Leben für ihn aussehen würde, wenn er nicht einer der Bosse war. Es war nicht die Arbeit, sondern das jäh heraufbeschworene Bild eines eng geflochtenen Systems von Gesetz und Ordnung dahinter, was ihn so verblüffte. Er runzelte die Stirn und sagte schließlich: »Du kannst dem Großen Trottel sagen, daß ich gelernt habe, Kühe zu melken, im Garten zu arbeiten, Wache zu stehen, und noch eine ganze Menge andere Dinge.«

Doch es kamen an diesem Tag keine Arbeitsbefehle für ihn. Auch am nächsten Tag nicht. Er schlenderte in der Siedlung umher. Einige der Männer wollten mit ihm nichts zu tun haben; andere waren derart ängstlich, daß jedes Gespräch mit ihnen aussichtslos war; wieder andere, eingeschlossen Leute, die treue Anhänger des Großen Trottels waren, hatten unzählige Fragen über die Erde. Einige von ihnen waren überzeugt, daß er einer von ihnen werden würde.

Im Laufe der Unterhaltungen hörte Pendrake die Lebensgeschichten von Goldgräbern, Spielern und Cowboys. Das Bild dieser Welt, das er in seinem Innern Stück für Stück zusammenfügte, wurde klarer. Die Hauptgruppe dieser Menschen entstammte einem Zeitraum zwischen 1825 und 1875. Auch ihr genauer Herkunftsort engte sich mehr und mehr ein. Der Pfad, auf den die Transportmaschine ausgerichtet war, mußte sich innerhalb eines Umkreises von zwanzig Meilen um eine alte Grenzsiedlung namens Canyon Town befinden.

Am dritten Morgen kam Devlin in Pendrakes Schlafraum gekrochen, als er gerade beim Aufstehen war. »Ich habe Morrison zur Stockade gehen sehen«, sagte der Mann, »deshalb nahm ich an, daß die Luft rein war. Wir sind bereit, Pendrake.«

Pendrake setzte sich rasch auf die Bettkante. Er saß einen Moment lang in grimmigem Schweigen und fragte sich in Gedanken, was diese Männer in ihrer völligen Unkenntnis eines ordentlich geplanten Kriegszuges als angemessene Bereitschaft betrachteten. Er hörte zu, bemüht, sich alles bildlich vorzustellen, als Devlin begann:

»Die Hauptidee ist, die Festung einzunehmen und die Kapitulation zu erzwingen. Die Männer wollen kein großes Blutvergießen. Im einzelnen planen wir folgendes ...«

Pendrake hörte sich den naiven Plan an; er verspürte eine große Müdigkeit. Alle seine Ratschläge waren ignoriert worden. Der unbarmherzige Überraschungsangriff, der allein einen raschen und für die Angreifer unblutigen Sieg herbeiführen würde, war zugunsten eines unklaren Plans, den Gegner in der Stockade in die Enge zu treiben, verworfen worden. »Devlin«, sagte er schließlich, »sehen

Sie mich an. Seit zwei Tagen sitze ich untätig hier herum. Man könnte annehmen, daß ich keine Sorgen auf der Welt hätte. Und doch befindet sich meine Frau in den Händen der härtesten, mordlustigsten Gruppe von Verbrechern, die es jemals auf der Erde gegeben hat. Mein Heimatland befindet sich in einer Todesgefahr, von der es noch nicht einmal etwas weiß. Außerdem hat mich der Große Trottel vor drei Tagen gefragt, ob ich eine Expedition gegen die Gangster anführen möchte, auf die Chance hin, daß sie meine Frau hier auf dem Mond festhalten. Warum stürze ich nicht einfach vorwärts, wenn ich vor Besorgnis und Angst fast verrückt werde? Weil eine Niederlage zehnmal leichter ist als ein Sieg – und um vieles endgültiger. Weil sämtliche Willenskraft auf der Welt nicht genügt, wenn die Strategie stümperhaft ist. Und was das Blutvergießen angeht ... Sie scheinen nicht zu begreifen, daß Sie es hier mit einem Mann zu tun haben, der keine Sekunde lang zögern würde, ein allgemeines Massaker anzuordnen, wenn seine Stellung auch nur im geringsten gefährdet ist.

Und Sie scheinen nicht zu erkennen, wie geschickt diese Siedlung organisiert ist. Der äußere Schein trügt kolossal. Wenn Sie nicht blitzschnell operieren und fast augenblicklich Erfolg haben, werden sich sämtliche unschlüssigen Männer gegen Sie stellen, und sie werden dan doppelt so entschlosen kämpfen, um dem Großen Trottel zu beweisen, daß sie von vornherein auf seiner Seite gestanden haben.

Nun, genug davon. Lassen Sie uns jetzt Vorbereitungen für einen Kampf treffen, nicht für ein Wettspiel. Was befindet sich in jenen schwerbewachten Gebäuden?«

»Gewehre in einem davon, Speere, Bogen und Pfeile in einem anderen, Werkzeuge in einem dritten. Alles, was jemals von der Erde durchgekommen ist, hat der Große Trottel in seinen Besitz genommen.«

»Wo befindet sich die Munition für die Gewehre?«

»Das weiß nur der Große Trottel ... Hören Sie, ich beginne zu verstehen, worauf Sie hinauswollen. Wenn es ihm jemals gelingen sollte, jene Gewehre gegen uns einzusetzen ... Wir müssen sie ergreifen.«

»Wenn«, entgegnete Pendrake, »jeder erste Pfeil, der von unseren Männern auf den Gegner abgeschossen wird, einen von ihnen tötet oder auch nur unschädlich macht, dann wäre unser kleiner Krieg in zehn Minuten vorüber. Aber ...«

Eilige Schritte näherten sich; dann kam Morrison durch die Türöffnung gekrochen. Er atmete heftig, als ob er den ganzen Weg gelaufen wäre.

»Der Große Trottel«, keuchte er, »möchte dir die Transportmaschine zeigen. Soll ich ihm sagen, daß du kommst?«

An der Antwort konnte es keinen Zweifel geben. Pendrake ging sofort.

Die Transportmaschine stand im Innern einer hohen Pfahleinfriedung am Rande einer steil abfallenden Felswand. Sie bestand aus einem dunklen, fast schmutzigfabrenen Metall, und ihr Fundament war ein kompakter Metallblock. Auf der hölzernen Plattform stehenbleibend, die außen um den oberen Rand der Stockade herumlief, blickte Pendrake mit zusammengezogenen Brauen auf das häßliche Gebilde hinunter. Vergeblich bemüht er sich, keine Erregung aufkommen zu lassen. Die Möglichkeiten, die ihm beim Anblick der Maschine vorschwebten, waren zu überwältigend. Wenn er dieses phantastische Instrument in Betrieb setzen könnte – wenn er es *überall hin* richten könnte, zum Beispiel in das Gefängnis der Gangsterbande, in dem Eleanore lag, oder in das militärische Hauptquartier der Vereinigten Staaten, oder ... wenn es ihm bloß gelingen würde, sie umzupolen!

Innerlich bebend, drängte er die jähe Hoffnung aus seinem Bewußtsein. Zehn Meter lang, schätzte er, vier Meter hoch und fünfeinhalb breit. Groß genug für nahezu alles, außer einer Lokomotive. Er schritt auf der Plattform entlang und blieb an der Ecke stehen, wo sie direkt am Rande des Abgrunds entlangzulaufen begann. Die Tiefe unter ihm ließ ihn erschrocken zurückfahren. Er wurde nicht leicht schwindelig und höhenkrank, doch bestand keine Notwendigkeit, das Risiko nur deshalb einzugehen, um auf das Maul der Maschine hinunterblicken zu können.

Er wich zurück. Sich dem Großen Trottel zuwendend, der sich niedergekauert hatte und ihn aus ausdruckslosen Augen ansah, sagte er: »Wie gelangt man ins Innere der Stockade?«

»Durch eine Tür auf der anderen Seite.«

Es stimmte. Ein Vorhängeschloß verschloß sie. Der Große Trottel langte in das Fell, das wie ein Schurz um seinen großen Bauch geschlungen war, und förderte einen Schlüssel zutage. Als der Unhold die schwere Tür aufschwang, streckte Pendrake die Hand aus.

»Wie wär's, wenn du mir das Schloß geben würdest? Ich glaube nicht, daß ich über diese Wände klettern könnte, falls ich zufällig hier drin eingeschlossen würde.«

Er sprach mit bedachtsamer Ruhe. Er hatte sich vorher genauestens überlegt, welches die psychologisch richtige Verhaltensweise dem Großen Trottel gegenüber sein würde, und sein Gefühl bestätigte ihm jetzt, noch während er sprach, daß er nicht danebengetippt hatte. Offenes Mißtrauen, ohne jeglichen Groll vorgetragen, war hier angebracht.

Der Große Trottel grinste. »Diese Bude ist nicht für dich bestimmt. Ich habe sie so stark und hoch gebaut, damit nichts und niemand von der Erde durchkommen und mich hier überrumpeln kann.«

»Dennoch würde es mir schwerfallen, mich angemessen zu konzentrieren«, beharrte Pendrake, »wenn ich auch nur die leisesten Bedenken ...«

Der Große Trottel grunzte. »Hör mal«, sagte er, »vielleicht hast *du* vor, mich hier einzuschließen!«

Pendrake deutete mit der Hand. »Siehst du jenen Hügel dort drüben, etwa hundert Meter entfernt?«

»Ja?«

»Wirf das Schloß dort hin.«

Der Große Trottel starrte ihn finster an und stieß dann einen Fluch aus. »Zum Teufel! Angenommen, jemand dort drüben hebt es auf und schließt uns beide ein? Dann durchbohren sie mich mit einem Pfeil und lassen dich heraus.«

Trotz der angespannten Lage mußte Pendrake lächeln. »Du bist mir einen Schritt voraus«, gestand er zu. Dann zog er die Brauen zusammen. Nicht, daß er in diesem Stadium seines Plans vom Großen Trottel wirklich etwas zu befürchten hatte. Der Mann hatte es nicht nötig, zu einer List zu greifen – noch nicht, jedenfalls. Und es wäre vielleicht eine gute Idee, den Tiermenschen nun, nachdem er seinen Protest vorgebracht hatte, gewinnen zu lassen. Nicht zu schnell, allerdings. »Hast du jemals jemanden dort drin sitzen gehabt?« fragte er.

Der untersetzte Mann zögerte. »Ja«, sagte er dann. »Zwei komisch aussehende Kerle, ganz in Metall gekleidet. Sie hatten eine verdammt eigenartige Schußwaffe bei sich, mit einer Menge feiner Drahtgespinste daran, und das ganze Ding glühte mit einem blauen Schein. Ich hatte eine Zeitlang eine Narbe hier auf der Schulter, wo sie mich damit gebrannt haben. Ich hatte einen Heidenrespekt davor und befürchtete, daß sie auch die Palisadenwände niederbrennen würden, aber vermutlich hatte es keine Wirkung auf Holz.« Er seufzte bedauernd tief in der Kehle. »Ich würde eine ganze Menge für diese Waffe geben. Sie haben sie aber mit sich genommen, als sie in den Abgrund sprangen«, erklärte der Große Trottel. »Das ist alles schon lange her – vielleicht halb so lange, wie ich hier lebe.«

Menschliche Wesen mit Hitzestrahlern und Metallrüstungen vor fünfhunderttausend Jahren, wochenlang mit der Maschine eingeschlossen! Er versuchte sie ich vorzustellen, wie sie in diesem turmhohen Käfig eingesperrt waren und nur das Affenwesen sehen konnten, das auf sie herunterstarrte. Das Bild vor seinen geistigen Augen wurde momentan so lebendig, daß er die beiden Männer fast *sehen* konnte, wie sie – gepeinigt von Hunger, Durst und Wahnsinn – herumtorkelten und sich dann in ihrer Verzweiflung über die Felswand in den Tod stürzten.

Die endlose Spanne der seither verstrichenen Zeit wuchs in seinem Bewußtsein riesenhaft empor — und ein ebenso schwerwiegender Gedanke schloß sich daran an. Er sagte schließlich müde:

»Du mußt schon verdammt dumm sein, Großer Trottel. Wenn Männer, die solche Schußwaffen herstellen können, nicht in der Lage sind, die Maschine umzupolen, wie soll ich es dann fertigbringen? Sie müssen in ihrer Verzweiflung alles versucht haben.«

»Hmm!« schnaubte der Große Trottel. Dann fluchte er vor Ärger über sich selbst.

Pendrake fuhr fort: »Ich werde es trotzdem versuchen.«

Die Maschine lag unmittelbar auf dem Felsboden — ein mächtiges Gebilde aus glattem Metall mit einer geräumigen Ausgangsöffnung. Ohne sich etwas davon zu versprechen, trat Pendrake hinein. Er sah, daß die Wand, von der die eigentliche Funktion ausgehen mußte, von Millionen nadelgroßen Löchern durchsetzt war. Bei der Berührung fühlte sie sich leicht warm an. Es gab weder Knöpfe, noch Skalen, noch Hebel.

Er war dabei, sich neugierig umzusehen, als er plötzlich merkte, daß er das Funktionsprinzip der Maschine bereits vollkommen begriff. Es war so unvermittelt und dabei doch so behutsam über ihn gekommen, daß es ihm schien, als ob er es schon immer gewußt hätte.

Raum, Zeit und Materie waren Produkte chaotischer Bewegungsvorgänge, die — durch reinen Zufall — das Universum in seinem gegenwärtigen Zustand erzeugt hatten. Menschliche Wissenschaft war ein schrittweiser Versuch, Ordnung in ein paar wenige dieser Zufallsbewegungen zu bringen.

Diese Maschine hier rektifizierte *alle* Zufallsvorgänge an Ort und Stelle, womit man sie auch immer in Verbindung bringen mochte. Ihre Form selbst, einschließlich der höhlenartigen Vertiefung, bildete einen Zustand reinster und vollkommenster Ordnung, im Gegensatz zur Unordnung. Aufgrund der Tatsache, daß sie die Verzerrungen zufallsbedingter Anhäufungen völlig eliminierte, hatte sie nicht nur einen einzigen Zweck, sondern konnte auf jede beliebige Energieverwendung umgestellt werden, je nachdem, womit sie in Verbindung gebracht wurde.

Sie war auch nicht etwa nur ein Materietransmitter, der zwischen Erde und Mond arbeitete. Im vollkommen geordneten Raum gehörte dieses engbegrenzte Gebiet im Innern des Mondes *unmittelbar* zu jenem kleinen Bereich auf der Erde, in den alle die Menschen und Tiere hineingeraten waren, bevor sie so abrupt in ein Land des ewigen Lebens befördert wurden.

Da Energieströme im perfekten Naturbild exakt vorgeschriebenen Rhythmen folgen mußten und in genau abgegrenzten Abständen die Richtung umkehrten, standen die beiden Raumsektoren nicht unausgesetzt miteinander in Verbindung. Der Rhythmus bestand, wie Pendrake in vollständiger Klarheit begriff, zunächst aus ungefähr zehn Minuten Energiefluß von der Erde zum Mond, gefolgt von einer etwas mehr als acht Stunden währenden Umstellung und Anpassung, dann zehn Minuten Fluß vom Mond zur Erde, und schließlich wiederum etwas über acht Stunden für die Umstellung, worauf der Zyklus wieder von vorne begann, mit einem zehnminütigen Strom Erde-Mond.

Nur während dieser Flußperioden konnten Lebewesen und Dinge überwechseln, als ob es keine Entfernungen gäbe. Je nachdem, in welche Richtung die Energieströme flossen, konnte man entweder zur Erde gelangen, oder von der Erde zum Mond kommen.

Er spürte fernerhin, daß gegenwärtig mehrere Stunden der Umstellungsperiode verstrichen waren, und daß es noch einige Stunden lang dauern würde, bevor der nächste Strom vom Mond zur Erde es jedem Eingeweihten ermöglichen würde, durch bloßes Betreten der Aushöhlung zur Erde zu gelangen.

Doch all dies bildete nur einen winzigen Bruchteil des Funktionszweckes der Maschine. Die meisten der anderen Funktionen erforderten einen bestimmten Katalysator, ohne den die Prozesse nicht ablaufen konnten.

Pendrake wandte sich um und verließ die metallene »Höhle«. Es stand für ihn außer Frage, daß er den Großen Trottel davon in Kenntnis setzen mußte, daß er in der Lage wäre, die Maschine zu bedienen. Er würde in den Augen dieses Mannes nur dann Ansehen genießen, wenn er ihm von Nutzen war. Ruhig sagte er: »Ich habe herausgefunden, wie die Maschine funktioniert. Ich kann mich zur Erde begeben oder jede beliebige Person dorthin senden, vorausgesetzt, ich habe Zeit zur Vorbereitung. Ich brauche schätzungsweise einen ganzen Tag, um das Ding in Gang zu bringen.«

Der Neandertaler funkelte ihn finster und argwöhnisch an. »Um deine eigenen Worte zu gebrauchen: Wieso konntest du etwas herausfinden, dessen Entdeckung den Kerlen mit dem Hitzestrahler nicht gelungen ist?«

Pendrake zuckte die Achseln. »Vielleicht waren sie nur gewöhnliche Bürger ihrer Zivilisation, die sich mit der Bedienung solcher Geräte zwar auskannten, jedoch über ihre Funktion nichts wußten.«

Der Unhold war nicht so leicht abzuspeisen. »Ich und die anderen Burschen sind ohne jede Vorbereitungen durchgekommen. Wieso brauchst du Zeit, um sie in Gang zu bringen?« wollte er wissen.

Es war eine gute Frage, und wenn der Große Trottel die richtige Antwort darauf bekam, würde er Pendrake nicht mehr benötigen.

Pendrake entgegnete: »Das ist der Grund, warum ihr hier so wenige seid. Wenn du willst, kann ich die Maschine so einstellen, daß sie jede Person erwischt, die jenen Pfad entlangkommt.«

Es war eine Lüge, aber sie stellte kein Risiko dar, da es vermutlich das letzte war, was der Große Trottel wollte.

Der Große Trottel blickte erschrocken drein. »Du wirst diesem Ort nicht wieder nahekommen.«

Pendrake zögerte und wechselte dann das Thema. »Ist jemals schon ein Mensch von hier entkommen?« fragte er.

Eine lange Pause trat ein. »Ein Kerl«, gab der Große Trottel schließlich mit gefletschtem Gebiß zu. »Vor etwa hundert Jahren. Lambton nannte er sich. Er war ein Vermessungsingenieur, der im Westen für eine Eisenbahnlinie Landvermessungen vornahm, wie er sagte. Aalglatter Bursche! Sprach so vertrauenerweckend, daß ich ihn die Maschinen ansehen ließ. Er flog in einer von ihnen davon, einen Höhentunnel empor. Ich schüttete den Gang zu – aber es war mir eine ganze Weile lang sehr unbehaglich zumute. Habe mir dann überlegt, daß er es unmöglich bis zur Erde schaffen konnte, und begann mich danach besser zu fühlen.«

Pendrake hörte nur noch mit halbem Ohr hin, denn mit der Erwähnung des Namens Lambton begann plötzlich das bisher scheinbar so zusammenhanglose Flickwerk der Ereignisse, in die er verwickelt gewesen war, Sinn anzunehmen. Ein kleiner Mechanismus einer uralten Mondzivilisation hatte seinen Weg zur Erde gefunden – das Triebwerk. Anscheinend hatte jener frühere Lambton keine weitere Verwendung für die Maschine gehabt. Aber vor noch nicht allzu langer Zeit mußte der Sohn oder Enkel des Mannes, den der Große Trottel gekannt hatte, offensichtlich eine Gruppe von Idealisten – Wissenschaftler, Geschäftsleute und Handwerker – dafür interessiert haben, das Triebwerk als Mittel zur friedlichen Besiedlung der Planeten zu verwenden. Wo die Maschine während all der Jahre seit ihrem Flug vom Mond zur Erde versteckt gewesen war, mußte noch geklärt werden. Doch etwas anderes war bereits erschreckend klar. Ein großer Prozentsatz der Gruppe, die Cyrus Lambton um sich und den Motor geschart hatte, war entweder ermordet worden oder befand sich im Gefängnis von Kaggat, und die übrigen, die mit heiler Haut davongekommen waren, mußten zweifellos inzwischen ihre Meinung über die Ungefährlichkeit eines Projektes geändert haben, das sich damit beschäftigte, Frieden in eine Welt zu bringen, die von unfriedlichen Leuten bevölkert wurde. Da Idealisten im allgemeinen selbst außerordentlich unduldsame, zornige Menschen waren, befand sich die ganze Situation ohne Zweifel in einem sehr trübseligen Zustand, hatte die Lambton-Gruppe doch offenbar nicht nur die Bundesregierung unter Präsident Dayles gegen sich, sondern auch eine internationale Geheimorganisation von Verbrechern, die unter dem Kodenamen Ragnarök operierte.

Noch immer reglos vor dem Unhold stehend, überlegte Pendrake, daß die Entwicklung einer Zivilisation vermutlich Zeit benötigte und aus sich selbst heraus vonstatten gehen mußte. Selbst bestausgebildete, wohlmeinende Menschen vermochten diesen langsamen Entwicklungsgang nicht zu beschleunigen – außer vielleicht sehr geringfügig. Damit erklärte sich wohl die Niederlage der Lambton-Bewegung.

Pendrake sagte diplomatisch: »Du sagtest, es gibt noch andere Maschinen ...« Er ließ die Frage offen in der Luft hängen.

Die Antwort war ein Zähnefletschen und ein rauhkehliges: »Du wirst keine weitere Maschine zu Gesicht bekommen, bis wir eine Abmachung getroffen haben. Und im Fall, daß du dir einbildest, genügend Zeit zu haben, um hier herumzulungern und mit Devlin alle Vorbereitungen dafür zu treffen, mich von meinem Thron zu stürzen: – die neue Expedition bricht morgen früh auf, um weitere Frauen zu rauben. Ich werde die Rückkehr der anderen nicht einmal abwarten.«

Pendrake schwieg. Für einen Mann, der über so viele Kenntnisse verfügte wie er, war er einzigartig machtlos und handlungsunfähig. Der nächste Energiefluß vom Mond zur Erde war noch mehrere Stunden entfernt.

Und er verfügte über keinen der Katalysatoren, um die anderen, ebenso machtvollen Funktionen der Maschine anzuregen.

Der Große Trottel sprach weiter: »Ich hatte ursprünglich nicht vor, sie vor der Rückkehr der anderen auszusenden, aber ich habe das Gefühl, daß es Zeit wird, die Höhlengänge zwischen uns und der Ragnarök-Gruppe zum Einsturz zu bringen. Du kannst mitgehen oder auch hierbleiben, wie du willst, aber du mußt dich bald entscheiden. Los, komm jetzt mit zur Siedlung zurück.«

Schweigen herrschte zwischen den beiden, als sie nebeneinander hergingen. Pendrakes Gedanken siedeten förmlich. Der Große Trottel wollte also Entscheidungen erzwingen und beabsichtigte nicht, irgendwelche Risiken einzugehen. Er warf der neben ihm watschelnden Figur aus den Augenwinkeln prüfende Blicke zu, in dem Versuch, etwas über ihre Absichten und Pläne in dem grobgeschnittenen, tierhaften Gesicht zu lesen. Doch die Züge waren völlig ausdruckslos, ihrem natürlichen Zustand gemäß. Nur die physische Stärke des Mannes kam bei jedem Schritt, in jeder Bewegung zum Vorschein.

Pendrake sagte schließlich: »Wie gelangt man zur Oberfläche empor? Dort draußen gibt es doch weder Luft, noch Wärme, nicht wahr?« Er fügte hinzu, noch ehe der Große Trottel entgegnen konnte: »Und welche Art Station hat sich die Organisation gebaut?«

Eine Minute verging schleppend. Es schien zunächst, als ob der Affenmensch nicht antworten wollte. Doch dann brummte er mit einemmal: »Es sind die beleuchteten Gänge, die Luft und Wärme enthalten. Eine ganze Menge von ihnen laufen bis unmittelbar zur Oberfläche; einige von ihnen sind verdammt gut hinter Türen versteckt, die wie Fels oder Lehm aussehen. Damit haben wir die

Ragnarök-Agenten bisher immer getäuscht. Wir brechen einfach aus einer neuen Tür hervor und ...«

Ein Ausruf schnitt seine Worte ab. Ein Mann kam über den vor ihnen liegenden Hügel gelaufen und eilte auf sie zu. Pendrake erkannte ihn als einen der Gefolgsleute des Großen Trottels. Der Mann kam heftig keuchend heran. »Sie sind zurück! Mit den Frauen. Die Männer sind völlig außer Rand und Band!«

»Sie halten sich besser im Zaum!« grollte der Große Trottel. Sie sollen ja keine davon anrühren, bevor ich sie gesehen habe.«

5

Etwa dreißig Frauen standen dichtgedrängt auf dem offenen Gelände vor der Palisadenfestung des Affenmenschen. Die bunte Menge der Männer, die sie umringten, brach in wilde Rufe aus, als der Große Trottel und Pendrake in Sicht kamen. Stimmen überschlugen sich.

»Ich habe nur eine Frau; ich habe ein Recht auf eine zweite!«

»Jetzt bin ich an der Reihe.«

»Großer Trottel, du mußt ...«

»Ich habe Verdienste ...«

»Maul halten!« Es war die tiefe, gutturale Stimme des Neandertalers.

Das Schweigen, das augenblicklich einsetzte, war fast betäubend. Ein stiernackiger Mann brach es schließlich, als er zum Großen Trottel herankam und sagte: »Schätze, das war der letzte Frauenraub für uns, Boß. Diese verdammten Gangster haben uns erwartet; sie haben anscheinend sämtliche Höhlengänge ausfindig gemacht, die zu ihrer Station führen. Wie eine Sheriffsposse haben sie uns verfolgt, und wir konnten ihnen nur dadurch entkommen, daß wir jenen engen Durchgang zum Einsturz brachten, der bei ...«

»Ich weiß, wo er ist. Wie viele Kerle sind tot?«

»Siebenundzwanzig.«

Der Große Trottel schwieg einen langen Moment mit zusammengezogenen Brauen. Dann sagte er: »Na, dann wollen wir uns mal ans Verteilen machen. Ich werde eine für mich selbst aussuchen, und ...«

»*Jim!*«

Pendrake hatte dem Gespräch mit grimmiger Miene zugehört. Jetzt wirbelte er auf dem Absatz herum und starrte mit aufgerissenen Augen auf eine schlank gebaute junge Frau, die eilig auf ihn zugerannt kam. Sie warf sich in seine offenen Arme und lag halb ohnmächtig an seiner Brust.

Über ihren gesenkten dunklen Kopf hinweg blickte Pendrake

dem Großen Trottel geradeaus ins grinsende Gesicht. »Jemand, den du kennst?« fragte das Monstrum.

»Meine Frau!« entgegnete Pendrake, und dabei verspürte er ein schreckliches, sinkendes Gefühl in sich. Sein Blick glitt über die Menge, um nach Devlin zu suchen, aber der Mann schien nicht in der Nähe zu sein. Hart schluckend wandte sich Pendrake wieder seinem Gegenüber zu.

Das Grinsen des Großen Trottels war jetzt so breit, daß sämtliche Reißzähne seines mächtigen Gebisses zu sehen waren. Dabei sagte er listig: »Am besten ist es, Pendrake, du nimmst sie dir vorläufig. Gewöhne dich wieder an das Gefühl, sie bei dir zu haben, und dann – vielleicht in einer Woche – können wir uns wieder unterhalten.«

Es war ein Aufschub. Zwei Tage lang fühlte Pendrake Erleichterung und Erbitterung zugleich. Erleichterung darüber, daß er etwas Zeit gewonnen hatte. Erbitterung darüber, daß er buchstäblich nichts tun konnte, um die Erniedrigung der anderen Frauen zu verhindern. Er befahl einem von Devlins Unteranführern, das Gerücht zu verbreiten, daß es für jeden Mann die allerschlimmsten Konsequenzen nach sich ziehen würde, eine der neuen Frauen zu nehmen. Doch damit verschlimmerte sich nur seine bereits verzweifelte Lage, denn um wirksam zu sein, mußte das Gerücht auch seinen Namen als den der rächenden Person beinhalten. Er vermutete besorgt, daß die Geschichte dem Großen Trottel zu Ohren kommen würde und daß dieser schreckliche Unhold daraus absolut richtig analysieren würde, daß Pendrake seine Autorität gefährdete.

Während der Schlafperioden hielt Pendrake alle Eingänge verbarrikadiert. Und Eleanore und er unterhielten sich bis tief in die »Nächte«. Zunächst war sie recht dramatisch. »Du kannst dich darauf verlassen«, sagte sie heftig, »daß ich mich augenblicklich umbringen werde, wenn diese Bestie oder jeder andere außer dir versuchen sollte, Hand an mich zu legen. Ich gehöre nur zu dir.«

Es waren die Worte einer Frau, die zu ihrem Mann sprach.

Am dritten Tag kam Devlin zu ihnen. Der hagere, sehnige Mann stand hochaufgerichtet an der Türöffnung und sah Pendrake mit finsterem Ausdruck an. »Nun«, sagte er, »vermutlich können Sie sich jetzt besser vorstellen, was es bedeuten könnte, sich gegen den Großen Trottel aufzulehnen. Sollen wir unser Vorhaben begraben und von nun an aus Seiner Majestät Hand essen?«

Pendrake schüttelte den Kopf. »Ich habe mir Gedanken gemacht«, sagte er langsam. »Es gibt eine Möglichkeit, wie wir dieses Gebiet in Bereiche abgrenzen und unterteilen können, so daß wir einen Teil unter unsere Kontrolle bekommen, während der andere Teil für den Großen Trottel und seine Gefolgsleute verbleibt.«

Er wies mit dem Kopf zur Tür, und sie krochen nacheinander ins Freie hinaus. Pendrake voran, stiegen sie auf eine benachbarte Anhöhe. Er wies auf das vor ihnen ausgebreitete Bild: die Siedlung, die Wiesen und das anmutige Tal dahinter.

»Es gibt mehrere Wasserstellen hier. Wenn es uns gelingt, jene dort drüben in unseren Besitz zu bringen« – er deutete – »dann können wir im Notfall immer in die Höhlen zurückweichen, zur Oberfläche empor entkommen und als äußerste Notmaßnahme mit der Ragnarök-Gruppe in Verbindung treten ...«

Er ließ den Satz in der Luft hängen. Die Gangster würden ihnen natürlich keine Zufluchtsmöglichkeit bieten, jedoch konnten Devlin und seine Männer nicht wissen, wie skrupellos und grausam sie wirklich waren.

»Beim Himmel«, entgegnete Devlin, »vielleicht haben Sie da eine Idee ...« Er brach ab. »Aber Sie haben Ihre Meinung geändert. Auf einmal ist keine Rede mehr von einem Kampf bis zum bitteren Ende.«

»Wenn wir die Hälfte kriegen«, nickte Pendrake.

Devlin meinte nachdenklich: »Die Hälfte des Viehs, die Hälfte der Waffen ...«

»Wir werden in unserer Hälfte eine Demokratie errichten«, sagte Pendrake, »und wir werden kämpfen, um sie zu verteidigen. Aber wir werden nicht jenseits ihrer Grenzen vordringen. Nach und nach werden sie es kapieren.«

Der hagere Mann schwieg eine Zeitlang. Dann: »Wie gedenken Sie es zu schaffen?« verlangte er brüsk zu wissen.

»Unterrichten Sie Ihre zuverlässigsten Leute«, entgegnete Pendrake. »Wir werden noch vor Ablauf der Woche handeln. Es gibt keine andere Möglichkeit.«

Devlin streckte die Hand aus. Pendrake ergriff sie; dann trennten sich die beiden Männer. Der sehnige Mann stieg auf der einen Seite der Anhöhe hinunter, und Pendrake auf der anderen. Als Pendrake zu seinem Haus zurückkam, sah er, daß er einen Besucher hatte.

Der Große Trottel kauerte vor der niedrigen Türöffnung.

Der Unhold grinste ihn aufs freundlichste an. »Wollte meine Aufwartung machen«, sagte er. »Und mich vielleicht wieder ein wenig mit dir unterhalten, eh?«

Pendrake blickte den anderen mit einer Mischung aus Wachsamkeit und Respekt an. Der Gedanke kam, daß er niemals zuvor in seinem Leben einen Gegner gehabt hatte, der so gefährlich und intelligent zugleich gewesen wäre wie dieser Tiermensch. Er hatte keinen Zweifel daran, daß er im Begriff stand, eine letzte Warnung zu erhalten.

Der Große Trottel sagte: »Pendrake, ich habe einiges über Frauen gelernt.«

Pendrake versteinerte innerlich.

Die Kreatur blickte ihn ruhig an, mit einemmal nüchtern und

kalt. »Ich habe den Eindruck, es stört dich, daß ich alle jene Frauen habe.«

So ließ es sich sagen, wenn man es milde ausdrückte. Tatsächlich jedoch schauderte es Pendrake innerlich jedesmal, wenn er daran dachte. Er entgegnete: »Dort, wo ich herkomme, wählt die Frau den Mann aus, den sie heiratet.«

Der Große Trottel fletschte die Zähne und hob eine Hand, wie um das Argument zurückzuweisen. »Ah, sei nicht so dogmatisch. Du weißt, ich würde niemals eine kriegen, wenn sie die Wahl hätten. Diese Weiber würden eher einen Kümmerling wie Miller wählen, bevor sich mich nehmen würden. Stimmt's?«

Pendrake mußte ihm recht geben. Doch war er sich gleichzeitig darüber im klaren, daß er dieses Thema nicht objektiv diskutieren konnte. Seine Stellungnahme zum Verhältnis zwischen Mann und Frau war mit zu viel Gefühl und Empfindung belastet. Es erstaunte ihn, wie stark dieses Gefühl wirklich war, doch seine steife, ablehnende Haltung ließ nicht nach.

»Pendrake, weißt du was? Drei von diesen Weibern beginnen sich bereits um mich zu streiten. Was sagst du dazu?« Der Große Trottel schüttelte seinen unförmigen Kopf, und sein Gesichtsausdruck verriet, daß er für das Phänomen zwei keine Erklärung wußte, sich jedoch darüber einigermaßen geschmeichelt fühlte. »Frauen sind ganz anders zusammengesetzt als Männer, Pendrake. Wenn du mich damals gefragt hättest, als ich mir zum erstenmal eine aussuchte, hätte ich auf einen Stapel Bibeln geschworen, daß es mir nie gelingen würde, einer von ihnen den Kopf zu verdrehen. Aber ich habe mich klug verhalten. Keine Küsserei, verstehst du? Natürlich hätte ich es schon gerne, sie an mich zu drücken, das kannst du mir glauben, aber ich habe mir überlegt, daß eine Frau, die mein Gesicht in ihres gedrückt bekommt ... na, du weißt, daß sich zwei jener Frauen umgebracht haben. Das hat mir einen Schock versetzt. Unter keinen Umständen wollte ich das noch einmal geschehen lassen; und deshalb wird nicht mehr geküßt.«

»Was ist mit den anderen drei Frauen, Großer Trottel?« fragte Pendrake.

Der Große Trottel fletschte das Gebiß. Er kauerte wenigstens eine Minute lang schweigend auf den Fersen. Alle Freundlichkeit war verschwunden. Das Funkeln wich aus seinen Augen, und er entspannte sich sichtlich. »Dinge wie diese brauchen ihre Zeit, Pendrake«, erklärte er sorgfältig. »Ich werde dir sagen, was ich über die Frauen gelernt habe. Wenn es stimmt, was ich vermute, so braucht jede Frau einen Mann. Wenn sie keinen guten Mann bekommen kann, nimmt sie sich einen schlechten. Wenn sie keinen gutaussehenden Mann kriegt, gibt sie sich mit einem häßlichen zufrieden. Die Natur hat sie so eingerichtet, und sie kann nicht dagegen an. Auf den meisten Gebieten kann sie so gut wie ein Mann denken, aber nicht auf diesem ... Jene drei Frauen. Willst du wissen, wie ich sie behandele? Zuerst lasse ich ihnen Englisch beibringen, da sie Ausländer sind. Sobald sie ein paar Worte verstehen, teile ich ihnen mit, daß man hier das ewige Leben hat. Das gibt ihnen zu denken. Dann lasse ich sie wissen, daß ich hier der Boß bin. Frauen schließen sich gern an den Boß an. Dann, sobald sie mehr Worte gelernt haben, mache ich ihnen klar, daß ich im Grunde sehr sanftmütig bin, wenn man mich nicht hinters Licht zu führen versucht. Ich sage dir, Pendrake, der Erfolg wird nicht ausbleiben. Nun, was hältst du davon?«

Es war ein Freundschaftsangebot. Dieser Tiermensch wollte tatsächlich den guten Willen seines hauptsächlichen Widersachers. Pendrake schüttelte schließlich den Kopf. »Großer Trottel«, sagte er, »setze deine sechs Frauen frei. Befiehl deinen Gefolgsleuten, ihre ebenfalls freizugeben. Wenn sich tatsächlich drei von deinen Frauen um dich streiten, dann wird eine davon als ständige Frau bei dir bleiben. Sobald alle Frauen in Freiheit sind, werden die Männer anfangen, ihnen den Hof zu machen, das garantiere ich, und sie werden überrascht feststellen können, daß die Frauen an ihnen als zukünftigen Ehemännern Interesse bekommen werden, sobald sie einmal den ersten Schock, überhaupt hier zu sein, überstanden haben. Es wird dann nicht lange dauern, bis links und rechts geheiratet wird.«

Der Neandertaler stand auf. »Ist das alles, was du zu sagen hast?« Sein Blick war finster.

»Tief in dir weißt du, daß ich die Wahrheit spreche«, entgegnete Pendrake mit ruhiger Stimme.

»Alles, was ich weiß, ist, daß du dich in eine Menge Ärger hineinsprichst«, war die rauhe Erwiderung. »Ich gebe mich nicht mit einer Frau zufrieden, und ich bin hier der Boß.«

Pendrake sagte nichts. Der Große Trottel fletschte die Zähne und funkelte ihn wild an. Dann wirbelte er mit einem ärgerlichen Schnauben herum und trottete davon.

Pendrake bückte sich und kroch auf den Knien ins Haus. Er fand Eleanore auf der anderen Seite der Tür vor, wo sie angespannt wartete.

Pendrake schüttelte den Kopf. »Ich weiß es nicht«, gestand er. Doch das leere Gefühl in seiner Magengrube bedeutete ihm, daß die Würfel gefallen waren.

6

Devlin berichtete am nächsten Tag, daß er seine vier Unteranführer verständigt hätte, und daß sie ebenfalls der Meinung waren, daß eine Entscheidung erzwungen werden mußte. Wie Devlin sagte, hatten sie den Kompromißplan erfreut angenommen. Die Idee der beiden getrennten Wohngemeinschaften gefiel ihnen. Pendrake vernahm es mit gemischten Gefühlen. Er überlegte, daß die Männer vermutlich nicht aus humanen Gründen über den Plan so glücklich waren, sondern einfach deshalb, weil er weniger Lebensgefahr für sie selbst in sich barg. Doch viel wichtiger war, daß sie ihn angenommen hatten. Er erkannte, daß auch er bei dem Gedanken, einen totalen Krieg vielleicht vermeiden zu können, aufatmete.

Der Plan, auf den Devlin und er sich einigten, war einfach. Sie würden die Hälfte der Wasserstellen besetzen, und die Viehtreiber und Cowboys unter Devlins Männern würden die Hälfte der Herde zu den Höhlen hinübertreiben. Sie würden zwei der vier befestigten Bauwerke erobern – das mit den Bogen und Pfeilen, und das mit den Gewehren und Pistolen. Damit würden die verborgenen Munitionsvorräte und zweifellos einige Büchsen und Revolver im Besitz des Großen Trottels verbleiben. Pendrake schien es, daß man eine solch geringe Zahl von Feuerwaffen mit Schauern von Pfeilen ausgleichen konnte, besonders in den engräumigen Bezirken der Ortschaft selbst.

Wachposten würden an Schlüsselpunkten aufgestellt werden, und Stoßtrupps würden bereit stehen, den Wachen an jedem Schlüsselpunkt zur Hilfe zu eilen, falls sie angegriffen würden.

Devlin stimmte mit ihm darin überein, daß es der bestmögliche Plan war, schwitzte jedoch ausgiebig, als er es bestätigte. »Das ist das gefährlichste Unternehmen«, sagte er, »an dem ich jemals teilgenommen habe. Doch werde ich in ein oder zwei Tagen alle nötigen Anordnungen getroffen haben, um losschlagen zu können. Ich lasse von mir hören.«

Damit eilte er davon.

Der nächste Tag verging ohne Nachricht von ihm.

Am folgenden Morgen klopfte Morrison an die Tür. Er verkündete: »Der Große Trottel möchte, daß die Hälfte von jeder der beiden Gruppen auf das Gelände vor seiner Festung kommt. Er läßt dir durch mich ausrichten, daß du ebenfalls dort erscheinen sollst, und daß er weiß, daß etwas im Gange ist. Er möchte es abfangen, indem er Frieden schließt, bevor es Blutvergießen gibt. Die Frauen sollen ebenfalls kommen. Das Treffen ist in einer Stunde.«

Pendrake hatte Eleanore am Arm, als sie zum »Treffen« gingen. Er war unruhig, und als er näherkam, stellte er mit einiger Erleichterung fest, daß auch eine Anzahl von Devlins Männern mit ihren Frauen erschienen waren. Er zog einen von Devlins Unteranführern beiseite und sagte: »Benachrichtigen Sie Devlin. Er soll seine Streitkräfte zusammenziehen und in Bereitschaft stehen.«

Der Mann erwiderte: »Devlin ist bereits dabei, dies zu tun. Ich nehme deshalb an, daß alles unter Kontrolle ist.«

Pendrake fühlte seine Erleichterung wachsen. Die Worte des Mannes legten nahe, daß alle möglichen Vorbereitungen getroffen wurden. Zum erstenmal kam der Gedanke, daß diese ganze Umstellung vielleicht sogar ohne jegliches Blutvergießen auflaufen konnte.

Die Menschenmenge vor dem Palisadenbau wuchs an, bis mehr als zweihundert Männer und fast dreihundert Frauen versammelt waren. Die meisten der entführten Mädchen waren gutaussehend. Es stand außer Frage, daß diese Bande von Wildwestsiedlern eine seltene Kollektion attraktiver Frauen zusammengetragen hatte, daß ferner — mit solch einem Preis als Einsatz — jedermann in tödlichem Ernst handeln würde, und daß schließlich der Friedensplan des Großen Trottels gut sein mußte, wenn er jedem der Männer das Gefühl der Sicherheit geben wollte.

In der Nähe des Eingangs zum Bollwerk entstand eine Unruhe. Das große Tor wurde geöffnet, und einen Augenblick später kam der Neandertaler herausgetrottet. Der Halbmensch kletterte auf eine kleine Plattform und sah sich um. Sein Blick fiel auf Pendrake. Er deutete mit dem Finger. »Heh, du dort, Pendrake!« brüllte er.

Es mußte ein Signal gewesen sein, denn Eleanore schrie auf: »Jim, paß auf!«

Im nächsten Moment traf ein harter Schlag seinen Schädel, und er fühlte sich fallen.

Schwärze der Ohnmacht.

Als Pendrake zu sich kam, sah er Devlin, der sich besorgt über ihn beugte. Die Menge hatte sich größtenteils wieder verlaufen. Der hagere Mann war niedergeschlagen. »Wir waren Narren«, sagte er. »Er hat sich Ihre Frau geschnappt und hält sie nun bei sich in der Festung gefangen. Ich nehme an, er glaubt, daß Sie der Anführer der Rebellion sind, und daß er nur Sie zu stoppen braucht, um uns alle zu stoppen.« Verlegen fügte er hinzu: »Vielleicht hat er recht.«

Pendrake stöhnte, als er sich aufrichtete.

Dann stand er auf, und Wut brannte in ihm auf. Er schnappte: »Wie lange, bis der Angriff beginnen kann?«

Devlin zog eine Trillerpfeife hervor. »Wenn ich zweimal hintereinander das Signal gebe«, erwiderte er, »dauert es fünf Minuten, bis wir unterwegs sind.«

»Ich verstehe.« Pendrake hatte sich rasch von dem Schlag erholt. Seine Augen waren in angespannter Konzentration verengt. Dann befahl er: »Geben Sie das Signal, sobald ich im Innern der Festung bin.«

Devlin schluckte, und die Farbe wich aus seinen Wangen.

»Schätze, es ist soweit«, murmelte er. Aus einer Innentasche zog er ein Messer. »Hier, nehmen Sie dies.«

Pendrake nahm es und schob es in die Tasche.

Devlin gab sich noch nicht zufrieden. »Wie wollen Sie hineingelangen?« fragte er.

»Das sollte nicht schwer sein«, gab Pendrake über die Schulter zurück. Zu den Wachposten sagte er: »Sagt dem Großen Trottel, daß ich bereit bin, mit ihm zu verhandeln.«

Der Große Trottel kam grinsend aus dem Haus im Innern des Palisadenbaus gekrochen. »Ich wußte, daß du vernünftig werden würdest«, sagte er, und dann stieß er ein Grunzen aus, als das von Pendrake geworfene Messer fünfzehn Zentimeter tief in seine mächtige Brust eindrang.

Er riß die blutige Waffe aus seinem Fleisch und schleuderte sie mit einer Grimasse zu Boden. »Dafür kommst du in den Abgrund«, schnaubte er. »Ich werde dich einfach fesseln und ...«

Er kam näher, und ein kalter Schauer lief Pendrake über den Rücken. Der Kopf des Monstrums war tief gesenkt. Seine langen Affenarme waren weit ausgebreitet. Die übermenschliche Stärke des Mannes trat in ihrer ganzen furchtbaren Gewalt zutage. Als er den Unhold so auf sich zuwatscheln sah, kam Pendrake plötzlich der lähmende Gedanke, daß kein Mensch, der in den letzten hunderttausend Jahren das Licht der Welt erblickt hatte, auch nur entfernt hoffen konnte, jemals die gigantischen Kräfte zu entwickeln, die zur Überwindung dieses haarigen, titanischen Wesens erforderlich waren.

Pendrake wich wachsam zurück. Sein erstes Erschrecken vor dem muskelbepackten Koloß, der auf ihn zugestampft kam, ließ nach. Doch die Gewißheit, daß er auf eine Blöße warten mußte, um überhaupt eine Chance zu haben, lief prickelnd seinen Nervenbahnen entlang. Ohne sich seines Zauderns zu schämen, und dabei doch gewahr, daß größte Eile angebracht war, wartete er auf den Angriff, den Devlin und seine Leute jeden Augenblick starten mußten; alles käme jetzt gelegen, solange es nur die Aufmerksamkeit des Ungeheuers ablenkte.

Als der Angriff kam, sich durch ein plötzlich ausbrechendes Gebrüll aus Hunderten von Männerkehlen ankündigend, warf sich Pendrake vorwärts, geradewegs auf den haarigen Mann zu. Ein Arm, der von einem Bären stammen konnte, griff nach ihm. Er schlug ihn zur Seite und erspähte für einen Sekundenbruchteil lang die Blöße, auf die er wartete. Der Faustschlag, den er auf dem mächtigen Kinn landete, brach fast seine Handknochen. Doch selbst das wäre in Ordnung gewesen, wenn der Schlag wenigstens seinen Zweck erreicht hätte. Das tat er jedoch nicht. Statt für den kurzen Moment zurückzutaumeln, den Pendrake, seinem Plan gemäß, zu seinem Entkommen benötigte, schoß das Monstrum vorwärts. Seine baumstarken Arme schlossen sich um Pendrakes Schultern.

Der Neandertaler brüllte vor Triumph. Als der Unhold den Druck seiner furchtbaren Umklammerung zu verstärken begann, befreite Pendrake seine Arme mit einem heftigen Ruck, stach mit zwei ausgestreckten Fingern nach den Schweinsaugen des Großen Trottels, stieß kräftig zu ... und riß sich aus der tödlichen Umklammerung.

Die Reihe war nun an ihm, mit dem wilden Triumphgefühl eines Mannes, den die Kampfeslust gepackt hatte, auszurufen: »Du bist geschlagen, Großer Trottel! Du bist erledigt. Gib auf! Du ...«

Mit einem heiseren Schrei sprang der Affenmensch auf ihn zu. Laut auflachend tänzelte Pendrake zurück. Zu spät bemerkte er, daß sich direkt hinter ihm die Thronplattform befand. Sein Zurückweichen, unterstützt durch die geringere Schwerkraft des Mondes, geschah zu schnell, um noch rechtzeitig abgestoppt werden zu können. Mit einem lauten Krach stürzte er rücklings auf die Plattform.

Und damit war auch schon alles vorüber. Aufrecht auf den Füßen stehend, hätte er vielleicht gewonnen; das Kräftemessen mit dem Großen Trottel vorhin war für ihn nicht ganz erfolglos verlaufen. Doch den Affenmenschen auf sich knien zu haben und die Schläge seiner knochenbrechenden Fäuste einstecken zu müssen, war eine andere Sache. Innerhalb einer Minute konnte Pendrake sich nur noch mit einem haardünnen Faden seines Bewußtseins an seine Sinne klammern. Er merkte nur sehr verschwommen, daß er mit brutaler Härte gefesselt wurde.

Langsam kroch sein Verstand weiter aus der Dunkelheit hervor, um gleichzeitig das volle Ausmaß seiner Niederlage mehr und mehr zu erkennen. Er murmelte schließlich müde: »Du Narr! Hörst du nicht den Kampfeslärm dort draußen. Er bedeutet, daß du erledigt bist, ganz gleich, was du mit mir machst. Laß dich lieber auf Verhandlungen ein, Großer Trottel, solange du noch dazu Gelegenheit hast.«

Ein Blick in die Augen der Kreatur über ihm sagte ihm, daß er seinen winzigen Stein der Hoffnung in eine umnachtete Welt geworfen hatte. Das Tier in dem Mann war zur Oberfläche gekommen und beherrschte ihn fast völlig. Die großen Lippen waren zurückgezogen, und die Zähne traten wie Hauer hervor. Der Große Trottel grunzte und schnaubte vor Wut, als er schließlich heiser hervorstieß: »Ich werde das Tor von dieser Seite verriegeln. Dadurch werden meine Männer besser kämpfen, weil sie sich nicht hinter das Bollwerk zurückziehen können. Und es stellt überdies sicher, daß wir unsere kleine Schau hier völlig ungestört für uns allein haben.«

Er trottete schwerfällig davon, aus Pendrakes Gesichtfeld. Geräusche ertönten, die verrieten, daß schwere Holzbalken als Riegel vorgeworfen wurden. Dann erschien das behaarte Wesen wieder, auf seinem Gesicht jetzt ein breites Grinsen. Doch als er sprach, klang es noch immer wie das Fauchen eines Raubtieres. »Ich werde noch eine Million Jahre hier leben, Pendrake, und während der ganzen Zeit wird deine Frau eine von meinen Weibern sein.«

Pendrake knirschte mit den Zähnen. »Du wahnsinniger Idiot! Selbst wenn du jetzt gewinnst, wirst du schnell genug sterben, wenn die Truppen von Ragnarök kommen. Und glaube nur nicht, daß sie es nicht tun werden. Für sie seid ihr nur ein Haufen Banditen, eine lästige Plage, mit der sie kurzen Prozeß machen werden.«

Die Worte schienen nicht den geringsten Eindruck auf den anderen zu machen. Der Mann war erstaunlicherweise damit beschäftigt, an der Thronplattform zu rücken. Pendrake sah verwundert zu, als sich der Große Trottel mit seiner ganzen riesenhaften Stärke gegen den hölzernen Aufbau stemmte.

Mit einem Mal hob sich die Plattform an. Mit einer Seite stieg sie in die Höhe, schwankte einen Moment lang auf der Schmalseite und kippte dann mit einem Krach um, als sie der Große Trottel von sich schleuderte. Wo sie gelegen hatte, war nun der Eingang zu einer Höhle sichtbar. »Diese Narren«, sagte der Große Trottel voller Verachtung, »glaubten, ich hätte diese Plattform und die Festung nur deshalb angelegt, um König zu spielen. Die blauen Männer kennen mein Geheimnis, aber sie wollen keine andere Sprache neben ihrer eigenen lernen, und so können sie niemandem davon erzählen, selbst wenn sie es wollten.«

Er beugte sich zu Pendrake herab, noch während er sprach. Mit einem Schnaufen hob er ihn auf eine breite Schulter und sprang in die erleuchtete Höhle hinunter.

Die Höhle war sechs Meter tief. Er landete federnd auf seinen mächtigen krummen Beinen, warf seinen Gefangenen ohne Umstände auf den Boden und kletterte flink wieder zur Oberfläche empor. »Nicht nervös werden«, rief er spöttisch über die Schulter zurück. »Ich will nur die Plattform wieder an ihren Platz bringen.«

Er landete eine Minute später mit einem dumpfen Aufschlag und hob Pendrake wieder hoch. »Dieser Tunnel«, sagte er grinsend, »führt geradewegs zum Abgrund. Ich werde dich meinem alten Freund, der Teufelsbestie, 'runterreichen und bei dem Spaß zusehen. Und was das für ein Spaß werden wird!«

7

Die Höhle führte in sanfter Neigung abwärts und begann sich bald zu verbreitern. Unvermittelt öffnete sie sich zu einem riesigen Raum, der mit metallenen Gebilden angefüllt war.

Maschinen! Im reflektierten Licht der Höhlenwände und -decke schimmerten sie mit bläulichen Obertönen. Reglos standen sie da, stumme, geheimnisvolle Zeugen der vergangenen Pracht eines Volkes, das ein Maß an Größe erreicht hatte, das wahrscheinlich im Sonnensystem ohne Beispiel war.

An dieser Stelle, an der sich zwei Gänge teilten, blieb der Große Trottel stehen. Er stand einen langen Moment anscheinend in Gedanken versunken und ließ Pendrake dann mit überraschender Behutsamkeit auf den Boden nieder. Schweigend kniete er darauf nieder und löste mit seinen dicken, plumpen Fingern die Fesseln um Pendrakes Knöchel.

»Steh auf!« befahl er kurz.

Im Schwerefeld des Mondes bereitete dies keine Schwierigkeiten, obgleich seine Hände schmerzhaft straff auf seinem Rücken gefesselt waren. »Den rechten Tunnel hinunter!« kommandierte der Große Trottel.

Als Pendrake ohne ein Wort gehorchte, folgte ihm der Neandertaler und sagte dabei: »Es gibt hier unten etwas, von dem ich möchte, daß du es zu sehen bekommst. Flößt mir jedesmal ein komisches Gefühl ein, und es wäre dumm von mir, dich umzubringen, ohne vorher festzustellen, welche Wirkung es auf einen Burschen wie dich ausübt.«

Die strahlenden Wände erhellten ihnen den Weg, und sie gelangten schließlich in eine zweite große Halle. Im genauen Mittelpunkt des kreisförmigen Raums ragte ein wasserklarer, durchsichtiger Würfel von etwa sechs Meter Seitenlänge empor. Der Große Trottel wies auf ihn, und Pendrake ging darauf zu, dabei gewahr, daß der Affenmensch hinter ihm hergetrottet kam.

»Sieh hinunter!« sagte der andere, und seine Stimme klang jetzt fast sanft.

Pendrake hatte es bereits gesehen.

In einiger Tiefe unter dem Würfel glühte eine blau-weiße Flamme mit harter, blendender Helligkeit. Nach einem raschen Blick mußte Pendrake seine Augen abwenden. Doch sein Blick kehrte wieder und wieder dahin zurück.

»Es hat schon genau so geleuchtet«, sagte der Große Trottel, »als ich das erste Mal hierher kam. Was hältst du davon?«

Seine Gedanken in fast schmerzhafter Anstrengung konzentrierend, sprach Pendrake stumm in den Würfel: »Bitte rettet mich. Ich brauche Hilfe!«

Aus weiter Ferne, aus den äußersten Tiefen des Würfels antwortete eine Stimme in seinem Gehirn. »Freund, deine Fähigkeit, unsere Gegenwart wahrzunehmen, wird dir nicht helfen, denn es dauert noch lange, bis ihr Menschen das verwendent könnt, was wir haben und wissen.«

»Habt Mitleid«, entgegnete Pendrake bebend. »Ich stehe kurz davor, von einem wilden Tier zerrissen und gefressen zu werden.«

»So sei es denn; du kannst wählen. Geselle dich für immer zu uns hier drinnen.«

»Ihr meint ...«

»Für alle Zeiten absorbiert und aufgelöst in einer einzigen Wesenheit, frei von allen Leidenschaften und Schmerzen bis zum Ende der Zeit.«

Pendrake fuhr zurück. Seine erste Reaktion war völlige Ablehnung. Er hatte nicht den mindesten Eindruck, daß ihm hier Freiheit angeboten wurde. Für den Augenblick verschwand die Angst vor dem Säbelzahn, denn die Alternativmöglichkeit klang schlimmer als ein Leben in der Hölle.

»Aber meine Frau, die Erde, alle die Menschen ...«, protestierte Pendrake erschüttert. »Entsetzliche Gefahr droht ...«

Die Stimme in seinem Geist sagte: »Entscheide dich, bevor du diesen Raum verläßt. Hier können wir dir helfen. Draußen können wir dir nicht zur Hilfe kommen«.

»Ihr seid das Mondvolk?« fragte er abwesend.

»Wir sind das Mondvolk.«

Zitternd wandte sich Pendrake vom Würfel ab, um seinen Gegner anzusehen. »Großer Trottel«, sagte er eindringlich, »mit meiner Frau in deiner Gewalt kannst du mich zwingen, alles zu tun, was du willst. Gewiß wirst du einsehen, daß es unsinnig wäre, einen Mann umzubringen, der dir sowieso schon gehorchen muß.«

»Du bist zu raffiniert. Ich traue dir nicht!« schnaubte der Unhold. »Ich habe nicht das Gefühl, daß du dich ehrlich an eine Abmachung halten wirst.«

»Ich habe keine andere Wahl«, drängte Pendrake. »Es bleibt mir nichts übrig.«

»Du bist zuviel Mann für mich, um dich in meiner Nähe zu haben«, entgegnete der Affenmensch. »Bisher hat sich noch nie jemand gegen mich aufzulehnen gewagt.«

Pendrake sagte kurz: »Solange du meine Frau in deiner Gewalt hast, hast du auch mich.«

»Das hat dich nicht daran gehindert, mich anzugreifen.«

»Ich war von Sinnen, als Folge jenes Schlages auf den Kopf«, entgegnete Pendrake, »und ich wußte nicht, was ich tat.«

Der Große Trottel schien dies zu erwägen, den Mund geöffnet und die Augen halb geschlossen. Abrupt klappten seine Kiefern zu. »Zum Teufel damit!« fauchte er. »Ich gehe kein Risiko mehr ein. Seitdem du hier bist, habe ich nichts als Ärger, und es wird höchste Zeit für mich, mich all dieser Unruhestifter ein für allemal zu entledigen, angefangen mit dir. Ich werde sehr viel Zeit haben, Pendrake, meine anderen Probleme in Ordnung zu bringen. Doch vorwärts jetzt!«

Pendrake ging mit langsamen Schritten. Er sprach nicht mehr zu der Lebensessenz, deren Gegenwart in der Flamme er entdeckt hatte. Das Angebot, das sie ihm als Lösung seines Problems gemacht hatte, hatte er bereits verworfen. Ihre Existenz stand für ihn außerhalb des Rahmens seiner Wirklichkeit. Sie schritten den Tunnelgang hinauf und gelangten bald zu weiteren Maschinen.

»Ich führe dich hier entlang«, höhnte der Große Trottel, »um dir zu zeigen, was du alles hättest bekommen können. Und auch deine Frau wäre dein gewesen. Doch nun warte ich eben, bis ein anderer Bursche kommt, der etwas von Maschinen versteht. Vielleicht gebe ich ihm auch deine Frau«, fügte er als nachträglichen Einfall hinzu und brüllte vor Lachen.

Pendrake blieb stumm. Doch sein Verstand schwang wie ein Pendel hin und her, mit jedem Schwung höher und wilder. Und die Last auf seinem wirbelnden Gehirn wuchs von Minute zu Minute. Da war die Maschine, eine Erde, die keine Ahnung davon hatte, was die Ragnarök-Organisation plante; da war Eleanore ...

Der Gedanke brach jäh ab, das Blut wich aus seinen Wangen. Die Muskeln seines Solarplexus zogen sich so krampfartig zusammen, daß es seine Magengrube durchzuckte. Denn der Große Trottel und er waren wieder bei der Einfriedung angelangt, die die Transportmaschine enthielt. Während Pendrake mit qualvollem Blick zusah, schloß der Monstermann das Vorhängeschloß auf und öffnete den Torflügel. »Hinein mit dir!« fauchte der Große Trottel.

Pendrake, der während des Marsches vergeblich an seinen Fesseln gezerrt hatte, schritt rasch vorwärts. »Eine letzte Chance«, dachte er, und nur Schnelligkeit und absolute Unempfindlichkeit gegenüber Schmerzen machten es überhaupt zu einer möglichen Chance.

Als er das Tor passierte, blieb er für einen kurzen Moment stehen, beugte sich vor, hob seine Arme hinter seinem Rücken hoch empor und hakte sie über einen vorstehenden Pfahl des Palisadenbaus. Mit seiner ganzen Körperkraft und der gesamten Stärke seiner Beinmuskeln warf er sich vorwärts.

Er hatte schon vorher festgestellt, daß das Seil alt war. Und jetzt riß es wie dickes, welkes Gras.

Und damit war er frei.

Noch immer etwas aus dem Gleichgewicht, wirbelte er herum. Dann schnellte er aufs Tor zu.

Es schlug vor seiner Nase zu, und ein metallisches Klicken ertönte, als das Vorhängeschloß zuschnappte.

Die Stimme des Großen Trottels kam von der anderen Seite. »Du bist ein verdammt schlauer Bursche, Pendrake. Zu schlau, als daß ich es darauf ankommen lassen würde. Ich werde nicht erst warten, bis du diese Maschine in Gang gebracht hast. Ich hole mir eine Büchse und werde dich in weniger als dreißig Minuten dort drinnen abknallen.«

Das Geräusch schwerer Fußtritte erklang, wurde schwächer, verschwand in der Ferne.

Es war heute wahrlich kein guter Tag, dachte Pendrake müde, weder für den Großen Trottel, noch für ihn.

Er hatte bereits gespürt, daß der Energiestrom zur Erde in etwas mehr als fünfzehn Minuten einsetzen würde. So ungern er ihn benützte, so blieb ihm offensichtlich keine andere Möglichkeit. Angespannt wartete er auf den Ablauf der Zeit.

Schmerzerfüllt dachte er: »Oh, Gott! Eleanore in seiner Hand!«

Und auch jetzt bot sich keine andere Möglichkeit, als zu fliehen.

Mit einem sinkenden Gefühl der Hoffnungslosigkeit dachte er dann »Sie werden annehmen, daß der Große Trottel mich der Teufelsbestie vorgeworfen hat, und sich ihm völlig unterwerfen.«

Er malte sich Eleanores Kummer und Erniedrigung aus, und da dachte er: »Ich muß hinüberwechseln, Ausrüstung und Waffen holen und zurückkehren – alles innerhalb von acht Stunden.«

Damit wäre dem Schaden und den Demütigungen, die ihr der Große Trottel zufügen konnte, eine Grenze gesetzt.

Der Große Trottel könnte sogar vorläufig davon absehen, Eleanore etwas zuzufügen, aus Angst, daß Pendrake zurückkehren würde. Es war der einzige Hoffnungsfunke für ihre Sicherheit.

Kein Ausweg.

Als der Energiefluß einsetzte, ging Pendrake widerwillig zu der unsichtbaren Trennlinie im Innern der höhlenartigen Vertiefung, blieb stehen, spreizte die Beine, um einen festen Stand zu gewinnen und beugte sich dann vorwärts, Kopf und Schultern hindurchschiebend. Er beabsichtigte, sich zuerst einmal genau anzusehen, was auf der anderen Seite war.

Dunkelheit, nebelhaftes Nichts.

Pendrake zog sich aufs äußerste verblüfft zurück. Konnte es auf der Erde gerade Nacht sein? Zweifellos mochte dies der Fall sein. Doch waren irdische Nächte sehr selten *so* schwarz. Erneut beugte er sich vor.

Es war, als ob er seinen Kopf in einen Kohlensack gesteckt hätte. Absolut nichts war zu sehen.

Aber er fühlte sich kaum merklich schwindelig, als er sich erneut zurückzog.

Noch beängstigender war jedoch, daß die Zeit im Flug verstrich. Die Sekunden rasten vorbei, und er dachte, daß zehn Minuten eine jämmerlich kurze Zeitspanne darstellten, wenn er alle die Vorsichtsmaßregeln beachten wollte, die eigentlich angebracht waren.

Mit raschen Schritten ging er zur einen Wand der Vertiefung hinüber, stützte sich ab und schob dann vorsichtig sein rechtes Bein hindurch. Sein tastender Fuß fand nur leeren Raum.

Pendrake wich zurück, tat einen Schritt seitwärts und versuchte es noch einmal. Es war ein eigenartiges Erlebnis, sein Bein verschwinden zu sehen, aber noch beunruhigender war es, wiederum nichts als Leere anzutreffen.

Er schätzte, daß es alles in allem fünf Minuten dauerte, sich stückweise von der einen Seite der Maschine zur anderen vorzuarbeiten – und nicht ein einziges Mal während dieser Zeit berührte sein Fuß einen soliden Gegenstand auf der anderen Seite.

Kein Ausweg.

Pendrake dachte bestürzt: »Ist es möglich, daß ich das Wagnis eingehen muß, einfach hindurchzuspringen?«

Wenigstens eine Minute verstrich, während er in qualvoller Unentschlossenheit an der Zustandsschwelle der Maschine stand. Doch schließlich konnte es keinen Zweifel und kein Zaudern mehr geben.

Der Große Trottel mußte jeden Augenblick zurückkehren.

Er dachte zuversichtlich: »Ein Pfad befindet sich da. Alle waren sich darüber einig. Er läuft durch die Wildnis, in den Bergen, aber an dieser Stelle ist der Boden relativ eben. Wenn ich also springe und meinen Körper völlig entspannt halte, sofort bereit, nachzugeben, wenn ich zu hart lande . . .«

Als Pendrake hindurchsprang, sah er ein wirbelndes Kaleidoskop von Eindrücken vor Augen. Eine steile Wand aus Lehm und Erde ragte direkt vor ihm auf. Er prallte mit Gesicht und Körper dagegen und begann einen steilen Abhang hinunterzurutschen. Gleichzeitig vernahm er das tiefe Dröhnen eines Dieselmotors. Als er zurückblickte, sah er mit Entsetzen, daß er geradewegs in die Bahn einer riesenhaften Straßenwalze zu rollen im Begriff war. Pendrake schrie dem Walzenführer zu, aber der Mann hatte seinen Blick zur Seite gerichtet und steuerte seine monströse Maschine entlang einer anscheinend haargenau vorgeschriebenen Strecke.

Ein einziger Warnungsschrei war alles, was Pendrake ausstoßen konnte. Im nächsten Moment landete er genau vor der Maschine. Mit einer letzten, ungeheuren Anstrengung seines Willens versuchte er, sich aus dem Weg der Walze zu werfen. Fast gelang es ihm. Fast . . .

8

Immer wieder während des Tages nahm sich Jefferson Dayles den Bericht der Wissenschaftler vor. Je öfter er ihn durchlas, desto rätselhafter schien ihm die Angelegenheit. Später, als die schwere Hauptarbeit des Tages hinter ihm lag, nahm er den Bericht mit sich ins Bett und las das erstaunliche Dokument mitten in der Nacht von neuem: Es lautete folgendermaßen:

In der Angelegenheit der drei Maschinen, die von Ihren Agenten bei der Durchsuchung des Pendrake-Anwesens beschlagnahmt wurden, ist zunächst festzustellen, daß es schwerfällt, diese perfekten Maschinen richtig zu beschreiben. Sie scheinen das letzte Stadium einer Entwicklung dazustellen, die auf einem völlig neuen Prinzip beruht. Die von den Triebwerken erzeugte Kraft entspringt an-

scheinend der Form und Konstruktion der torusförmigen Metallröhre. Als diese Röhre auseinandergenommen wurde, zeigte sich, daß sie mittels unbekannter, extrem fortgeschrittener metallurgischer Techniken zusammengesetzt worden war; jeder Versuch, sie zu analysieren, ist bisher mißlungen, trotz sorgfältigster Dokumentation jeder Phase der Demontage. Die Hypothese ist aufgestellt worden, daß die Röhre ihre Kraft von einer fernen Sendestation bezieht, doch kann dies nicht nachgeprüft werden. Es sind mit Sicherheit keine Atommotoren. Keine Spur von Radioaktivität läßt sich feststellen.

Als auch die Demontage der zweiten Maschine völlig erfolglos blieb, beschlossen wir, die dritte und letzte vorläufig nicht auseinanderzunehmen, bis die Einzelteile der ersten beiden Maschinen weiteren Untersuchungen, vorzugsweise durch anderes Personal, unterzogen worden sind.

Es ist möglich, daß das Geheimnis ihrer Funktion in einer neuartigen Legierungskombination der Materialien liegt, aus denen sie bestehen. Aus diesem Grund erscheint es ratsam, selbst das Material der Schweißnähte zu untersuchen und auf seinen möglichen Einfluß auf den Betrieb hin zu analysieren ...

Die alles überragende Wichtigkeit äußerster Umsicht und Sorgfalt bei den weiteren Untersuchungen der Triebwerke kann am besten durch die anderen Verwendungszwecke illustriert werden, die die erzeugten Kräfte haben können. Darüber wird zur Zeit ein weiterer geheimer Bericht angefertigt ...

Jefferson Dayles lag mit geschlossenen Augen in der Dunkelheit. Es schien ihm wieder die alte, uralte Geschichte zu sein: zu kompliziert für den durchschnittlichen menschlichen Verstand.

Als er sich schließlich zur Seite drehte, um einzuschlafen, dachte er: Drei Jahre, und nicht länger. Drei Jahre, um Pendrake zu finden. Danach könnte es zu spät für ihn sein.

Doch davon ganz abgesehen, mußte er zunächst die phantastischste Wahlschlacht in der Geschichte Amerikas gewinnen.

Die Frauen hatten sich erhoben. Sie verfügten über eine Präsidentschaftskandidatin, und es schien fast, als ob diese Tatsache den Verstand von Millionen vormals vernünftiger Bürgerinnen aus den Angeln gehoben hätte.

Die Kandidatin, eine starke, kluge und klardenkende Frau, balancierte am Rande des Abgrunds und tat ihr Bestes, um nicht hinunterzustürzen. Sie schien all der möglichen Fallgruben und Fußangeln gewahr zu sein, und obgleich Dayles' Agenten jede ihrer Reden und Äußerungen in der Öffentlichkeit aufs genaueste analysierten, verstrichen die Monate, ohne daß sie ausrutschte und abstürzte.

Dayles verfolgte ihre Kampagne aus der Ferne, zunächst mit erheblichen Zweifeln, dann mit ehrlicher Bewunderung und schließlich mit Besorgnis. »Sie muß einfach ermüden«, sagte er. »Irgendwann in der nächsten Zeit wird sie derart erschöpft sein, daß sie kaum noch aufrecht stehen kann, und das ist der Moment, in dem ihr unsere Leute ein Bein stellen.«

Was man auch immer über die hohe Stufe der Vernunft und Reife der Kandidatin sagen mochte – auf ihre Gefolgschaften traf es nicht zu. Für sie stand der Anbruch des Goldenen Zeitalters bevor. Die Frauen der Erde würden den Krieg aus der Welt schaffen und Frieden über die gequälten Völker bringen. Sie würden die Ungerechtigkeiten der Gesellschaft bereinigen, die Habgier des Handels kontrollieren und ein für allemal die Untreue des amerikanischen Mannes beseitigen.

Einen Monat, bevor die Wähler zu den Urnen schreiten sollten, hatte der Präsident noch immer die krasse Tatsache vor Augen, daß er eine völlige Niederlage erleiden konnte. Alle Meinungsumfragen zeitigten das gleiche Resultat: Der weibliche Präsidentschaftskandidat lag im Rennen vor ihm.

»Wenn sie sich nicht zufällig eine Blöße gibt . . .«, sagte er eines heißen Tages zwischen zwei Ansprachen zu Kay. »Ich fühle, daß alle meine Argumente die Emotionen nicht durchdringen können, die zugunsten von Wake aufgestachelt worden sind.« Er nannte seine Gegnerin stets Wake – nicht Mrs. Wake, oder Jane Wake –, nur Wake. Diese Technik, nur ihren Familiennamen zu verwenden, unterstrich psychologisch die Gleichheit in einem Kampf, in dem zum erstenmal in der politischen Geschichte der Mann durch die reine Tatsache seiner Männlichkeit benachteiligt war.

Kay entgegnete kalt: »Für den Fall, daß die Blöße nicht kommt, haben wir alle nötigen Schritte unternommen, um Tausende von Aufständen aufflammen zu lassen, so daß Sie den nationalen Notstand erklären und die Wahl auf später verschieben können.«

»Gut«, nickte Präsident Dayles, doch Schweißtropfen glitzerten auf seiner Stirn und seinen Wangen. Er griff nach seinem Taschentuch. »Mein Entschluß steht fest, Kay«, sagte er. »Du brauchst also nicht zu befürchten, daß ich schwach werde. Dieser Frauenaufstand ist nur ein weiterer Wahnsinn in einer Welt, die bereits durch zu viele sekundäre Streitfragen und Aufstände verwirrt ist.«

Die Wahlschlacht wurde hitziger. Paraden. Massenversammlungen. Frauen, die Wahlsprüche kreischten: Frieden! Glückliche Heime! Eine gesunde Nation!

Verlassene Frauen und Mütter, die sich zu Rachegelüsten hinreißen ließen, brachten die große Frau, die ihre Kandidatin war, mit der Forderung in Verlegenheit, daß Männer, die ihre Frauen sitzen ließen, in ihr Heim zurückgeprügelt werden sollten. Welchen Wert sie noch für ihre Frauen haben würden, innerlich von Haß erfüllt und ihr Rücken von den Narben der Auspeitschungen bedeckt, wurde niemals näher erklärt.

Zwei Wochen vor der Wahl, gegen Ende einer abendlichen Versammlung, bei der Mrs. Wake zu einer Menge von Tausenden gesprochen hatte, drang eine Frau zu einem Mikrophon vor und kreischte eine Frage: Stimmte es oder stimmte es nicht, daß die Kandidatin für körperliche Züchtigung derjenigen Männer eintrat, die ihre Familien verließen?

»Meine Damen«, sagte Mrs. Wake müde, »überstürzen wir doch die Dinge nicht!«

Es war *die* verhängnisvolle Bemerkung. Sie hatte sich eine Blöße gegeben.

Die Dayles-Presse stürzte sich auf den Satz.

Am nächsten Tag und noch viele Tage danach bemühte sich Wake verzweifelt, dem Volk zu erklären, daß sie nur versucht hatte, die Extremisten zu dämpfen.

Aber die Flitterwochen waren vorüber. Millionen von Männer, die ihr unbedingtes Vertrauen entgegengebracht hatten, änderten schlagartig ihre Meinung. Plötzlich verkörperte nicht länger jedes ihrer Worte die Quintessenz gesunden Menschenverstandes; statt dessen war sie auf einmal ein raffiniertes Weib, das Schritt für Schritt ein geschicktes Spiel trieb.

Meldungen kamen, daß auch Frauen Zweifel an einem weiblichen Präsidenten zu hegen begannen. Der leicht geschürte Haß, den eine Frau auf die andere hatte, und der so alt wie die Menschheit war, brach mit einem Mal wieder aus, nachdem er in der von geballten Emotionen erfüllten Atmosphäre der Wahlschlacht unterdrückt gewesen war.

Das Blatt wendete sich sichtlich.

Innerlich über die Massen erleichtert, verwarf Präsident Dayles seinen Plan, die Wahl zu verschieben.

Wie er in einer Rede eine Woche vor dem Wahltag verkündete: »In vollem Vertrauen auf die Richtigkeit meines Tuns appelliere ich an die gesamte Wahlgemeinde, Frauen und Männer, zu den Punkten meines Programms Stellung zu nehmen und ihre Stimmen gemäß den bisherigen Leistungen und Erfolgen meiner Verwaltung abzugeben.«

Er war sich jetzt seines Sieges so sicher, daß er derartige abgedroschene Phrasen äußern konnte, als ob sie völlig neu waren und von ihm selbst stammten.

Er zog sich frühzeitig zurück und wurde um Mitternacht von Kay mit den letzten Nachrichten aus Los Angeles geweckt: Eine lange Reihe von Frauen war durch die Straßen marschiert, mit Transparenten. Die Aufschriften auf ihnen lauteten unter anderem: HURRA FÜR DIE RECHTE DER FRAUEN! KÖRPERLICHE ARBEIT FÜR DIE MÄNNER, REGIERUNG FÜR DIE FRAUEN! EINE GERECHTE, ORDENTLICHE, FRIEDLICHE WELT, REGIERT VON FRAUEN.

Dann – so besagte der Bericht – hatte die laute Stimme eines Mannes die Demonstration unterbrochen: »Macht Schluß! Treibt sie auseinander! Sie bilden sich ein, wir würden uns davor scheuen, sie anzugreifen, während sie dabei sind, Sklaven aus uns zu machen. Los, vorwärts!«

Verbitterte Männer hatten sich auf den Bürgersteigen zusammengerottet und wurden zu einem Mob. Als gepanzerte Fahrzeuge schließlich die Straßen frei machten, lagen vierundzwanzig Frauen tot am Boden, siebenundneunzig waren schwer verletzt, und weitere vierhundert benötigten ärztliche Behandlung.

Es war eine Krise von der Art, die eine Wahl gewinnen oder verlieren konnte. Um zwölf Uhr dreißig sprach Präsident Dayles über das Fernsehen und versprach eine gründliche Untersuchung des Vorfalls und gerechte Bestrafung der Schuldigen.

Es schien, daß zweiunddreißig Männer verhaftet worden waren. Sie wurden am nächsten Tag vor Gericht gestellt. Alle hatten Rechtsanwälte, alle beteuerten ihre Unschuld. Der Richter verhörte jeden Mann kurz und erklärte dann zur allgemeinen Überraschung fünfzehn der Männer für unschuldig, die anderen siebzehn jedoch für schuldig.

Worauf er die siebzehn zum Tode verurteilte.

Spontaner Tumult brach im Gerichtssaal aus, und ein rundes Hundert Polizisten hatte alle Hände voll zu tun, die Ordnung wieder herzustellen und die völlig hysterischen Verurteilten hinauszuführen.

Später rechtfertigte der Richter gelassen seinen Spruch. »Es ist völlig in Ordnung, daß ein Richter entscheidet, ob ein Mann schuldig oder unschuldig ist. Es soll niemals behauptet werden, daß eine Demokratie nicht fähig sei, mit Aufständen und Unruhen fertigzuwerden.«

Daraufhin begab er sich auf eine Urlaubsreise, von der man behauptete, daß sie ihn und seine Familie für längere Zeit ins Ausland führen würde.

Nach ihrer Stellungnahme gefragt, sagte Wake unbehaglich: »Es kann kein Zweifel daran bestehen, daß hier Recht gesprochen wurde. Ich habe eine Kommission beauftragt, den tatsächlichen Prozeßvorgang zu untersuchen und mir einen Bericht darüber anzufertigen.«

Dayles sagte: »Die Sache liegt völlig in Händen des Gerichtssystems, das – wie wir alle wissen – in den Vereinigten Staaten ein Regierungszweig ist, der den Verwaltungsbehörden nicht untersteht.«

Es wurde verkündet, daß die verurteilten Männer beabsichtigen, Berufung gegen das Urteil einzulegen. In dieser Atmosphäre der Spannung ging die Wahl vonstatten.

Jefferson Dayles wurde mit einer Stimmenmehrheit von zwei Millionen wiedergewählt.

Er fühlte sich immens erleichtert. Jedoch erklärte er nachher Kay gegenüber: »Damit ist das Ende in Sicht! Wenn diese Regierungsperiode vorüber ist, untersagt mir die Verfassung, mich ein drittes Mal wählen zu lassen. Die Wiederwahl hängt deshalb allein ab von ...«

»Pendrake«, schloß sie für ihn.

Er nickte ernst. Voller Verwunderung schüttelte er dann den Kopf. »Was in der Welt kann mit dem Mann geschehen sein? Ich habe das FBI, die militärischen Geheimdienste und die Polizei überall nach ihm fahnden lassen. Nicht die geringste Spur.«

Sie entgegnete unerschüttert: »Sie haben noch ein paar Jahre Zeit.«

»Drei.« Er nickte. »In drei Jahren werde ich meine Entscheidung fällen müssen. Danach wäre es wahrscheinlich zu spät.«

9

Amtseinsetzung ...

Zu spät, zu spät ... Den ganzen Tag lang pochten die Worte durch seinen Geist, trübten sein Lächeln, dämpften sein Frohlocken und verdunkelten alle seine Gedanken. Findet Pendrake! Findet den Mann, dessen Blut in einer Woche das Alter von seinen Knochen schälen und in diesem Prozeß ihn, seine Kräfte und die mächtige Zivilisation, die ihm vorschwebte, unsterblich machen würde.

Der Gedanke war wie eine Krankheit, wie eine Sucht, die ihn auch noch Monate später beherrschte, als man den Farmer zu ihm brachte. Der Mann war groß und grobknochig. Als er seinen stokkend vorgetragenen Bericht anhörte, schwebte eine Frage ständig in Jefferson Dayles' Gedanken. Das Problem, wie er sie am besten in Worte kleiden konnte, beschäftigte ihn, während die Stimme des Farmers weiterdröhnte.

»Wie ich schon gesagt habe, blieb er zehn Tage bei mir, und Dr. Gillespie kam zweimal vorbei, um nach ihm zu sehen, aber er brauchte anscheinend keine ärztliche Hilfe, nur Essen. Wohlgemerkt, er benahm sich sehr komisch. Konnte mir weder seinen Namen, noch sonst was sagen, scheint's. Wie dem auch sei, ahem ... Als sein Bein wieder in Ordnung war, habe ich ihn nach Carness gebracht und der Arbeitslosenkommission dort übergeben. Ich sagte ihnen, sein Name wäre Bill Smith. Er hatte anscheinend nichts dagegen einzuwenden, und so haben sie ihn unter diesem Namen registriert. Sie haben ihn dann zu irgendeinem Arbeitsplatz hinausgeschickt – kann mich nicht mehr besinnen, was es war. Möchten Sie noch mehr wissen?«

Jeeffrson Dayles saß reglos und ausdruckslos. Doch es war nur die äußere Maskierung, hinter der sich seine ungeheure innere Erregung verbarg. Pendrake war am Leben; er war entdeckt worden, als die Polizei von Carness Bill Smiths Fingerabdrücke nach Washington geschickt hatte.

»Das ist alles, was wir in Erfahrung bringen konnten«, hatte Kay gesagt. »Doch haben wir damit wenigstens einen Anfang.«

»Ja«, war Jefferson Dayles' Erwiderung gewesen, und er hatte tief Luft geholt. »Ja.«

Der totipotente Mann war am Leben.

Eine Frage jedoch blieb offen, eine Bestätigung: Pendrakes Arm! Der, der ihm wieder nachgewachsen war.

Die Stimme des Farmers ließ sich wieder vernehmen: »Da ist noch eine Sache, Mister Präsident . . .«

Jefferson Dayles wartete, noch immer damit beschäftigt, seine Frage zu formulieren. Es war eine äußerst schwierige Sache, sie auszusprechen, denn . . . nun, wie konnte man jemanden fragen, ob der Arm eines Menschen nachgewachsen war, ohne für verrückt angesehen zu werden? Man konnte es nicht, obgleich die Vorstellung an sich faszinierend und atemberaubend war.

»Die Sache«, sagte der Farmer, »ist die: Als ich ihn auflas, hätte ich schwören können, daß eines seiner Beine kürzer war als das andere. Doch als ich ihn den Behörden übergab, waren beide gleichlang. Entweder bin ich verrückt, oder . . .«

»Klingt recht unwahrscheinlich, die Geschichte, nicht wahr?« entgegnete Jefferson Dayles rasch und fuhr fort: »Abgesehen davon war er in Ordnung, oder?«

Der Farmer nickte. »Der stärkste Mann, den ich jemals gesehen habe. Ich kann Ihnen sagen, als er jenen Wagen mit seinen beiden Händen hochhob . . .«

Präsident Dayles hörte nicht mehr auf den Rest. Seine Gedanken verweilten bei den Worten »beiden Händen«.

Er stand auf und drückte dem erfreuten alten Mann die Hand. »Hören Sie, mein Freund«, sagte Präsident Dayles, »von diesem Augenblick an wird Ihr Name in einer Sonderkartei geführt werden, und wenn Sie jemals einen Wunsch haben, schreiben Sie an meine Sekretärin, und wenn er sich erfüllen läßt, wird er erfüllt werden. Im übrigen hoffe ich, daß Sie über diese Unterhaltung Stillschweigen bewahren werden.«

»Sie können auf mich zählen«, sagte der Mann mit der ruhigen Bestimmtheit des überzeugten, bedingungslosen Patrioten. »Und ich tue es, ohne mir Gefälligkeiten zu erbitten.«

»Das Angebot bleibt offen«, entgegnete Dayles dankbar.

Später sagte Kay: »Es klang, als ob er es ernst meinte – eine Rarität in diesen Tagen. Die Demokratie gerät ins Wanken.«

»Nanu, du machst ein Gesicht, als ob du dafür Beweise hättest«, entgegnete er. »Was ist passiert?«

Schweigend reichte sie ihm eine Nachricht. Er las sie laut. »Das Oberste Bundesgericht hat die Todesurteile im Prozeß gegen die Aufrührer in den Wahlkampfaufständen bestätigt.« Er stieß einen leisen Pfiff aus und sagte dann: »Sie haben wahrscheinlich hart um ihr Leben gekämpft, doch jetzt – ein Jahr später – sind sie am Ende ihres Weges angelangt.« Er sah nachdenklich auf sie nieder. »Welche Gründe hat der Gerichtshof für seine Entscheidung angegeben?«

»Es wurden keine Gründe genannt.«

Er schwieg. Es schien ihm ein weiteres typisches Zeichen zu sein, daß das ursprüngliche Gerichtsurteil nicht aufgehoben worden war.

*

Drei Tage vor der Hinrichtung, die im Dezember 1977 stattfinden sollte, unternahmen die siebzehn Männer einen Massenausbruch aus ihren Todeszellen.

In einem Dutzend Städte brachen daraufhin Unruhen und Tumulte aus, und Delegationen von Frauen forderten schärfste Strafen für die verantwortlichen Gefängniswärter und sofortige Wiederergreifung und Hinrichtung der geflüchteten Männer.

»Und ich dachte, diese Frauen wären für Frieden und Eintracht«, seufzte Jefferson Dayles. Aber er sagte es im privaten Kreis zu Kay. Öffentlich versprach er, daß alle erforderlichen Schritte unternommen würden.

Am zweite Tag nach dieser Verkündung traf ein Brief an ihn ein. Er lautete:

Zelle 676, Kaggat-Gefängnis
27. Januar 1978

Hochverehrter Herr Präsident,

Ich habe erfahren, daß mein Ehemann einer der siebzehn zum Tode Verurteilten war, und ich weiß, wo er und die anderen sich versteckthalten. Schnellstes Handeln ist vonnöten, wenn sein Leben gerettet werden soll.

Anrella Pendrake

Kay wartete mit funkelnden Augen, bis er die Botschaft gelesen hatte. Dann reichte sie ihm einen Bericht vom FBI, der folgendermaßen lautete:

»Die allgemeine Verwirrung, die bei der Verhaftung dieser Männer herrschte, war außerordentlich. Von keinem von ihnen wurden Fingerabdrücke genommen, bis zum Tag nach der Verurteilung. Kurze Zeit später gingen sämtliche Originalphotos und Fingerabdrücke verloren. Das Verschwinden dieser Dokumente wurde erst bemerkt, als die Gefangenen zu einem Maximum-Sicherheits-Zuchthaus transportiert wurden, und es erscheint besonders bedeu-

tungsvoll, daß der Omnibus, der hierzu diente, auf dem Wege zum Zuchthaus in einen Graben fuhr. Mehrere der Gefangenen behaupteten später, daß ein Mann zu dieser Zeit verschwand und gegen einen anderen ausgetauscht wurde. Die Beamten des neuen Zuchthauses waren nicht geneigt, dieser phantastischen Geschichte Glauben zu schenken, um so mehr, als keiner der Siebzehn den Versuch unternahm, sich als unschuldiges Opfer eines solchen Austausches auszugeben. Um weitere derartige Unruhen zu unterbinden, wurden die Verurteilten getrennt . . .«

Kay unterbrach ihn an dieser Stelle. »Es muß Pendrake gewesen sein, der als neuer Mann in die Gruppe eingeschmuggelt wurde. Es ist völlig unmöglich, daß er an jenen Straßenunruhen teilgenommen haben kann. Wir müßten einen Zufall sondergleichen voraussetzen . . .«

»Aber wie haben sie ihn gefunden, wenn es uns nicht gelungen ist?« warf Präsident Dayles ein.

Kay schwieg. Schließlich: »Wir machen uns lieber auf den Weg und unterhalten uns mit jener Frau«, sagte sie.

Die Zelle war bei weitem nicht so bequem, wie er es ursprünglich angeordnet hatte. Jefferson Dayles nahm sich in Gedanken vor, die Verantwortlichen hierfür schwer zu tadeln, und wandte dann seine Aufmerksamkeit der blassen Person zu, die Anrella Pendrake hieß.

Es war das erste Mal, daß er sie Angesicht zu Angesicht sah. Und er fühlte sich trotz ihrer bleichen Erscheinung von ihr beeindruckt. Es war etwas an ihren Augen, das den Beschauer unwillkürlich beunruhigte. Es war nach diesem ersten Eindruck eine Überraschung für ihn, ihre stumpfe, ausdruckslose Stimme zu vernehmen. Sie schien niedergeschlagener zu sein, als sie aussah.

Anrella Pendrake sagte: »Ich halte es für richtig, Sie zu verständigen. Jim hält sich in der großen kalifornischen Wüste versteckt. Die Ranch befindet sich etwa vierzig Meilen nördlich der Ortschaft Mountainside . . .« Sie brach ab. »Bitte fragen Sie mich nicht nach den Umständen und Beweggründen seines Tuns bei der Parade. Das einzig Wichtige ist, dafür zu sorgen, wenn Sie ihn aufspüren, daß er nicht ums Leben kommt.« Sie lächelte müde. »Wir glaubten ursprünglich, daß wir durch ihn die Weltgeschichte beeinflussen könnten. Ich fürchte, wir haben unsere Fähigkeiten weit überschätzt.«

Kay sagte: »Mrs. Pendrake, es ist von ungeheurer Wichtigkeit für uns, zu erfahren, wie Sie es fertiggebracht haben, Ihren Ehemann zu finden, wenn wir trotz größter Anstrengung aller amerikanischer Geheimdienste nicht den geringsten Erfolg hatte.«

Die Frau in der Zelle lächelte zum ersten Mal seit Beginn des Interviews belustigt. »Als wir Jim zum ersten Mal in unserer Gewalt hatten«, sagte sie, »haben wir ihm ein winziges Transistorgerät in die Schultermuskeln eingesetzt, ohne daß er es wußte. Es sendet ein Signal aus, das wir empfangen können. Beantwortet das Ihre Frage?«

Präsident Dayles entgegnete: »Vollkommen. Sie hätten ihn zu jeder beliebigen Zeit aufspüren können?«

»Ja«, erwiderte Anrelle.

Damit verabschiedeten sie sich und gingen.

*

An Bord des nordwärts rasenden Flugzeuges sagte Kay: »Ich sehe keinen Grund, warum Mrs. Pendrake oder die anderen freigelassen werden sollten. Jetzt, da sie uns ihre Trumpfkarte gegeben hat, schulden wir ihr nicht das geringste.«

Sie wurde unterbrochen. »Eine Radiobotschaft vom Kaggat-Gefängnis.«

Jefferson Dayles las die lange Nachricht mit geschürzten Lippen und reichte sie dann wortlos Kay.

»Ausgebrochen!« schrie sie auf. »Die ganze Bande!« Sie saß versteinert. »Hah, diese bleichgesichtige kleine Schauspielerin – die ganze Zeit so zu tun, als ob nichts mehr auf der Welt eine Rolle spielt, wenn nur er gerettet wird! Aber warum hat sie uns diese Geschichte erzählt? Warum?«

Sie brach ab, las die Nachricht ein zweites Mal und flüsterte schließlich: »Neunzig Flugzeuge, die alle mit jenem mysteriösen Triebwerk ausgestattet waren, haben an der Befreiungsaktion teilgenommen! Da muß eine riesige Organisation dahinterstecken! Es bedeutet, daß die Befreiung zu jedem beliebigen Zeitpunkt hätte erfolgen können – auch vor unserem Besuch. Trotzdem haben sie damit bis jetzt gewartet. Herr Präsident, das ist äußerst bedenklich.«

Jefferson Dayles stellte mit Verwunderung fest, daß er das Panikgefühl seiner Assistentin nicht zu teilen vermochte. Die Lage war in der Tat ernst; zweifellos stand eine Krise bevor. Doch seine Stimme klang ruhig und gelassen als er sagte: »Kay, wir werden fünf Divisionen aufwenden, zwei davon gepanzert, und so viele Flugzeuge, wie gebraucht werden – nicht neunzig, sondern neunhundert. Wir werden die Wüste umstellen. Wir werden den gesamten Land- und Luftverkehr kontrollieren. Nachts sollen Radaranlagen, Scheinwerfer und Nachtjäger eingesetzt werden. Wir werden die Macht der Streitkräfte der Vereinigten Staaten mobilisieren. Pendrake muß gefangen werden!«

10

Die pfeifenden Winde des Winters bliesen. Am 15. Januar wurden die Staaten New York und Pennsylvanien von einem Blizzard heimgesucht und nahezu begraben. Die Menschen erwachten am Morgen des 16. Januar in einer Welt, die wieder weiß, rein und friedvoll war.

Am gleichen Tag brachen fern im Süden Hoskins und Cree Lipton von Brasilien nach Europa auf, nachdem sie einige Anhaltspunkte untersucht hatten, die sie nach Südamerika geführt hatten. Über Dakar, Algier, Vichy und Paris reisten sie nach Deutschland.

Ihr Ziel bildete das amerikanische Hauptquartier im Westsektor von Berlin. In dem großen, mit dicken Teppichen reich ausgelegten Saal im zweiten Stock führte sie ein General der US-Armee rasch in einen bewachten Nebenraum.

»Das dort«, erklärte er, mit der Hand deutend, »ist unsere sogenannte Mordkarte. Seitdem Sie uns vor einigen Wochen gebeten haben, gewisse Beobachtungen und Untersuchungen für Sie routinemäßig anzustellen, hat sich die Landkarte zu einem außergewöhnlich interessanten Dokument entwickelt.«

Die Karte war zehn Meter lang und mit einer Unzahl von farbigen Stecknadelköpfen übersät – kaum ein »Dokument« im eigentlichen Sinn, dachte Hoskins unwillkürlich. Doch er sagte nichts, sondern hörte mit gesammelter Konzentration zu.

»Genau vor einem Monat«, sagte der General, »haben wir damit begonnen, in ganz Europa Lastwagen mit großen Plakaten herumzuschicken. Die Plakate sind alle im gleichen Wortlaut abgefaßt – und zwar in genau dem, den Sie uns fernschriftlich mitgeteilt haben. Es wird auf ihnen eine Belohnung für Informationen über das Triebwerk in Aussicht gestellt. Die gleiche Nachricht ist über die Radio- und Fernsehnetze Europas gelaufen.«

Er zog ein Päckchen Zigaretten hervor und bot es den beiden Männern an. Hoskins lehnte ab und wartete ungeduldig, bis der andere Feuer hatte. Der Offizier fuhr fort:

»Wie Sie wissen, haben wir seit der Entspannung im Kalten Krieg ein gut funktionierendes Verbindungssystem zu den Sowjets, doch war es alles andere als leicht, unsere Nachforschungen über diese Kanäle in die Oststaaten auszudehnen. Erst als wir den kommunistischen Behörden Beweise für die von Ihnen und dem FBI entdeckten Tatsachen lieferten, erhielten wir die Möglichkeit, im östlichen Europa entsprechende Beobachtungen anzustellen. Es bildete für die Ostbehörden eine ziemlich bittere Überraschung, feststellen zu müssen, daß die Ragnarök-Organisation auch in ihren Ländern, besonders in den Balkanstaaten, äußerst aktiv ist – so zum Beispiel in Zagreb, Warschau, Istanbul und sogar Moskau. Folgendes haben wir gemeinsam mit ihnen herausgefunden: Berufsmäßige Attentäter von Ragnarök verüben zur Zeit im Durchschnitt pro Woche tausend Meuchelmorde in Osteuropa, achthundert in Westeuropa, und etwa dreihundert auf dem amerikanischen Kontinent.«

»Wie steht dies mit den Ermittlungen über den Motor und über das Verschwinden der sieben Wissenschaftler im Zusammenhang, deren Leichen und Familien in den Vereinigten Staaten bis heute nicht aufgefunden worden sind?« fragte Lipton vom Bundeskriminalamt.

»Wir haben uns Ihren Ratschlägen gemäß auf Europa konzentriert und von jedem Bezirk eine Mordkarte angefertigt«, lautete die Antwort. »Und während die Propagandawagen mit ihren Plakaten herumfuhren, und mehr und mehr Menschen mit dem Versprechen reicher Belohnung für sachdienliche Hinweise angesprochen wurden, notierten wir täglich die Zahl der neuen Morde, die von unseren und den europäischen Geheimdiensten laufend ermittelt wurden. Wir gingen bei diesen Analysen von der Überlegung aus, daß die Ragnarök-Gruppe in *dem* Gebiet die meisten Meuchelmorde ausführen würde, in dem die meisten Informationen über die Maschine zu finden waren.«

Er sah die beiden Männer mit einem grimmigen Lächeln an.

»Ich habe nunmehr zu berichten, meine Herren, wenn auch mit gemischten Gefühlen, daß die Zahl der Morde während unserer Volksbefragungskampagne in zwei weit voneinander entfernten Gebieten über alle normalen Grenzen hinaus angewachsen ist. Die beiden Gebiete sind Hohenstein in Sachsen und Latsky in Bulgarien.«

»Bulgarien!« Liptons Stimme drückte Überraschung aus.

Ned Hoskins meinte: »Die Ragnarök-Bande gewinnt dadurch Anhänger, daß sie der Bevölkerung stets das verspricht, was die Leute besonders ersehnen. Einem vom Kommunismus beherrschten Volk wird Befreiung vom Kommunismus versprochen, wenn es darüber unglücklich ist; einem kapitalistischen Land wird Reichtum für alle vorgegaukelt. Besonders leichtes Spiel haben sie mit dem Rassenproblem. Ich nehme an, daß es in dem bulgarischen Bezirk eine besonders große Menge von Unzufriedenen gibt, die den Ragnarök-Agenten besonders viel Sympathie entgegengebracht haben. Ich bin jedoch überzeugt, daß das Oberhaupt der Organisation weder in Hohenstein, noch in Latsky sitzt, sondern daß sie diese beiden abgelegenen Orte lediglich als ihre interplanetarischen Operationsbasen benutzt haben.«

Der General sah ihn aus verengten Augen an. »Genau so ist es. Wir vermuten, daß die Oberleitung in einer der großen Weltstädte sitzt – in Paris, Genua, London, oder vielleicht sogar in New York. Wir haben die beiden Gebiete mit Unterstützung der Ostbehörden einer genauen Untersuchung unterzogen. Am dritten unserer Nachforschungen fanden wir bei Hohenstein einen luxuriös eingerichteten ehemaligen Bergwerksstollen, der offensichtlich kurz zuvor in überstürzter Eile geräumt worden war.

Die Befragung der Bevölkerung des Ortes ergab«, fuhr der Offizier fort, »daß eine seltsame, zeppelinförmige Maschine nachts in der Nähe der verlassenen Mine gesehen worden war.«

»Du lieber Himmel!«

Hoskins war sich kaum bewußt, daß er den Ausruf ausgestoßen hatte. Er erkannte nach einem Moment der Leere, daß er dem General mit wachsender Ungeduld zugehört hatte. Er hatte den zunehmenden Drang verspürt, es der Worte genug sein zu lassen und mit der eigentlichen Suche fortzufahren. Doch jetzt ...

Es war soweit. Die Suche war vorüber, oder fast vorüber. Die Vorrunde war gespielt und gewonnen worden.

»Sir«, sagte er herzlich, »Sie haben eine außerordentliche Leistung vollbracht.«

»Ich bin noch nicht fertig.« Der Offizier lächelte breit. »Es kommt noch besser.«

Er fuhr fort: »Wir haben drei Briefe erhalten – aus einer Menge von vielen Tausenden –, die unzweifelhaft von Belang sind. Der dritte und wichtigste von ihnen stammt von einer Frau Kreigmeier in Latsky in Bulgarien. Er traf erst gestern nacht hier ein.

»Meine Herren« – seine Stimme klang leise, doch zuversichtlich – »bis Ende dieser Woche werden Sie über alle Informationen verfügen, die auf diesem Kontinent noch zu finden sind.

Natürlich«, schloß er, »wird Ragnarök alle Anstrengungen gemacht haben, sämtliche Anhaltspunkte und Unterlagen zu vernichten und sicherzustellen, daß nichts von Wichtigkeit zurückgeblieben ist. Nichtsdestoweniger ...«

Um die Mittagszeit des 4. Februar hatten sie die Leichen der Angestellten des Lambton-Landbesiedlungsprojekts und ihrer Familien. Sieben ältere Männer, neun Frauen, zwei Mädchen und zwölf Jungen lagen Seite an Seite auf dem gefrorenen Boden. Schweigend lud man sie auf Lastwagen und schickte sie auf den langen Weg zur Küste, von wo sie zu angemesseneren Begräbnisfeierlichkeiten nach den Vereinigten Staaten eingeschifft werden sollten.

Als die Wagenkolonne hinter einer Wegbiegung verschwunden war, stand Hoskins im Kreise der anderen auf der kleinen Lichtung mitten im dichten Gebüsch, wo sie Frau Kreigmeiers Ehemann hingeführt hatte. Ein kalter Nordwind blies, und die Männer der Miliz in den Panzerwagen, die sie eskortiert hatten, schlugen ihre Hände zusammen, um sie zu wärmen.

Hoskins sah, daß Kreigmeier trotz der Kälte heftig schwitzte. Es konnte kein Zweifel daran bestehen, daß er zumindest ein Agent Ragnaröks gewesen war. »Wenn jemals ein Kerl es verdient hat, aufgehängt zu werden ...«, dachte Hoskins.

Aber sie hatten ihr Versprechen gegeben; die Plakate hatten es hoch und heilig versichert: Geld, Straffreiheit und unbegrenzter Polizeischutz. Doch vielleicht würde ihn Ragnarök trotzdem erwischen.

Der General kam heran. »Die Leute mit den Schaufeln werden sich um den Rest kümmern, meine Herren«, sagte er. »Gehen wir. In der Wärme eines Hotelzimmers können wir besser denken. Dort können Sie die weiteren Schritte erwägen und über die bisherigen Erfolge nachsinnen, wie auch« – er sah rasch zu Hoskins – »über die Niederlagen.«

Es gab nicht viel zu untersuchen. Hoskins saß schweigend in einem Sessel vor dem knisternden Feuer im Kamin und las von neuem die Übersetzung des einzigen Schriftstücks, das sie aus der Asche gefischt und durch chemische Behandlung lesbar gemacht hatten:

Bewegung jeder Art erfordert eine gegensätzliche Bewegung, eine Annullierung, eine Herstellung des Gleichgewichts. Ein Körper, der sich zwischen zwei Punkten im Raum bewegt, benötigt Energie, die ein anderer Ausdruck für gegensätzliche Bewegung ist.

Die Wissenschaft der gegensätzlichen Bewegung verkörpert in ihren bedeutendsten Erkenntnissen eine Beziehung zwischen dem Mikrokosmos und dem Makrokosmos, zwischen dem unendlich Kleinen und dem unendlich Großen.

Wenn zwischen zwei Kräften des Makrokosmos das Gleichgewicht hergestellt ist, verliert die eine, was die andere gewinnt.

Maschinen stampfen geräuschvoll; organische Wesen gehen mühsam ihren Pflichten nach. Das Leben scheint unendlich hart und schwierig zu sein.

Doch wenn für jede Bewegung im Makrokosmos eine Bewegung im Mikrokosmos erzeugt wird, dann ist die ultimate Energiebeziehung erreicht. Ein weiteres Resultat ist das vollkommene Gleichgewicht, das damit hergestellt wird; das Gesetz, daß Bewegung und gegensätzliche Bewegung gleichgroß sind, gilt ebenfalls ...

»Ich hätte wenig Lust«, sagte Hoskins müde, »hierfür beim Patentamt um ein Patent nachzusuchen. Ich fürchte, wir haben das Ende des Weges erreicht, was den Motor betrifft, und das bedeutet, daß meine ursprüngliche Hoffnung, schnell handeln zu können, um Pendrake und seine Frau zu befreien, umsonst war. Das übrige Material hier« – er klopfte auf die schreibmaschinenbeschriebenen Blätter – »besteht aus Aufzeichnungen und Anmerkungen über technische Probleme des Einbaus der Maschine. Irgendwo hier existiert eine riesige Lücke, und ich vermute, sie ist das Loch in dem leeren Sack, den wir halten.«

Er sah auf. »Irgendwelche Neuigkeiten aus Hohenstein?«

»Nichts«, erwiderte Cree Lipton. »Es war offensichtlich nur ein Anlegehafen für Raumschiffe, der bei Beginn unserer Suche hastig evakuiert wurde. Ihre Hauptanlagen und alle ihre Geheimnisse sind zweifellos auf Mars oder Venus zu suchen ...«

Hoskins warf ein: »Auf dem Mond! Übersieh nicht das Nächstliegende, Cree. Mars oder Venus wären selbst bei ihrer größten Annäherung an die Erde zu weit entfernt. Darüber hinaus würden sie es nicht wagen, ihren jungen Männern und Frauen einen solchen Planeten vor Augen zu führen, wie es die Venus sein muß, wenn man glauben darf, was das Lambton-Landbesiedlungsprojekt seinen Siedlern versprochen hat. Was die Führer der Ragnarök-Organisation im Sinn haben, ist die Erlangung von Geld und Macht und die Übernahme der Herrschaft über die großen Nationen, in Gestalt einer im Verborgenen tätigen Schattenregierung. Der Name an sich bringt dieses Ziel bereits klar zum Ausdruck: Götterdämmerung, der Sturz der herrschenden Götter, der existierenden Weltordnung, die Erschütterung des globalen Gleichgewichts. Ein Prozeß, der durch die Spannungen unserer Zeit äußerst begünstigt und früher oder später vermutlich zwangsläufig von selbst eingetreten wäre, wird von einigen genialen, kriminellen Elementen zu ihrem eigenen Vorteil benützt und in der Tat künstlich herbeigeführt und künstlich beschleunigt. Das ist nicht dasselbe. Würde die Renaissance natürlich ablaufen, so hätte die Menschheit die Chance einer besseren Zukunft. So jedoch fällt sie einer Macht zum Opfer, die schlimmer sein wird als die Nazis oder die Kommunisten, weil sie nämlich über keine Ideologie verfügt, die im Laufe der Zeit bald zu Widersprüchen Anlaß geben und damit zur Schwächung von innen führen würde. Und solange dieses Ziel nicht erreicht ist, werden die Anführer ihr möglichstes tun, ihren untergeordneten Rängen eine Diät aus schwerer Arbeit, harten Lebensbedingungen und viel Hoffnung zu füttern. Sie haben noch nicht genügend Zeit gehabt, um sich hier oder irgendwo im Weltraum solide Stützpunkte zu errichten. Ich halte es deshalb für das Beste, wenn wir beide unverzüglich in die Staaten zurückkehren. Wir haben eine ganze Menge zu tun.«

*

Es war drei Tage später.

Präsident Dayles befand sich auf dem Weg nach Mountainside in Kalifornien. Er saß im Helicar neben Cree Lipton und hörte sich den Bericht über die Ragnarök-Bewegung an. Als Lipton damit schloß, daß er dringend um Personal und Geld nachsuchte, um unverzüglich zum Mond aufzubrechen, gab er seine Zustimmung.

»Ja, ja«, sagte er. »Das läßt sich machen. Wir haben die Satelliten oben und sind bereits einige Male auf dem Mond gelandet. Jeder einzelne Flug hat phantastische Summen gekostet, doch da es sich hier darum handelt, der weltweiten Gefahr Einhalt zu bieten, die diese Verbrecherorganisation darstellt, werde ich es rechtfertigen können, Gelder des Verteidigungshaushalts dafür abzuzweigen. Lassen Sie so viele Weltraumraketen aus den Arsenalen holen, wie Sie brauchen. Wir haben sie damals eingemottet, als wir endlich mit den Sowjets übereinkamen, daß das Universum dort oben tatsächlich riesengroß ist, jedoch so lange keinen praktischen Wert für uns hat, wie wir nicht in der Lage sind, hinauszufliegen, ohne unsere Länder in den Bankrott zu stürzen. Die großen Trägerraketen kosten einfach zuviel.«

Er fuhr bedauernd fort: »Diejenigen jedoch, denen es gelungen ist, eine bessere Methode zu finden, haben uns nicht für reif genug gehalten, ihre Erfindung richtig anzuwenden. Doch dann stießen sie auf gewisse Elemente, die – im Wahnsinn des Machthungers verstrickt – gerade auf so etwas gewartet hatten. Wir leben in einer verrückten Welt, Mr. Lipton.«

Kay, die schweigend zugehört hatte, warf jetzt ein: »Mr. Lipton, sagten Sie, daß es eine der Absichten Ihres Mitarbeiters, Mr. Hoskins, ist Jim Pendrake und seine Frau aus der Gewalt der Ragnarök-Agenten auf dem Mond zu befreien?«

»Ja.« Der großgewachsene Mann schien etwas überrascht.

Eine Pause trat ein. Der Präsident und seine Sekretärin tauschten einen raschen Blick aus. »Erzählen Sie uns mehr darüber«, sagte Präsident Dayles schließlich.

Lipton kam der Aufforderung nach und schloß dann: »Als wir Mrs. Pendrakes Verschwinden unter die Lupe nahmen, fanden wir, daß ein Flugzeug auf dem Landsitz gelandet und daß sie damit abgeflogen war. Die Nachricht, die sie hinterließ, die Art und Weise ihrer Abreise, und die Beschreibung der Flugeigenschaften der Maschine, die fast senkrecht in die Höhe stieg, deuten darauf hin, daß sie regelrecht entführt wurde – und zwar von jemandem, der diese betreffende Flugmaschine besitzt.«

Der Präsident wandte sich an Kay. »Kannst du mir erklären, warum ich über Mrs. Pendrakes Verschwinden nicht informiert worden bin?«

Die Frau zuckte die Achseln. »Millionen von Nachrichten treffen im Pentagon ein. Nur ein geringer Bruchteil davon gelangt jemals ins Weiße Haus.«

Präsident Dayles preßte nachdenklich die Lippen zusammen. Dann sagte er: »Nun, demnach befindet sich Mrs. Pendrake also vermutlich auf dem Mond. Doch wieso ist anzunehmen, daß auch Mr. Pendrake den Flug unternommen hat?«

Lipton berichtete über die Botschaft von Mrs. Pendrake, die besagt hatte, daß ihr Ehemann zu den Lambton-Türmen gegangen war. Er schloß: »Da diese Bauwerke, wie wir herausgefunden haben, von den Ragnarök-Verschwörern besetzt und übernommen worden sind, können wir füglich annehmen, daß Pendrake entweder in Gefangenschaft geraten ist oder umgebracht wurde. Wenn das erstere zutrifft, liegt es nahe, daß man ihn von diesem Planeten entfernt hat. Mr. Hoskins ist persönlich am Wohlergehen der Pendrakes interessiert. Die beiden Männer haben Seite an Seite in Vietnam gekämpft.«

Präsident Dayles, der ebenfalls am Wohlergehen James Pendrakes interessiert war, nickte nur.

Die Dokumente, die den amerikanischen Streitkräften den Befehl gaben, im geheimen alle Vorbereitungen für eine Invasion des Mondes zu treffen, wurde in einem winzigen Büro im Gasthof Mountainside von einem verkleideten Präsidenten unterzeichnet.

Als Lipton gegangen war, sagte Kay: »Eine ganze Menge von Fragen bleibt unbeantwortvet. Wenn Pendrake tatsächlich zum Mond gebracht wurde, wie konnte er Ragnarök entkommen? Wie ist er wieder zur Erde gelangt?«

11

Pendrake erwachte. Es war kein sonderlich bemerkenswerter Vorgang. Wo bis jetzt Leere geherrscht hatte, war plötzlich Licht. Er lag unbeweglich. In seinem Bewußtsein war nichts, was darauf hindeutete, daß er einen Namen besaß und daß etwas mit seiner gegenwärtigen Situation nicht stimmte. *Er* befand sich hier. Er lag lang ausgestreckt und war seiner selbst gewahr.

Lange Zeit gab es nichts anderes. Er hatte keinen anderen Lebenszweck, als den, einfach hier zu sein. Er lag und starrte zu einer Decke empor, die von hellblauer Farbe war. Sie stellte nicht den hellsten Bereich in seinem Universum dar, und deshalb wurden seine Augen allmählich zum Fenster gezogen, durch das Licht in blendender Fülle einfiel.

Wie ein Kind, das von einem glänzenden Lichtreflex völlig gefesselt wird, so streckte er langsam den Arm aus und langte nach dem Fenster. Der unüberbrückbare Abstand wies ihn zurück. Doch noch im selben Moment spielte das keine Rolle mehr, denn er begann sich für seinen tastenden Arm zu interessieren. Er erkannte ohne weiteres, daß der Arm ein Teil von ihm war. Sobald er seinen instinktiven Griff nach dem Licht einstellte, begannen die tragenden Muskeln im Arm zu erschlaffen. Der Arm fiel aufs Bett zurück. Und da sein Blick der Bewegung des Gliedes gefolgt war, wurde er jetzt zum erstenmal des Bettes gewahr. Er war noch immer dabei, es halb aufrecht sitzend in Augenschein zu nehmen, als das Geräusch näherkommender Schritte in sein Bewußtsein drang.

Das Geräusch klang in seinen Ohren völlig normal, als ob es schon immer dagewesen wäre. Der Unterschied bestand nur darin, daß er geistig plötzlich in zwei Teile geteilt war. Der eine Teil blieb im Bett liegen. Der andere sah die Welt durch die Augen eines

Mannes, der in einem benachbarten Zimmer auf die Tür zum Schlafzimmer zukam.

Er wußte, daß die andere Wesenheit ein Mann war und daß es sich um die Schlafzimmertür handelte und daß er im Gehen begriffen war, weil diese Tatsachen für den zweiten Teil seines Geistes reale Vorgänge des Lebens bildeten. Der zweite Geist war noch weiterer Dinge gewahr; er nahm die Umwelt mit derartiger Tiefe und Schnelligkeit in sich auf, daß er im gleichen Augenblick, als sich die Tür öffnete, bereits die Beine aus dem Bett schwang und wie beiläufig sagte:

»Hole mir meine Kleidungsstücke, Peters, ja?«

Peters' Gehirn nahm den Schock über die überraschende Aufforderung ohne die geringste Erschütterung hin. Er ging hinaus, und Pendrake sah das Gedankenbild eines Kleiderschranks, in dem Peters herumsuchte. Er kehrte zurück und blieb an der Tür stehen, offensichtlich erst jetzt zu einem eigenen Gedanken fähig. Er war ein kleiner Mann in Hemdsärmeln, der eine Menge Kleidungsstücke in den Armen hielt. Er spähte über sie hinweg und sagte betroffen: »Mensch, Bill, du kannst noch nicht aufstehen. Vor einer halben Stunde, als wir das Fräulein hier drin erwischten, warst du noch immer bewußtlos.« Er fügte besorgt hinzu: »Ich werde den Doktor holen und dir etwas heiße Brühe besorgen. Nach der Art und Weise, wie du uns aus dem Zuchthaus herausgebracht hast, werden wir es nicht darauf ankommen lassen, daß dir etwas zustößt. Leg dich wieder hin, ja?«

Pendrake zögerte, als der andere die Kleidungsstücke auf einen Stuhl legte. Das Argument erschien vernünftig genug, doch irgendwie nicht völlig ihn selbst betreffend. Nach einem Moment des Zögerns gab er es auf, den wunden Punkt zu finden, dessen Existenz er erahnte. Er zog die Beine unter die Bettdecke zurück und sagte: »Wahrscheinlich hast du recht. Doch die Tatsache, daß jene Frau bis in diesen Raum eindringen konnte, bevor wir sie entdeckten, hat mir zu denken gegeben. Es scheint, daß unser Versteck hier nicht sicher genug ist.«

Er brach mit einem Stirnrunzeln ab. Mit blitzartiger Plötzlichkeit erkannte er, daß er erst in dem Moment begonnen hatte, sich darüber Gedanken zu machen, als Peters auf der Szene erschien, und daß sein geistiger Zustand vorher tatsächlich ... anders gewesen war. Aber wie? Er schickte seinen nüchternen Verstand zu jenem Augenblick zurück, in dem er das Bewußtsein erlangt hatte. Es war erstaunlich schwierig, ein Bild von sich selbst in jenem ersten Moment zu gewinnen, als absolute Leere in seinem Gehirn geherrscht hatte. Um im nächsten Augenblick sofort das gesamte Bewußtsein Peters' mit allen seinen Ängsten und emotionellen Bausteinen in sich aufzunehmen. Das so außerordentlich Erstaunliche hierbei war, daß sein Gedächtnis Peters' vollständiges Gedankengut und sämtliches Wissen aufnahm, doch nichts anderes. Vor allem nichts von und über sich selbst.

Er blickte den Mann an. Die rasche, doch tiefgehende Prüfung durchkämmte alle Erinnerungen in Peters' Gedächtnis und ging zurück durch die Entwicklungsgeschichte eines dicken, dummen Jungen, der gerne Mechaniker werden wollte. Er hatte nicht den geringsten Grund dafür gehabt, sich dem Mob beizugesellen, der den Frauenumzug angegriffen hatte. Und die eigentliche Tumultszene war derart verwischt und undeutlich, der darauf folgende Gerichtsprozeß ein solcher Alptraum, daß kein einziges klares Bild durchkam. Die Angst war während der Flucht in aufgeregtes Hoffen übergegangen, und deshalb verfügte sein Gedächtnis über genügend klare und deutliche Einzelheiten über den Ausbruch, der drei Tage vor der geplanten Massenhinrichtung stattgefunden hatte.

»Und ich soll das tatsächlich alles getan haben?« dachte Pendrake ungläubig.

Doch die Tatsachen waren fest und unzweifelhaft in Peters Erinnerungen an das Unternehmen eingezeichnet. Er hatte das Radio in seiner Zelle auseinandergenommen und mit anderen Radioteilen, die ihm aus anderen Zellen zugereicht wurden, daraus zusammengebaut, das einen weißen Lichtstrahl erzeugte. Der Lichtstrahl fraß sich durch Beton und Stahl hindurch, als ob die Materialien überhaupt nicht existiert hätten. Ein Wärter, der ihn dabei überraschte, hatte entsetzt aufgeschrien, als sich die Pistole in seiner Hand auflöste und die Kleider an seinem Körper verzehrt wurden, ohne ihm selbst Schaden zuzufügen.

Die Natur der Waffe und die Ausbruchsweise, die sie ermöglichte, brachten es mit sich, daß die durch die Schreie des Wächters herbeigerufenen Verstärkungen wirkungslos blieben. Niemand hatte damit gerechnet, daß die Gefangenen durch solide Stahlbetonwände brechen könnten. Die Wagen befanden sich am verabredeten Treffpunkt, und die Flugzeuge standen in einem Wäldchen dicht neben der Wiese versteckt, von der sie dann starteten.

Alle diese Einzelheiten befanden sich in Peters' Gedächtnis, wie auch die Erinnerung, daß der Mann, der unter dem Namen Bill Smith bekannt war, von einer Maschinengewehrkugel getroffen worden war, als die Wagen vom Zuchthaus davonrasten. Er war mehrere Tage lang bewußtlos gewesen und erst jetzt erwacht.

Pendrake sann über die Geschichte nach, als Peters davoneilte, um die Suppe zu holen. Er kam schließlich zu der Überzeugung, daß er von den übrigen Menschen hier verschieden war. Bereits eine sehr flüchtige Analyse von Peters' Gedankengut hatte gezeigt, daß Gedankenlesen und das völlige Aufsaugen des Geistes eines anderen Menschen in Peters' Lexikon des Lebens nicht existierten. Er war dabei, langsam seine Suppe zu schlürfen, als Dr. McLard hereinkam. Ihn erstmalig Angesicht zu Angesicht vor sich sehend, statt sich auf das Gedankenbild in Peters' Erinnerungen stützen zu müssen, stellte Pendrake fest, daß der Arzt ein dürrer, kleiner Mann von etwa fünfundreißig Jahren war und scharfe braune Augen hatte. Die Geschichte hinter dieser physischen Fassade war weitaus reicher und verwickelter, als die Peters', doch die im Augenblick für Pendrake sachdienlichsten Erinnerungsstücke waren einfacher Natur. Vormals ein Beamter des Gesundheitsamtes, war McLard wegen unsorgfältiger Arbeit zum Rücktritt gezwungen und durch eine Ärztin ersetzt worden. Am bewußten Dezemberabend hatte er daraufhin im fortgeschrittenen Zustand der Armut und Trunkenheit an dem Überfall auf die marschierenden Frauen teilgenommen.

Seine Untersuchung war die eines völlig verblüfften Mannes. »Dies übersteigt meine Kenntnisse«, gestand er schließlich. »Vor drei Tagen habe ich eine Maschinengewehrkugel aus Ihrer Brust herausgeschnitten, und seit vierundzwanzig Stunden ist nicht die geringste Wunde oder Narbe mehr zu sehen. Wenn ich nicht genau wüßte, daß es unmöglich ist, müßte ich annehmen, daß Sie völlig gesund sind.«

Darauf gab es nichts zu antworten. McLards Geist war so mühelos in seinen geschlüpft und sein ganzes Gedankengut hatte sich derart vollständig mit seinem von Peters gewonnenen verbunden, daß es bereits jetzt schwer war, sich vorzustellen, daß das ganze Wissen nicht schon immer in ihm gewesen war.

Später dachte er mit gerunzelter Stirn über die Frau nach. Sie war in einem Zimmer gewesen und hatte sich gerade über ihn gebeugt, als sie gestellt wurde, Wie sie sagte, war sie einfach »hereingekommen«. In das Versteck wachsamer, gejagter Geächteter, die sie nicht gesehen hatten!

Es schien lächerlich. Im ungewissen darüber, was sie mit ihr machen sollten, hatten sie die Männer schließlich in einen der unbenützten Räume der Ranch gesperrt. Es war seltsam, daß ihre Gedanken in dem wildwogenden Meer der Gedanken der Männer völlig unauffindbar blieben. Nicht ein einziges Mal erhaschte er auch nur den Faden eines Geistes, der zu einer Frau gehören mochte.

Als ihn der Schlaf übermannte, rätselte Pendrake noch immer an dem Problem herum, das sie darstellte.

12

Er erwachte in tiefster Finsternis und wußte sofort, daß sich jemand anderes im Zimmer befand.

»Still!« flüsterte die Stimme der Frau in sein Ohr. »Das hier ist eine Pistole.«

Es war jedoch nicht die Waffe, die ihn lähmte, sondern die Tatsache, daß er auch jetzt nicht den geringsten Schimmer ihrer Gedanken erhaschen konnte. Sein Verstand kehrte zu seiner früheren Überlegung bezüglich dieses Phänomens zurück und sah sich schließlich genötigt, eine ebenso einfache, wie überraschende Schlußfolgerung zu formen: *Die Gedanken von Frauen konnte er nicht lesen!*

Ausdruckslos fragte er: »Was willst du?«

Metall preßte sich in der Dunkelheit gegen seinen Kopf. Dann ließ sich die Frau wieder hören. »Nimm deine Kleidungsstücke – anziehen kannst du sie nachher – und taste dich langsam zur Tür deines Kleiderschranks. An seiner Rückwand befindet sich eine offene Täfelung, hinter der eine Treppe abwärtsführt. Steige die Stufen hinunter!«

Verwirrt griff er in die Dunkelheit nach seinen Kleidungsstücken. Er dachte dabei: Wie hatte sie es fertiggebracht, aus ihrem Raum zu entkommen? »Ich wünschte«, raunte er rauh, »die anderen hätten dich sofort umgebracht, statt es sich so lange zu überlegen, du . . .«

Er brach ab, denn die Pistolenmündung preßte sich gegen seinen Rücken und trieb ihn weiter.

»Ruhig!« kam das verächtliche Flüstern. »Die Wahrheit ist, Jim, daß man dir ein paar Tatsachen über dich selbst mitteilen wird, bevor die Truppen ihren Angriff auf uns starten, was sehr bald geschehen wird. Doch, bitte, beeile dich jetzt.«

»Wie hast du mich genannt?«

»Vorwärts!«

Er ging langsam und tastend, doch seine Gedanken stürzten sich auf die Erkenntnis, daß sie ihn kannte – eine Tatsache von unvorstellbarer Tragweite. Diese Frau, die sie gefangengenommen hatten, diese – wie hatte sie sich genannt? – Anrella Pendrake *kannte* seine wirkliche Identität!

Er hatte die halbgeformte Absicht gehabt, sich in der Dunkelheit auf sie zu stürzen und sich ihrer Pistole zu bemächtigen. Doch ihre Worte bewogen ihn jetzt, sein Vorhaben aufzugeben.

Er hatte Mühe, sich durch die schmale Öffnung in der Täfelung hindurchzuquetschen. Dahinter kam eine Wendeltreppe, die mit hohen Stufen in die Tiefe führte. Nach der ersten Windung kamen sie zum Beginn einer Reihe von mattglühenden Leuchtkörpern, deren phosphoreszierender Schein den Geheimgang wirklicher und natürlicher werden ließ. Erst jetzt wurde ihm das Eigenartige seiner Situation voll bewußt. Was ursprünglich als ein altes Ranchhaus erschienen war, in das sich siebzehn verurteilte Mörder geflüchtet hatten, entpuppte sich jetzt als ein Bauwerk, das von einem Wabennetz von Geheimgängen und Geheimtüren durchzogen war. Es konnte unter keinen Umständen reiner Zufall sein.

Nur ein rascher Griff nach ihren Beinen, dachte er.

»Jim!« sagte sie eindringlich. »Ich schwöre dir, daß die Gefahr in der ihr alle euch befindet, durch unser augenblickliches Tun um keinen Deut erhöht wird. Wenn du dir vor Augen hältst, daß es unsere Organisation war, die euch jene Autos und Flugzeuge zur Verfügung gestellt hat, als ihr aus dem Zuchthaus ausbracht, dann müßtest du ...«

»Was?« Er blieb empört stehen. »Hör mal, diese Wagen und Flugzeuge waren uns von einem Freund von ...«

»Eine Einzelperson, die vier Autos und zwei Flugzeuge hergibt? Sei kein Narr.«

»Aber ...«

Er brach ab, durch ihre Logik mundtot gemacht. Dann sagte er: »Du nanntest mich schon wieder Jim. Jim ... was noch?«

»Jim Pendrake.«

»Aber dein Name ist Anrella Pendrake!«

»Stimmt. Du bist mein Mann. Jetzt steige endlich die Treppe hinunter!«

»Wenn du meine Frau bist«, gab Pendrake unverfroren zurück, »kannst du es damit beweisen, daß du mir die Pistole gibst und mir vertraust. Gib sie mir.«

Die Waffe wurde so rasch an seiner Schulter vorbeigereicht, daß er überrascht mit den Augen blinzelte; dann griff er behutsam nach ihr, in der halben Erwartung, daß sie ihm wieder entzogen werden würde. Doch nichts dergleichen geschah. Seine Finger umspannten sie; ihre Finger gaben sie frei. Er stand reglos mit der Pistole in der Hand, zutiefst über die Leichtigkeit seines Sieges verblüfft und sich gleichzeitig bewußt, daß ihm jetzt jede Möglichkeit einer Gewaltanwendung genommen war.

»Bitte steige hinunter«, kam die Stimme der Frau erneut.

»Aber wer ist Jim Pendrake?«

»Das wirst du in ein paar Minuten erfahren. Bitte, gehe jetzt.«

Er ging. Sie stiegen hinab, und je mehr Zeit verstrich, desto endloser kam ihm die Treppe vor. Zweimal passierten sie massive Stahlplatten, die waagrecht angeordnet waren und bis zu den Wänden des Treppenschachts hinausreichten wie Panzerdecks in einem schweren Schlachtschiff. Die Stärke der Platten erstaunte Pendrake aufs äußerste. Zwanzig Zentimeter. *Jede!*

Dies war eine Festung!

Das Ende der Treppe kam plötzlich. Ein enger Korridor, eine Tür, und dann ein heller Lichterschein, ein großer Saal, der mit Maschinen aller Art angefüllt war. Es gab Türen, die zu anderen Räumen gingen, glänzende Wendeltreppen, die weiter hinabführten und weitere Stockwerke mit Sälen voller Maschinen in der Tiefe vermuten ließen. Die Last, die bisher auf seinem Bewußtsein gelegen hatte, hob sich – die lähmende Überzeugung, daß es für ihn und Peters und die anderen keine Fluchtmöglichkeit mehr gab, begann an Halt zu verlieren. Hier, in den Kasematten dieser unterirdischen Welt, bot sich sichere Zuflucht!

Er spürte die Welle neuen Lebens, neuer Hoffnung. Sein Blick wanderte von Maschine zu Maschine. Seine Wahrnehmung drängte danach, die Zeichen menschlicher Tätigkeit aufzunehmen. Er hatte Zeit zu der Überlegung, daß selbst die Gedanken von Peters und den anderen in diese metallisch abgeschirmten Tiefen nicht einzudringen vermochten.

Zu seiner Rechten öffnete sich in der Wand eine Tür. Drei Männer traten heraus. Der physische Akt ihres Erscheinens spielte jedoch kaum eine Rolle. Im gleichen Augenblick, als die Tür aufging, wurde er von ihren Gedanken überströmt.

Es war eine kleine Flut von Bildern und Ideen über ihn, seine Vergangenheit und sein Leben.

Durch diesen Tumult der geistigen Eindrücke hörte er einen der Männer zur Frau flüstern: »Gab's Ärger?«

»Nicht den geringsten«, entgegnete sie. »Alle unsere Vorsichtsmaßregeln erwiesen sich als unnötig. Ihre Suche war nur oberflächlich. Sie sprachen zwar ohne rechte Überzeugung davon, mich zu beseitigen, aber das hätte ich natürlich jederzeit verhindern können. Kein einziger von ihnen kam auf die Idee, die Knöpfe meiner Kleidung zu untersuchen. Aber sie sind ja im Grunde auch keine Kriminelle ... Doch wir wollen jetzt still sein, damit er ungestört übernehmen kann, was in euren Gedanken ist!«

Das Bild, das in den Gedanken der Männer entstand, war zeitlich begrenzt, wie ein Film. Es begann in dem Augenblick, als Nypers das erstemal Verdacht in ihm säte. Und es endete hier in dieser Festung mit einem gefahrvollen Plan. Sie kannten nur wenige Einzelheiten seines bisherigen Lebens.

Pendrake brach das Schweigen mit gepreßter Stimme. »Habe ich das so zu verstehen, daß Peters, McLard und ich mit Kelgar, Rainey und den anderen dort oben über Tage festgehalten werden, während die Streitkräfte der Vereinigten Staaten alle Anstrengungen machen, uns zu fangen? Und daß ihr untätig dabeistehen und zusehen werdet, wie wir einen Ausweg zu finden versuchen, ohne daß ihr uns helft?«

Er sah, daß seine — Frau — mit leichtem Lächeln nickte.

Ihre Belustigung verschwand. Ihre Augen wurden hell und seltsam mitfühlend. »Du stehst im Rampenlicht, Jim. Du mußt noch mehr fertigbringen als bei deinem Ausbruch aus dem Zuchthaus. Es bleibt dir nichts übrig, als dich buchstäblich an deinen geistigen Haaren aus dem Sumpf zu ziehen und für eine Weile ein Supermann zu werden. Du befindest dich jetzt in der letzten Phase deiner endgültigen Umwandlung. Zu welchem Zustand du dich jetzt auch immer erheben wirst — er wird permanent sein und keine weiteren Veränderungen mehr durchmachen.«

Ihre Augen wurden auf einmal feucht. Sie griff impulsiv nach seinem Arm. »Jim, verstehst du nicht? Wenn wir jetzt schwach werden und nachgeben, würden wir dich und alle jene anderen Menschen dort draußen in dieser armen, verwirrten Welt im Stich lassen und enttäuschen ... Jim, wir haben den Entschluß gefaßt, daß niemand von uns am Leben bleiben wird, wenn du versagst. Unser Schicksal ist also mit deinem eng verstrickt. Paß auf, hier unter Tage befindet sich eine wunderbare Werkstatt. In wenigen Minuten werden die männlichen Wissenschaftler in unserer Organisation einer nach dem anderen hier hereingebracht werden – und du kannst alle die unglaublichen Kenntnisse in ihrem Geist nehmen und sie zu deinen eigenen machen. Es tut mir leid, daß du die Gedanken von Frauen nicht lesen kannst, denn wir haben auch einige brillante weibliche Wissenschaftler.«

Sie führte ihn zu einem Stuhl, ließ sich ihm gegenüber nieder und sagte:

»Jim, wir Totipotente – du und ich und ein paar andere – sind eine Zufallserscheinung, die damit begann, daß eine phantastische Maschine gefunden wurde, die vom Himmel gekommen war. Jeder von uns kann alle paar Monate einer anderen Person mit der gleichen Blutgruppe Blut abgeben und sie dergestalt befähigen, ebenfalls ihre Jugend zurückzugewinnen und zu erhalten. Doch ist noch niemand von den Empfängern als Folge der Transfusionen totipotent geworden. Dies fesselt sie mit übermenschlich starken Banden an uns, denn sie brauchen immer wieder neue Bluttransfusionen, um nicht von neuem zu altern.

Wenn du bedenkst, daß jeder Totipotente wenigstens doppelt so viel Gehirnkapazität besitzt wie ein normaler Mensch, kannst du sehen, daß wir den Anfang eines bevorstehenden Durchbruchs zu etwas Neuem, Größerem für die menschliche Rasse darstellen. Zum Beispiel ist es uns gelungen, die Geheimnisse der Lambton-Maschine zu enträtseln. Niemandem sonst wird das jemals gelingen. Die Ragnarök-Agenten haben mehr als achtzig Prozent unserer Maschinen geraubt, und das war eine riesige Menge – doch das ist alles, was sie haben. Aber selbst unsere jetzige Gehirnkapazität ist nur ein Bruchteil von der, die möglich wäre. Wir wissen das deshalb, weil einige von uns während jener grauen, erinnerungslosen Monate, die die totipotente Periode bilden, bis zu zwanzigmal so viel Kapazität wie ein normaler Mensch erreicht haben.

Paß auf, ich erzähle dir meine eigene Geschichte, mein eigenes Beweismaterial. Ich wurde im Jahr 1896 geboren und erlernte den Beruf einer Krankenschwester. Als solche diente ich im ersten Weltkrieg. Eine Hochbrisanzgranate riß meinen rechten Arm ab. Es muß der Schlamm gewesen sein, der mich vor dem Verbluten rettete. Tagelang lag ich hilflos und verlassen in dem Graben, und beachte bitte in diesem Zusammenhang besonders, daß wir von niemandem wissen, der — als er totipotent wurde— nicht unter Druck und Spannung gestanden hätte. Das ist unser einziger Anhaltspunkt. Ein Körper, dem sofortige ärztliche Hilfe geleistet wird, kann nicht totipotent werden. Zu jener Zeit passierte natürlich gar nichts, aber später, als ich unter Lambton an einem Forschungsprogramm arbeitete, wurde ich dem Einfluß der Maschine ausgesetzt. Als Folge davon wuchs mir ein neuer Arm, und ich wurde wieder jung.«

»Woher war die Lambton-Maschine gekommen?« fragte Pendrake.

»Das«, gestand die Frau, »ist das große Rätsel. Mr. Lambton behauptete, daß sein Großvater um 1870 herum in der Maschine tot aufgefunden worden wäre. Er hatte versucht, damit auf dem Gelände der Familienfarm zu landen, doch die Maschine war offenbar zu hart auf den Boden aufgeschlagen. Er mußte im letzten Augenblick erkannt haben, was passieren würde, denn er riß die Tür auf und versuchte hinunterzuspringen. Die Geschichte berichtet, daß er halb drinnen, halb draußen war, als man ihn tot auffand. Als sie den leblosen Körper herauszogen, schlug die Tür der Flugmaschine automatisch zu und ließ sich von außen nicht wieder öffnen. Sie war nicht übermäßig schwer, so daß sie sie in den hintersten Winkel einer Scheune zerren konnten, wo sie laut Mr. Lambton für die nächsten drei Viertel eines Jahrhunderts ungestört lag. Als sie schließlich das alte Gebäude niederrissen, fanden sie das Gerät; er erinnerte sich der alten Geschichten und ließ die Maschine zu seiner Stiftung transportieren. Dort entdeckte daraufhin Dr. Grayson, worum es sich handelte.«

Sie fuhr nach einer kurzen Pause fort: »Während der zweiten Phase meiner totipotenten Periode erfand ich eine kleine wasserabstoßende Metallplatte. Wenn man sich je eine davon unter den Sohlen der Schuhe befestigte, konnte man auf dem Wasser gehen. Wir sind uns noch immer nicht ganz sicher, wie sie funktionieren. Wir nehmen an, daß ich mich in jenem Moment in der Gefahr befand, den Ertrinkungstod zu erleiden, aber selbst das wissen wir nicht genau. Es ist uns nicht gelungen, sie nachzubauen, obwohl sie anscheinend aus gewöhnlichen Materialien gemacht sind, wie man sie an Bord jedes Schiffes findet. Das ist das Wunderbare an der Sache. Diese riesige Welt der Menschen mit all ihren unzähligen großen Erfindungen braucht anscheinend nicht mehr als einen etwas schärferen Verstand, der in der Menge der vor uns ausgebreiteten alltäglichen Dinge die richtigen Zusammenhänge sieht. Schulbildung und Berufsausbildung sind ein Ersatz dafür, aber kein sehr guter.

Jim, du kennst deine Aufgabe. Über Tage wirst du eine Anzahl von Maschinen finden. Motoren, Werkzeuge, elektrische und elektronische Geräte und Instrumente, von fast allem etwas. Jene zwölf Nebengebäude der Ranch sind angefüllt mit Dingen, die auf den ersten Blick wie wertloser Plunder, Altmetall und sonstiger Trödel aussehen, es jedoch nicht sind. Nimm alles in Augenschein und versuche, in Gedanken neue Zusammenhänge, neue Kombinationen aus diesen alten Formen entstehen zu lassen. Sobald du etwas entdeckt hast, tritt mit den Männern hier unten in Verbindung. Sie werden für dich in kürzester Zeit alles bauen, was du willst.

Jim, wir haben mit idealistischer Hilfsarbeit schlechte Erfahrungen gemacht. Freundliches Entgegenkommen allein tut es anscheinend nicht. Wir wollen jedoch einen letzten Versuch unternehmen, bevor wir die Entscheidung treffen, ob wir die Menschen allein weiterwursteln lassen oder ob wir mit Gewalt eine schnellere Entwicklung der Zivilisation erzwingen sollen. Verstehst du mich?«

Als Pendrake zu seinem Schlafzimmer zurückgeführt wurde, schien es ihm, daß sie ihre Ziele gar nicht klarer hätte ausdrücken können.

Immer wieder wachte er in Angstschweiß gebadet auf. Zweimal versuchte er sich einzureden, daß er seinen Besuch in der Festung tief unter dem Ranchhaus nur geträumt hätte. Doch beide Male kam eine grimmigere Einsicht, die seinen Verstand für seine Illusionen schalt. Noch am Tag zuvor, als die Gefahr scheinbar noch in weiter Ferne war, hatte er seine Zeit mit der Hoffnung vertändelt, daß sie in dem Wüstenversteck tatsächlich absolut sicher wären. Doch jetzt wußte er es besser. Eine Armee von Panzern und Flugzeugen würde angreifen.

Seine Gedanken nahmen einen gewundenen Verlauf. Einmal erfüllte ihn für kurze Zeit ein ungläubiges Staunen: Diese zwanzigfache Gehirnkapazität des totipotenten Menschen ... das konnte unmöglich der IQ sein. Nur eine elektronische Denkmaschine würde einen IQ von 2000 haben können. Doch es gab andere Faktoren im Gehirn, die beeinflußt werden konnten. Wie war es zum Beispiel möglich, daß eine Person mit einem IQ von 100 oftmals doppelt soviel Persönlichkeit und Qualitäten hatte als eine Mißgeburt mit einem IQ von 160? Nein, das 20-Gehirn würde nichts mit dem IQ zu tun haben. Es wäre ... er konnte es sich nicht vorstellen.

Er mußte über diesem Gedanken eingeschlafen sein. Als er erwachte, war es noch immer dunkel, und er hatte einen Beschluß gefaßt. Er würde es versuchen. Er hatte zwar nicht den Eindruck, über neue, bessere Fähigkeiten schöpferischen Wirkens zu verfügen, aber er würde es versuchen.

Als der Morgen dämmerte, erhob sich vierzig Meilen von ihm entfernt Jefferson Dayles und blickte aus den Augenöffnungen seiner perfekten Fleischmaske hinaus aus dem Fenster des Gasthofs Mountainside. Alles, was in seiner Macht stand, war getan. Die bis ins kleinste gehende Planung, die detaillierten Sicherheitsvorkehrungen, die gewährleisten sollten, daß auch kein einziger Fluchtweg offen blieb – um all das hatte er sich persönlich gekümmert. Und jetzt mußten andere an die Verrichtung dieser Arbeit gehen, während ihm nichts weiteres zu tun übrig blieb, als hilflos im engen Geviert seines Zimmers auf und ab zu gehen und zu warten.

Die Tür hinter ihm öffnete sich, doch er drehte sich nicht um.

Die Schatten erstreckten sich lang und schwer auf dem Wüstenboden, aber die Bergzüge zur Rechten waren vor dem hellen Himmel deutlich sichtbar. Und zur Linken konnte er zwischen den verstreuten Joshua-Bäumen und Kakteen jenseits der Ortschaft die weißen Zelte der erwachenden Armee erkennen.

Kay sagte hinter ihm: »Ich bringe Ihnen Ihr Frühstück.«

Er trank den Orangensaft und aß die Nieren auf Toast, ohne ein Wort zu verlieren. Als er fertig war, sagte Kay: »Ich bin sicher, daß niemand von Ihrem Hiersein weiß.« Sie fügte einen Moment später hinzu: »Wir brechen in etwa einer Stunde auf. Es wird wenigstens drei Stunden dauern, um die vierzig Meilen durch den Sand zurückzulegen. Einige von unseren Spähern sind während der Nacht bis auf wenige hundert Meter an das Haus herangekommen, ohne angerufen zu werden. Sie haben jedoch ihre Befehle befolgt und sind nicht in den Innenhof eingedrungen.« Sie schloß: »Ich beginne mehr und mehr zu glauben, daß unsere Vorkehrungen übertrieben waren, doch stimme ich damit überein, daß es besser ist, auf Nummer Sicher zu gehen. Es kann kein Zweifel mehr bestehen. Wir müssen dieses Mannes habhaft werden, bevor wir es wagen können, an eine dritte Regierungsperiode auch nur zu denken.«

13

Die Kälte der Wüstennacht ging stufenlos in die kühle Morgendämmerung über, die langsam das graue Land erwärmte. Die Männer der Ranch waren schon früh auf. Sie verzehrten ihr Frühstück, ohne daß ein Wort fiel, hatten keine Einwände gegen Pendrakes Erklärung, daß sich die Gefangene von nun an unter seinem Befehl befand. Einige von ihnen begaben sich hinaus, um die Posten abzulösen, die während der Nacht auf den umliegenden Klippen und Sandhügeln Wache gehalten hatten. Nur einer oder zwei schienen tatsächlich etwas zu tun zu haben.

Die Atmosphäre war gespannt, nervös und unheilgeschwängert. Als sie die Tür des dritten Schuppens schlossen, sagte Anrella stirnrunzelnd: »Ich hätte mit Sicherheit erwartet, daß die Männer protestieren würden, als du verkündetest, daß ich dich heute auf allen deinen Wegen begleiten würde. Sie müssen sich sehr gewundert haben.«

Pendrake schwieg. Das Szepter der Führerschaft, das ihm übertragen worden war, verdutzte auch ihn. Mehrmals hatte er in den

Gedanken der Männer den Beginn einer Opposition entstehen sehen; doch jedesmal war der Widerstand gegen seine Autorität wieder spurlos versiegt. Er wurde gewahr, daß Anrella wieder sprach, diesmal etwas unbehaglich: »Ich wünschte, ich hätte dir nicht geraten, wieder einzuschlafen. Wir wollten, daß du für deine Aufgabe frisch und ausgeruht sein würdest. Doch gleichzeitig hielten wir es für richtig, dir soviel Zeit einzuräumen, daß du zumindest einen halben Tag zur Verfügung hast.«

Eigenartigerweise irritierten ihn ihre Worte ganz plötzlich. Er sagte scharf: »Meine Mittel zum Sieg sind zu begrenzt. Ur.d ich gelange mehr und mehr zu der Überzeugung, daß ich diese ganze Angelegenheit von der falschen Seite angreife. Was meinem Gefühl nach nicht stimmt, ist diese Grundregel, daß es etwas Maschinelles sein müßte. Ich sehe zum Beispiel mehrere Möglichkeiten, was alle die elektrischen Gerätschaften im letzten Schuppen betrifft. Die Verwendung des 999-plus Vakuums bietet eine Anzahl von Möglichkeiten, wenn man elektrische Spulen hinzunimmt, aber . . .«

Er sah sie finster an. »Sie haben alle einen fatalen Nachteil. Sie töten. Sie verbrennen und zerreißen. Ehrlich gesagt, lasse ich mich lieber aufhängen, als einen Haufen armer Soldaten umzubringen, die nur ihre Pflicht tun. Und ich kann dir bei dieser Gelegenheit auch gleich noch sagen, daß ich überhaupt von dieser ganzen Angelegenheit die Nase gestrichen voll habe.« Er winkte ungeduldig mit dem Arm ab. »Die ganze Sache ist einfach zu idiotisch für Worte. Ich beginne mich zu fragen, ob ich überhaupt bei gesundem Verstand bin.« Er runzelte ärgerlich die Stirn. »Ich möchte dich etwas fragen. Hast du die Möglichkeit, innerhalb kurzer Zeit ein Raumschiff hierher zu beordern, das uns alle an Bord nimmt und hier herausholt, ohne daß jemand sein Leben verliert?«

Anrellas Blick war ruhig, ihr Wesen gelassen. »Es ist noch viel einfacher. Wir könnten euch alle unter Tage in die Festung holen. Doch ein Raumschiff ist ebenfalls vorhanden. Zur Zeit schwebt eines etwa dreißig Kilometer über uns, eine größere Ausführung jener Maschine, die du für ein elektrisches Flugzeug gehalten hast. Ich könnte es augenblicklich herunterrufen. Aber ich tue es nicht. Dies ist der kritische Moment in einem Plan, den wir von dem Augenblick an geduldig haben reifen lassen, als wir zum ersten Mal von dir hörten.«

Pendrake schnappte ärgerlich: »Ich glaube auch nicht, daß ihr eure Selbstmorddrohung wahrmachen werdet. Das war nichts als ein weiterer Trick, mich unter Druck zu setzen.«

Anrella entgegnete weich: »Du bist müde, Jim, und stehst unter großer physischer Spannung. Ich schwöre dir bei meiner Ehre, daß ich dir die Wahrheit gesagt habe.«

»Was bedeutet gewöhnliche Ehre für eine Superfrau?«

Sie blieb ruhig. »Wenn du dir die Folgen deiner Weigerung überlegst, unsere Angreifer zu töten, wirst du erkennen, daß der Grund, warum alle unsere Unternehmungen derart richtig sind, darin besteht, daß unsere Absichten ehrenhafter Natur sind. Jim, ich bin über achtzig Jahre alt. Körperlich spüre ich natürlich nichts davon, doch geistig fühle ich es. Und das gleiche gilt auch für die anderen. Siebzehn von Ihnen sind älter als ich, zwölf haben ungefähr das gleiche Alter. Es ist merkwürdig, daß so wenige totipotente Menschen aus dem letzten Krieg hervorgegangen sind; vielleicht waren die Sanitäter, Ärzte und Lazarette besser, doch das tut jetzt nichts zur Sache. Wir alle haben eine Menge gesehen und eine Menge nachgedacht. Und wir sind der ehrlichen Überzeugung, daß wir der menschlichen Rasse nur im Wege stehen werden, solange wir ihr nicht irgendwie auf den Pfaden des Fortschritts voranhelfen können. Zu diesem Zweck benötigen wir eine stärkere, fähigere Führerschaft, als wir bisher unter uns auf die Beine zu stellen vermochten. Wir ...«

Ein feines, dünnes *Ping!* erklang aus ihrem juwelenbesetzten Armbandradio. Sie hob es hoch, so daß auch er die Sendung hören konnte. Eine winzige, doch klare Stimme sagte: »Eine Kolonne gepanzerter Transportfahrzeuge und Panzerkampfwagen rollt auf der Straße vom Arroyo-Paß heran, etwa sechzehn Kilometer südlich von Mountainside. Seit Anbruch des Tages sind mehrere Flugzeugformationen über meinen Standort hinweggeflogen. Wenn du sie nicht gesehen hast, bedeutet das, daß sie außer Sichtbereich der Ranch bleiben. Das ist alles.«

Das winzige *Ping* wiederholte sich. Dann herrschte Schweigen.

Anrella brach es mit besorgter Stimme. Sie sagte: »Ich glaube, Jim, wir kehren besser wieder zu den Realitäten zurück. Ich fange an, zu glauben, daß es das Beste sein wird, wir begnügen uns vorläufig mit einer Waffe, mit der man Landarmeen zum Stillstand bringen kann; dadurch gewinnst du Zeit, um eine größere Entdekkung zu machen. Über Bombenangriffe aus der Luft brauchen wir uns kein Kopfzerbrechen zu machen, dessen bin ich sicher, denn deine Vernichtung wäre das letzte, was Jefferson Dayles wollte.« Sie zögerte. »Wie wäre es mit jenem Atomisierungsstrahl, der nur unbelebte Substanzen angreift, den du im Zuchthaus entwickelt hast?« Ihre blauen Augen warfen ihm einen raschen, fragenden Blick zu. »Wir sind bereit, dir ein Stromkabel zur nächsten elektrischen Steckdose zur Verfügung zu stellen, wie wir es dort auch getan haben. Oder vielleicht einen tragbaren Generator.« Wieder zögerte sie überlegend; dann: »Der Strahl würde ihre Tanks und Geschütze zerstören und sie bis aufs Adamskostüm entblößen.« Sie lachte nervös. »Das würde nahezu jede Armee demoralisieren, die es heute gibt.«

Pendrake schüttelte den Kopf. »Ich habe vor dem Frühstück darüber nachgedacht. Es läßt sich nicht machen. In seiner jetzigen Form ist das Gerät ein komplettes, unveränderliches Ganzes. Ich könnte es auf die Größe einer Handwaffe verkleinern, und es würde doch die gleiche Leistung hergeben. Ebenfalls würde eine Vergrößerung des Modells keine Vergrößerung der Energie erlauben. Es hängt alles von einer Tunneldiode ab, die ...«

Er zuckte die Achseln. »Alles, was sie zu tun brauchen, ist, sich zu vergewissern, daß *ich* es nicht bin, der das Gerät bedient; dann können sie ihre Artillerie außerhalb seiner 400-Meter-Reichweite halten und mit Hochexplosivgranaten feuern. Dagegen bietet der Strahlungsgürtel keinen Schutz. Es ist möglich« – er grinste freudlos – »daß es einer oder mehrere der Männer vorziehen würden, so zu sterben, statt in der Gaskammer. Aber du siehst, daß es keine Lösung ist. Wa tun Sie da, Haines?«

Sie waren zu einer Stelle gekommen, wo ein gut gebauter, unrasierter junger Mann am Motor eines Autos herumbastelte. Die Kühlerhaube stand offen, und er hatte eine der Zündkerzen in der Hand und bürstete mit einer Stahlbürste daran herum. Pendrakes Frage war in Wirklichkeit völlig überflüssig. In den Gedanken des Mannes stand klar und deutlich seine Absicht, den Motor in Gang zu bringen und dann die Ranch fluchtartig zu verlassen.

Dan Haines war ein zweitrangiger Schauspieler, dessen einziger Beweggrund für seine Teilnahme an der Straßenschlacht darin bestanden hatte, daß er – wie er vor dem Gericht mit verlegener Miene erklärt hatte – eine »von Frauen kommandierte Welt« nicht ausstehen konnte und deswegen »aufgereizt« gewesen sei. Und er hatte hinzugefügt, daß er sich mit allem abfinden würde, was ihm bevorstand. Er hatte sich an der Durchführung des Ausbruchs aktiv nicht beteiligt und es den anderen durch seine Überängstlichkeit nur noch schwerer gemacht. Und jetzt – unter dem anwachsenden Druck der Spannung – waren seine Nerven mit ihm durchgegangen. Er sah schuldbewußt auf. »Oh!« sagte er, als er Anrella erblickte. Dann fuhr er fort: »Ich versuche nur, den Wagen hier zu reparieren. Ich möchte, daß wir ein Mittel zur Flucht haben, wenn wir es brauchen.«

Pendrake ging an ihm vorbei und blickte neugierig auf den Motor hinunter. Vor seinem geistigen Auge entstand das Gesamtbild des Motors, zunächst als geschlossenes Ganzes, dann jede einzelne Funktion für sich getrennt in allen Einzelheiten. Es war eine blitzschnelle Analyse, die nur Mikrosekunden in Anspruch nahm. Motor, Batterie, Zündung, Kupplung, Lichtmaschine ... Er verharrte hier und kehrte einige Gedankenbilder zurück: Batterie ...

Er sagte langsam: »Was würde passieren, Haines, wenn man die gesamte Ladung einer Batterie innerhalb einer hundert-milliardstel Sekunde entladen würde?«

»Was?« entgegnete Haines verdutzt. »Das geht nicht. Die chemischen Prozesse benötigen Zeit und ...«

»Doch, es geht«, sagte Pendrake, »wenn man die Bleiplatte elektrisch vorhärtet und wenn man eine Fünfgitter-Schirmröhre zur Steuerung nimmt, wie man sie überall dort verwendet, wo ungewollter Strom kontrolliert werden muß. Sie ...«

Er brach ab. Ganz plötzlich standen die Einzelheiten scharf und deutlich in seinem Geist. Er führte in Gedanken eine Kalkulation aus, und als er darauf aufblickte, sah er Anrellas leuchtende Augen auf sich gerichtet.

Nach einem Moment verdunkelte sich ihr Blick. Sie sagte verblüfft: »Ich sehe, worauf du hinauswillst. Aber würde die Temperatur nicht zu hoch werden? Die Zahlenwerte, zu denen ich gelange, sind unglaublich.«

»Wir können eine Miniaturbatterie verwenden«, entgegnete Pendrake rasch. »Schließlich handelt es sich nur um das Zündhütchen. Der Grund, warum die Temperatur so extrem ansteigen würde, ist der, daß es im Sonneninnern keine Steuerröhre gibt; die richtigen Umgebungszustände treten nur hier und da im All auf, und dann haben wir eine Nova-O-Sonne.

Mit einer normalen Batterie wie dieser wäre die Temperatur in der Tat zu hoch. Ich glaube jedoch, daß wir die vier gefährlichsten Nullen dadurch abstreichen können, daß wir eine kleine, kurzlebige Trockenzelle nehmen. Damit würden wir keinerlei Gefahr eingehen. Natürlich wird eine Kettenreaktion einsetzen, doch würde sie sich nicht in einer jähen Explosion äußern, sondern in einem auf einen Punkt konzentrierten Hitzeausbruch. Und sie würde mehrere Stunden andauern.« Er legte eine Pause ein und runzelte die Stirn. Dann fuhr er fort: »Entfernen Sie sich nicht, Haines. Bleiben Sie hier bei uns in der Ranch.«

»In Ordnung.«

Pendrake schritt gedankenvoll davon, blieb dann jedoch erneut stehen. »Das war ein überraschend schnelles Einverständnis«, dachte er. »Wie kommt das?«

Mit hochgezogenen Brauen wirbelte er herum und starrte zu Haines zurück. Der Mann hatte ihm den Rücken zugewendet, doch jede kleinste geistige Eigenheit seines Gehirns lag voll entblößt. Pendrake stand reglos, damit beschäftigt, zu vergleichen, Einzelheiten aus seiner Erinnerung zu holen und von neuem abzuwägen. Befriedigt wandte er sich schließlich an Anrella und sagte ruhig: »Veranlasse sofort, daß deine Leute unter höchstem Tempo daran arbeiten. Und besorge außerdem eine Kühlanlage für das Ranchhaus. Ich glaube, drei Meter Tiefe müßte genügen. Grabt die Trokkenzelle drei oder vier Meilen südlich von hier so tief im Sand ein. Das alles sollte nicht länger als fünfundvierzig Minuten dauern. Und was dich und mich betrifft« — er sah sie spöttisch lächelnd an —

»so wirst du das Raumschiff herunterbeordern. Wir fliegen nach Mountainside.«

»Was machen wir?« Sie sah ihn groß an, und ihr Antlitz war plötzlich käseweiß. »Jim, du weißt, daß das keinen logischen Zusammenhang mit dieser Erfindung hat.«

Er gab keine Antwort, sondern blickte sie nur ausdruckslos an. Nach einem Moment sagte sie: »Das ist alles falsch. Ich sollte es nicht tun. Ich ...« Verwirrt schüttelte sie den Kopf. Dann hob sie ohne weiteren Protest das Armbandradio an die Lippen.

*

Um acht Uhr morgens saßen die üblichen Stammgäste auf der überdachten Veranda des Gasthofs Mountainside. Pendrake sah, daß sie aus den Augenwinkeln nach Anrella und ihm schielten, wie auch nach dem Dutzend Geheimdienstagentinnen, die um die Tür herumlungerten. Die Alten von Mountainside waren es nicht gewöhnt, Fremde von ihrer Privatwelt Besitz nehmen zu sehen, insbesondere nicht hartgesichtige Frauen. Doch in der letzten Zeit waren eine ganze Menge seltsamer Dinge geschehen. Ihre Gedanken bildeten eine Mischung aus Spannung und Verärgerung. Ihre Unterhaltungen verliefen gedämpft und lustlos.

Es war etwa zehn Minuten nach acht, als einer von ihnen den Schweiß von der Stirn wischte und zum Thermometer neben der Tür schlurfte. Er kehrte zurück. »Sechsunddreißig Grad«, verkündete er seinen Gefährten. »Verdammt heiß für diese Jahreszeit.«

Eine kurze, erregte Diskussion über frühere Hitzerekorde für diesen Monat entwickelte sich. Die brüchigen Stimmen schwiegen, als die Brise aus der Wüste heißer und heißer hereinwehte. Erneut trottete ein Greis zum Thermometer. Kopfschüttelnd kehrte er zurück. »Vierzig Grad«, meldete er. »Und es ist erst fünfundzwanzig Minuten nach acht. Sieht aus, als ob heute ein heißer Tag werden wird.«

Pendrake ging zu den Männern hinüber. »Ich bin Arzt, sagte er. »Plötzliche Temperaturveränderungen sind für ältere Leute nicht ungefährlich. Warum gehen Sie nicht alle zum Bergsee hinauf? Machen Sie einen Tagesausflug, machen Sie Ferien! Aber gehen Sie!«

Als er zu Anrella zurückkehrte, strömten sie bereits eiligen Schrittes von der Veranda. Wenige Minuten später dröhnten sie in zwei uralten Limousinen vorüber. Anrella sah Pendrake verblüfft an. »Deine Psychologie war völlig falsch«, sagte sie. »Alte Wüstenfüchse hören normalerweise nicht auf den Rat jüngerer Männer, noch dazu Ortsfremder.«

»Das sind keine Wüstenfüchse«, entgegnete Pendrake. »Es sind Lungenkranke. Ein Arzt ist für sie Gott.« Er lächelte und fügte hinzu: »Wir wollen ein Stück die Straße hinuntergehen. Ich habe weiter unten in einem Haus eine alte Frau gesehen, die ich ebenfalls in die Berge schicken möchte.«

Die alte Frau ließ sich vom »Doktor« leicht überzeugen, auf einen Picknickausflug zu gehen. Sie lud Konservendosen in einen baufälligen alten Wagen und stob in einer riesigen Staubwolke davon.

Fünfzig Schritte weiter befand sich eine Wetterbeobachtungsstation in einem kleinen, weißen Gebäude. Pendrake öffnete die Tür und rief dem schweißüberströmten Mann im Innern zu: »Welche Temperatur haben wir jetzt?«

Der dicke, bebrillte Mann schleppte sich zum Tisch hinüber. »Es sind jetzt 49 Grad«, stöhnte er. »Es ist ein Alptraum. Die Wetterämter in Denver und Los Angeles telephonieren die Drähte heiß und wollen wissen, wieviel ich getrunken habe. Statt dessen« – er schnitt eine Grimasse – »täten sie besser darin, ihre Isobaren und Isothermen umzuzeichnen und die Bevölkerung zu warnen. Heute abend werden ihnen die Orkane die Stühle unter den Sitzflächen wegblasen.«

Wieder im Freien, sagte Anrella resignierend: »Jim, bitte erkläre mir, was hier vorgeht. Wenn es noch heißer wird, werden wir in unserem eigenen Schweiß davonschwimmen.«

Pendrake lachte grimmig. Es würde in der Tat noch heißer werden. Plötzliches Staunen überkam ihn. Ein nadelkopfgroßer Hitzepunkt, der mit einer Temperatur von zehn Milliarden Grad Celsius flammte – heißer als Tausende von Wasserstoffbomben. Die Temperatur hier in Mountainside würde mindestens bis auf 57 Grad ansteigen, und draußen in der Wüste, wo sich die Panzertruppen befanden, auf 63 oder gar 65 Grad. Sie würde nicht hoch genug sein, um zu töten. Doch die Offiziere würden der Armee mit Gewißheit den Befehl geben, umzukehren und schnellstmöglich die kühleren Berge aufzusuchen.

Als sie zum Gasthof zurückkehrten, war es noch heißer geworden. Weitere Autos kamen an ihnen vorbeigefahren, die ebenfalls Richtung auf die Berge nahmen. Ein trockener Geruch nach heißem Stein lag in der Luft, erstickend und lähmend, der die Lungen schmerzen machte. Anrella fragte besorgt: »Jim, bist du sicher, daß du weißt, was du tust?«

»Es ist furchtbar einfach.« Pendrake nickte erheitert. »Ich schätze, wir haben hier das Äquivalent eines ausgedehnten Waldbrandes. Wenn du jemals Waldbrände gesehen hast, dann weißt du, daß sie jedes Wild aus dem Unterschlupf zu treiben vermögen. Eine wilde, überstürzte Jagd nach den kühleren Gebieten setzt ein. Selbst der König der Tiere läßt sich vor solch einem Flammenmeer dazu herab, die Flucht zu ergreifen. Ich tippe darauf, daß wir hier bald einen König aufstöbern werden.« Er schloß zufrieden: »Dort ist er auch schon im Freien, wo ich mich mit einem Mindestmaß an Gefahr davon überzeugen kann, daß ich keinem Irrtum aufgesessen bin.«

Pendrake nickte in Richtung der Gasthofstür, aus der gerade ein gutgekleideter Herr auf die Veranda herausgetreten war. Sein Gesicht war so hergerichtet, daß er wie ein gewöhnlicher Durchschnittsamerikaner aussah, doch als er sprach, zeigte es sich, daß seine Stimme die tönende Stimme von Jefferson Dayles war.

»Hast du denn diese Wagen noch nicht in Gang gebracht?« fragte er irritiert. »Es erscheint mir merkwürdig, daß gleich zwei Wagen zur gleichen Zeit versagen.«

Entschuldigungen wurden gemurmelt, und eine untertänige Stimme sagte, daß ein weiterer Wagen in wenigen Minuten vom Heerlager hier sein würde. Pendrake grinste und flüsterte Anrella zu: »Ich sehe, der Pilot deines Raumschiffs hält noch immer die Störungsstrahlen auf die Autos gerichtet. Gut. Du kannst jetzt gehen und deine Einladung vorbringen.«

»Er wird aber nicht annehmen. Ich bin dessen ganz sicher.«

»Wenn er nicht kommt, bedeutet das, daß ich mir etwas vorgemacht habe. Wir müßten dann schnurstracks zur Ranch zurückkehren.«

»Vorgemacht inwiefern? Jim, dies hier bedeutet für uns Leben oder Tod!«

Pendrake sah sie verwundert an. »Was ist denn das?« neckte er. »Du magst plötzlich die Spannung nicht? Vielleicht verdoppelt sie deinen IQ.«

Anrella blickte ihn an; schließlich sagte sie langsam: »Diese totipotente Phase, in der du dich befindest, muß eine Besonderheit haben, von der wir nichts wissen.« Sie zögerte. »Jim, in Anbetracht deines sonderbaren Verhaltens wage ich nicht, dir noch länger etwas vorzuenthalten.«

Die Reihe war nun an Pendrake, zu zögern. Doch er verwarf den Gedanken, ihr den Grund für seine Handlungen näher zu erklären. Noch nicht. Es könnte für ihn in dieser Krise noch einmal notwendig werden, sie unter Zwang zu nehmen. Die Tatsache, daß Haines seinen Befehl, die Ranch nicht zu verlassen, augenblicklich widerspruchslos befolgt und seinen ursprünglichen Fluchtplan vergessen hatte, war der Fingerzeit gewesen. Der Rest – die Beobachtung, daß die Gruppe anstandslos seinen Oberbefehl akzeptiert hatte – war nur noch eine Bestätigung seiner Entdeckung. Peters, der zuerst die Kleidungsstücke gebracht und erst dann bezweifelt hatte, ob dies ratsam wäre, dann Anrella, die ihm wortlos die Pistole übergeben und später das Raumschiff heruntergerufen hatte, und schließlich die alten Männer und die Frau, die sofort zu den Bergen aufgebrochen waren ... sie alle stellten unter Beweis, daß die Menschen seinem Willen unterworfen waren.

Es hatte nichts mit dem bewußten Geist zu tun. Kein einziger von ihnen war seines augenblicklichen Gehorsams gewahr gewesen. Es ging tiefer. Zweifellos basierte es auf einer ausgedehnten, fundamentalen Nervenstruktur in seinem Gehirn. Den Menschen, die seinen Befehlen gehorchten, mußte es so vorkommen, als ob sie ihre eigene Logik und Entschlußkraft benützten. Ein sehr wesentlicher Punkt, dieses letztere. Doch er würde Anrella erst später davon erzählen. Jetzt ...

Anrella hatte wieder das Wort ergriffen. »Ich spüre, daß du über eine besondere Fähigkeit verfügst, die weder für dich, noch für sonst jemand gut sein kann. Bevor sie permanent wird, werde ich deshalb ...« Ihre Stimme war ernst. »Jim, woran *erinnerst* du dich?«

Pendrake öffnete den Mund, um ihr einen kurzen Abriß seiner unvorstellbar weit reichenden Erinnerungen zu geben. Und da erkannte er, daß es in Wirklichkeit nicht seine eigenen Erinnerungen waren. Was er vorfand, waren die Kenntnisse und Erinnerungen von einem halben Hundert anderer Menschen, eingeschlossen den vollständigen Geistesinhalt des Präsidenten der Vereinigten Staaten.

Nach einem Moment erklärte er ihr dies zögernd.

»Versuche, den Raum um dich herum wahrzunehmen!« befahl sie.

Pendrake sah sie verständnislos an. »Wie meinst du das? Wonach soll ich suchen?«

»Nach deinem Gedächtnis.«

Er öffnete den Mund erneut, um darauf hinzuweisen, daß die totipotente Neuschöpfung seine Gehirnzellen von allen gespeicherten Eindrücken freigefegt und damit seine früheren Erinnerungen auf äußerst effektive Weise ausgelöscht hatte.

Er kam jedoch nicht dazu, seinen Einwand vorzubringen.

Denn er sah das Energiefeld. Es war ein geistiges Sehen, und das Erstaunliche daran war, daß das Feld tatsächlich ein schwachglühendes Leuchten auszustrahlen schien. Der Schein war an seinem Körper am stärksten und wurde mit wachsendem Abstand schwächer. Genau wie weit er reichte, vermochte Pendrake nicht zu ermitteln, doch hatte er den Eindruck, daß es sich um viele Meter handelte. Einen Moment später verwarf er diese Begrenzung. Entfernung schien hier kein Faktor zu sein. Er erkannte jetzt auch, daß ein Teil seines Wissens detaillierte Erinnerungen an die Arbeiten eines Wissenschaftlers der Yale-Universität einschloß, der das elektrische Feld um sämtliche Lebensformen, vom winzigsten Saatkorn angefangen bis zum menschlichen Wesen, gemessen hatte.

Der Gedanke daran verging, denn nun kam die Flut sämtlicher Erinnerungen seines früheren Lebens hereingeströmt: Kindheit, Schule, Luftwaffe, der Krieg in Vietnam, die Entdeckung der Maschine, der Mond, der Große Trottel, Eleanore ... »O Gott!« dachte er. »Eleanore ... seit all diesen Monaten — seit über einem Jahr — befindet sie sich in der Gewalt des Neandertalers ...« Er stöhnte auf. Es kostete ihn eine bewußte Anstrengung, die ihn durchflutenden Empfindungen und Gefühle wieder unter seine Herrschaft zu bringen. »Überbringe ihm die Einladung«, sagte er mit gepreßter Stimme.

Die Frau sah ihn voller Mitgefühl an. »Ich weiß nicht, woran du dich erinnert hast«, meinte sie, »aber reiße dich besser zusammen.«

14

Anrella wandte sich von ihm ab und stieg die Stufen zur Veranda hinauf.

Er hörte sie mit leicht verstellter Stimme die nötigen Worte sprechen. Als sie ausgeredet hatte, rief Pendrake: »Ja, kommen Sie! Ihr Wagen kann später nachkommen.«

Der Präsident, Kay und zwei Frauen folgten Anrella die Treppe herunter. Anrella fragte: »Glaubst du, daß wir vier nehmen können?«

»Aber sicher«, entgegnete Pendrake. »Eine Person kann bei uns auf dem Vordersitz sitzen.«

Kay stieg vorne neben Anrella ein. Eine Minute später befand sich der Wagen bereits im zweiten Gang und brummte die erste Anhöhe hinauf.

Pendrake sagte: »Weißt du, Liebling, ich habe über die gleichgemachten Frauen nachgedacht, aus denen Präsident Dayles Privatarmee besteht. Die Droge, die sie eingenommen haben, könnte in der Tat durch ein zweites Mittel neutralisiert werden, dessen chemische Strukturformel nur wenig von der des ersten verschieden ist. Das Manganelement in der Droge ist gegenwärtig mit vier Valenzen an die Struktur gebunden. Deshalb ist es instabil. Durch Entfernung zweier Valenzen könnte man die Verbindung stabilisieren. Dies würde ..,«

Er brach ab, als er aus dem Augenwinkel den angespannten Ausdruck auf Anrellas Gesicht gewahrte. Jefferson Dayles fragte trocken vom Rücksitz: »Sind Sie Chemiker, Mr. ... Ich hörte den Namen nicht.«

»Pendrake«, entgegnete Pendrake liebenswürdig. »Jim Pendrake.« Mit der Linken zog er ruhig seine Fleischmaske ab und begann sein Gesicht zu kneten. Er fuhr fort: »Nein, nicht Chemiker. Sie könnten mich ein universelles Lösungsmittel nennen. Sehen Sie, ich habe entdeckt, daß ich über eine sehr sonderbare Geistesfähigkeit verfüge.« Er machte eine Pause. Im Rückspiegel sah er die Pistole, die die beiden Frauen im Fond gezogen hatten. Jefferson Dayles' Stimme klang stetig. »Fahren Sie fort, Mr. Pendrake.«

»Mister Präsident«, entgegnete Pendrake, »was ist es, das die Demokratie schwächt und unterwühlt?«

Eine lange Pause trat ein.

»Eine solche Frage kann niemand beantworten«, sagte Jefferson Dayles endlich etwas gereizt. »Die Menschen brauchen immer wieder Bestätigung, daß das Leben einen Sinn hat, und wenn alles, was sie sehen, nur Verwirrung, Lügen und Dummheit ist, beginnt ihr Geist abnormal zu reagieren. Dagegen können sie nicht ankämpfen.«

Pendrake wartete, während er den Wagen in Richtung der Berge steuerte. Er fühlte, daß seine ruhig gestellte Frage die leicht aufbrausenden, gewalttätigen Frauen auf dem Rücksitz beschwichtigt hatte. Sie hielten noch immer ihre bläulich glänzenden Pistolen bereit, doch ein Zeichen ihres Oberbefehlshabers hinderte sie an einem aktiven Vorgehen.

Präsident Dayles brach das Schweigen. »Oberflächlich gesehen, könnte man sagen, daß wir unter Unmoral, korrupten Politikern und der Tatsache leiden, daß fast jeder einzelne im Land auf irgendeine Weise neurotisch ist.«

Pendrake entgegnete: »Mein Gefühl ist, daß wir unter dem Fehlen einer reifen Führerschaft leiden.« Aus dem schockierten Schweigen im Fond des Wagens konnte er schließen, daß seine Worte genau ins Schwarze getroffen hatten. Er fuhr fort: »Sehen Sie, Mister Präsident, in einer Demokratie wählen wir ein Oberhaupt für einen begrenzten Zeitraum aus. Das bedeutet nicht, daß der Präsident weniger Oberhaupt wäre als ein durch Erbfolgerecht auf Lebenszeit bestimmter Monarch. Wenn es ihm nicht gelingt, geistige und weltliche Führung auf fester Ebene miteinander zu verbinden, dann beginnt unser Regierungssystem in der Tat zu verfallen, und prompt fragen wir uns, was wohl geschehen sein mag. Es ist jedoch gar nichts geschehen, außer, daß wir einen Schwächling gewählt haben, der uns aus nur ihm bekannten Gründen nicht die nötige Führung gibt.«

Todesstille, abgesehen vom Brummen und Stoßen des Wagens.

»Mein Gefühl ist«, sagte Pendrake, »daß Sie es sind, Präsident, der die Bestätigung braucht, daß das Leben einen Sinn hat. Ich mache Ihnen deshalb als Sportsmann ein Angebot.«

»Ein Angebot?« Der Ausruf bildete nicht eine echte Reaktion auf seine Worte, sondern war lediglich ein automatisches Echo von einem Mann, der sich im Zustand tiefen Schocks befand.

»Ein Angebot«, wiederholte Pendrake ruhig. »Wenn Sie uns heute in drei Jahren die nötige Führung gegeben und die Demokratie wiederhergestellt haben, werde ich Ihnen freiwillig von meinem Blut geben.«

Es war Kay, die darauf antwortete. »Ich fürchte, Mr. Pendrake,

Sie befinden sich nicht in der Lage, bestimmen zu können, wann und wie Ihr Blut Verwendung findet.«

»Halte den Mund, Kay!« sagte Jefferson Dayles scharf.

Die Frau warf ihm einen überraschten Blick zu und sank auf ihren Sitz zurück. Und jetzt war sie schockiert. Noch niemals zuvor, so erkannte Pendrake, hatte der Mann mit seiner schönen und irregeleiteten Freundin in solchem Ton gesprochen.

Präsident Dayles räusperte sich. »Ich bin erstaunt«, sagte er. »Wir scheinen mit Ihnen rein zufällig zusammengetroffen zu sein, Mr. Pendrake, doch offensichtlich haben Sie davor mehrere Divisionen der amerikanischen Streitkräfte umgangen. Ich beginne mich jetzt zu fragen, was hier in Wirklichkeit vorgeht. Zum Beispiel, wie sind Sie aus dem Zuchthaus ausgebrochen?«

»Sag du es ihm, Liebling«, meinte Pendrake.

Anrella beschrieb den Energiestrahler, den Pendrake gebaut hatte.

Dayles erwiderte erstaunt: »Wie konnte er eine solche Waffe aus einem Radio entwickeln?« Offensichtlich war es eine rhetorische Frage, denn er fuhr ohne Pause fort: »Und weiter?« Als ihm Anrella von der punktförmigen Konzentration der Nova-Hitze erzählte, die hinter ihnen im Sand vergraben war, rief der Präsident erschüttert aus: »Er hat diese Hitzewelle erzeugt? Mein Gott!«

Dann saß Präsident Dayles sehr still. Auf seinem Gesicht entstand der Ausdruck eines Mannes, der plötzlich die Lösung zu einem vormals scheinbar unlösbaren Problem sah. Er explodierte: »Das ist es! Wir alle ... alle diese Menschen sollten uns schämen.«

»Alle welche Menschen?« fragte Anrella verwundert.

»Die Selbstgerechten und Wohlgefälligen, die Barfliegen und Sexjäger, die konfusen Geister, die Antifrauen-Männer und die Antimänner-Frauen, die Schläger und Raufbolde, die Schwächlinge, die Dummen, die Närrischen und Törichten, die Armen und die Reichen, alle die würdelosen, ehrlosen, ärgerlichen, ängstlichen, unglücklichen, stumpfen, elenden Figuren dort draußen« — er wies mit der Hand, die halbe Welt einschließend — »und hier« — er wies auf sich selbst. »Alle jene Leute, die mit irgendwelchen idiotischen Errungenschaften prahlen, die gar keine Errungenschaften sind, wenn man erwägt, wozu sie tatsächlich in der Lage wären. Drei Milliarden Menschen haben es zugelassen, daß der größte Gehirnmechanismus im Universum verfällt und Strandgut wird, und es ist unsere vordringlichste Aufgabe, ihnen vor Augen zu führen, was sie getan haben und ihnen dabei zu helfen, sich aus der Verstrickung zu lösen.«

»Was schlagen Sie vor?« fragte Anrella.

Der große Mann schien sie nicht gehört zu haben. Voll Staunens fuhr er fort: »Ich habe mich schon seit langem über den katastrophalen Mangel an neuer schöpferischer Tätigkeit gewundert, und der einzige Grund hierfür ist, daß sich der Mensch in einem konfusen Durcheinander von Halbheiten verstrickt hat.«

Er schüttelte den Kopf.

»Ich fürchte, es wird nicht ganz so einfach sein«, meinte Anrella.

Pendrake entschied, daß die Zeit gekommen war, mit den Allgemeinplätzen aufzuhören. Er sagte: »Ich glaube, Sie sollten die Armee nach Hause schicken, die Strafe für die Verurteilten auf fünf Jahre abändern, die gleichgemachten Frauen mit der Antidroge behandeln lassen, das Lambdon-Landprojekt unter Ihre Schirmherrschaft nehmen, diejenigen, die damit zu tun haben, nicht länger mit Gefängnishaft bestrafen, und mehr Frauen in administrative und exekutive Positionen zulassen ...«

Anrellas Ellbogen traf ihn in diesem Moment. »Das genügt«, sagte sie in ärgerlichem Ton. »Jim, hör auf!«

Pendrake schwieg überrascht. Er sah, daß ihn ihre Augen wütend anfunkelten. Er erkannte augenblicklich, daß sie herausgefunden hatte, was er tat.

»In Ordnung«, entgegnete er langsam. »Ich höre auf.« Aber er wunderte sich über ihr Verhalten.

15

Es war eine Stunde später.

Die beiden Wagen des Präsidenten hatten sie eingeholt, und Pendrake versicherte Jefferson Dayles, daß er die Fahrt ungefährdet in seinem eigenen Wagen fortsetzen könnte, und daß er selbst mit seiner Frau zur Ranch zurückkehren würde.

Niemand unternahm den Versuch, sie aufzuhalten.

Sobald sie um eine Wegbiegung außer Sicht waren, sagte Anrella: »Halte bitte den Wagen an.«

Pendrake war erstaunt, kam jedoch der Aufforderung nach.

Sie sagte ärgerlich: »Du hast telepathische Hypnose angewendet!«

»Na, und?« Er war unbekümmert.

»Das hier!« Sie hatte in ihrer Tasche herumgesucht. Jetzt förderte sie eine winzige Taschenlampe zutage. Die Lampe strahlte auf und blendete ihn mit einem fast blau-weißen Licht. Das Licht schien auf etwas in seinem Gehirn abgestimmt zu sein, denn es verursachte einen stechenden Schmerz tief im Innern seines Kopfes. Pendrake schrie unwillkürlich auf.

Er war gewahr, daß sie etwas sagte, doch er hörte ihre Worte nicht. Schließlich schaltete sie die Lampe wieder aus. Eine Pause herrschte. Dann hörte er sie sagen: »Von nun an hast du diese Fähigkeit nicht mehr.«

Pendrake zwinkerte mit den Augen. Er war anscheinend völlig

unverletzt und bei Bewußtsein. Er starrte sie an. »Du hast mich mechanisch hypnotisiert?« fragte er vorwurfsvoll.

»Nein. Ich habe bloß ein Gehirnmuster geändert.« Sie sprach entschlossen. »Jim, es ist wirklich ganz einfach. Es geht nicht, daß wir jemanden in unserer Gruppe oder in der Welt haben, der die Fähigkeit besitzt, andere Menschen ohne ihr Wissen zu beinflussen.«

»Ich habe sie nur dazu benutzt, die Demokratie wiederherzustellen, wie du gesehen hast.«

»Die Demokratie muß ihre Rettung selbst bewerkstelligen«, entgegnete sie heftig. »Sie kann nur so schnell fortschreiten, wie es die Menschen können.«

Pendrake meinte voller Verachtung: »Das ist eine seltsame Feststellung aus dem Mund des wirklichen Oberhauptes des Lambton-Projekts!«

»Wir haben unsere Lektion gelernt«, entgegnete sie bitter. »Private Individuen können nicht einfach ihre Regierung abschaffen. Eine kleine Interessengruppe innerhalb eines Landes kann sich nicht in eine höhere moralische Position erheben und Herrgott spielen. Wir haben bereits achthundert Tote zu beklagen, Jim, und wenn wir nicht bald Regierungshilfe bekommen, wird die gesamte Lambton-Siedlung auf der Venus von dieser Ragnarök-Organisation erobert werden. Sie wissen, wo wir sind.«

»Soweit wird es nicht kommen.« Pendrake schüttelte den Kopf und erzählte ihr von der Expedition zum Mond, die Präsident Dayles angeordnet hatte. Dann sagte er: »Anrella, ich brauche Waffen und jemanden der mich schleunigst zu einer gewissen Felswand im mittleren Westen bringt. Ich muß einen Sprung durch den Weltraum zum Mond unternehmen.«

Er beschrieb den Ort, die Hintergründe seines Wunsches und den gegenwärtigen Stand der Situation.

Anrellas Augen waren groß, als er zum Ende kam. »Ich werde das Raumschiff rufen«, sagte sie schnell. Dann: »Aber warum wartest du nicht ein oder zwei Tage, bis wir einige unserer jungen Leute zusammentrommeln können, um dir einen Begleitbrief mitzugeben? Du wirst Hilfe benötigen.«

Pendrake dachte an Eleonore und schüttelte den Kopf. »Ich schaudere innerlich vor Wut und Grauen, seitdem mein Gedächtnis zurückgekehrt ist. Schicke sie hinter mir her; ich kann nicht länger warten.«

Sie blickte einen Moment lang reglos in die Ferne, einen schmerzlichen Ausdruck auf dem Gesicht. Dann sagte sie leise: »Ich verstehe, Jim.«

Als sie sich auf dem Weg in den mittleren Westen befanden, erzählte er ihr von dem Mondvolk und schloß mit den Worten: »Es stimmt damit überein, was du gesagt hast. Die Zuflucht, die sie mir angeboten haben, lag derart weit außerhalb meiner Wirklichkeitssphäre, daß ich eher bereit gewesen wäre, es auf einen Kampf mit dem Säbelzahntiger ankommen zu lassen. Offensichtlich enthält das Bewußtsein des sich im letzten animalischen Entwicklungsstadium befindlichen Menschen bereits die nebelhafte Erkenntnis des ersten wirklich menschlichen Stadiums, das sich allmählich am Horizont der Evolution abzuzeichnen beginnt. In meinen totipotenten Phasen habe ich gezeigt, wie das ungefesselte menschliche Gehirn sein *könnte*. Doch ich fühle, daß die Evolution des Gehirns noch nicht abgeschlossen ist. Was wir zu verstehen in der Lage sein werden, wenn es seine nächste Umwandlung durchgemacht hat, mag nicht den geringsten Zusammenhang damit haben, wie wir heute sind. Vielleicht werden wir dann das Mondvolk verstehen können.«

Die Unterhaltung endete, als die Flugmaschine an dem gewissen Punkt mitten in der Luft über der neugebauten Autostraße anlangte. Unter Pendrakes Leitung führte sie ein kleines Manöver aus, und dann war es Zeit, Abschied zu nehmen.

»Du brauchst dich nicht zu quälen!« sagte Anrella, als sie ihn küßte. »Ich kann mich glücklich schätzen, dich überhaupt gehabt zu haben, und ich trete dich nun aus freien Stücken an deine Eleanore ab. Wir sehen uns wieder.«

Entschlossen ging Pendrake zur Tür und dann die kleine Treppe hinunter, die aus dem Schiff herausgeklappt worden war. Die letzte Stufe hing direkt vor dem Punkt, an dem der Energiefluß begann.

Darauf stehenbleibend, streckte er vorsichtig den Arm aus, sah seine Hand verschwinden und trat dann ohne Bedenken in die freie Luft hinaus.

Es kam das gleiche Gefühl, wie er es vom ersten Mal in Erinnerung hatte – daß er von einem undurchdringlichen, schwarzen Nebel umgeben war. Im nächsten Augenblick ...

Es wurde hell und fast im selben Moment schmetterte ein steinharter Gegenstand gegen seinen Schädel. Mit einem Krach stürzte er schwer auf den metallenen Boden und wurde bewußtlos.

16

Als Pendrake wieder zu sich kam, wußte er nicht, wieviel Zeit verstrichen war.

Seine Hände waren auf seinem Rücken gefesselt. Über ihm stand der Große Trottel.

Die Umgebung war erschreckend vertraut. Dort, wenige Meter entfernt, erstreckte sich die Felskante des Abgrunds.

Der Neandertaler lachte guttural in sich hinein. Er befand sich offensichtlich im Zustand großer Heiterkeit. »Jetzt kann ich mich endlich ausruhen. All die vielen Monate lang hast du mich in Atem gehalten, und ich mußte zulassen, daß Devlin und seine Kerle jene zweite Siedlung bekamen, weil ich nicht wußte, was du im Schilde führtest. Natürlich habe ich diese kleine Falle hier gebaut, um dich kaltzustellen, solltest du jemals wieder erscheinen. Jetzt habe ich dich. Jetzt kann ich auf die Kerle Jagd machen, bis sie um Gnade winseln.«

Er hielt inne, um Atem zu holen. Dann: »Wir machen genau dort weiter, wo wir aufgehört haben, Pendrake. Die Teufelsbestie wird dich kriegen.«

Pendrake blickte zu dem Mann empor. Seine Stärke kehrte jetzt wieder zurück, doch konnte sie ihm nun nicht mehr viel helfen. Er hatte seinen letzten Fehler von vielen anderen gemacht, und in wenigen Minuten würde hinter das Leben von James Pendrake der Schlußpunkt gesetzt werden.

Einen blitzartigen Moment lang war er erstaunt, zu erkennen, wie verwundbar menschliche Wesen tatsächlich waren. Ohne seine Totipotenz wäre er inzwischen entweder tot oder doch mindestens so verkrüppelt gewesen, daß allein schon die geistige Vorstellung daran genügte, um ihn erzittern zu lassen. Es ließ sich nicht leugnen: Menschen, die physische Wagnisse eingingen, blieben nicht lange am Leben.

Der Gedanke verging. Er sah, daß ihn der Unhold grinsend betrachtete. Das Monstrum zitterte förmlich vor sadistischem Vergnügen.

Pendrake fand seine Stimme wieder. »Großer Trottel«, sagte er, doch seine Stimme enthielt wenig Überzeugungskraft, »die bewaffneten Streitkräfte der Vereinigten Staaten werden innerhalb einer Woche auf dem Mond landen, und eine zweite Kampftruppe von tausend Mann wird nächste Woche durch die Transportmaschine kommen. Ich bin vorausgeeilt, um mit dir zu sprechen und um deine Mitarbeit zu gewinnen. Wenn du mich tötest, wirst du innerhalb von sieben Tagen hingerichtet werden. Sie werden dich in einem militärischen Verfahren aburteilen und dann aufhängen.«

»Maul halten!« Die kleinen Augen glitzerten ihn an. »Du wirst dich hier aus nichts herausreden können, Pendrake. Ich habe nur noch auf dich gewartet, und niemand sonst wird jemals wieder diese Maschine benützen. Sobald ich dich aus dem Weg geräumt habe, werde ich sie in die Luft sprengen. Und was die Armee betrifft, die sich angeblich ihren Weg zu uns bahnen wird, so würde sie Jahre dazu benötigen. Ich wette mit dir hundert zu eins, daß sie noch nicht einmal die hierzu nötigen schweren Schürfmaschinen mitbringen werden ...«

Er brach ab. »Was hier passiert, betrifft nur dich und mich. Niemand sonst weiß davon. Devlin hält dich für tot. Was anderes sollte er auch annehmen, nachdem du schon so viele Monate lang nicht mehr gesehen worden bist?«

Pendrake mußte ihm beipflichten. Diese mörderische kleine Episode spielte sich ausschließlich zwischen ihm, dem Großen Trottel und der monströsen Bestie in der Tiefe des Abgrunds ab.

Der Neandertaler fuhr schadenfroh fort: »Wie du siehst, befindet sich die Maschine nur wenige Schritte vom Rand der Felswand entfernt. Es gab eine Zeit, als alles, was aus der Maschine herauskam, geradewegs über die Kante rannte, und die Felswand ist hier glatt und senkrecht – kein Vorsprung, an dem man sich festhalten könnte. Ich war ziemlich langsam gegangen und hatte deshalb Zeit, zurückzuspringen und mich in Sicherheit zu bringen, aber die Teufelsbestie und eine Menge der Tiere, von denen sie lebte, bevor ich kam, mußten auf jenem Pfad auf der Erde sehr schnell entlanggelaufen sein.

Als ich jene Brüstung gebaut hatte, konnte ich alles Wild, alles Vieh und alle Büffel, die durchkamen, abfangen und für mich selbst behalten, und die Teufelsbestie bekam die Abfälle. Ich habe sie immer selbst gefüttert, so daß sie mich jetzt kennt. Paß auf!«

Er ging zur Felskante und stieß einen spitzen Schrei aus. Einen Moment lang stand er dann reglos, den Rücken Pendrake zugewandt und die Augen in die Tiefe gerichtet. Seine Schultern hingen vornüber, seine Beine waren säbelförmig gekrümmt, seine Arme reichten bis fast auf den Boden, und er schien plötzlich die fleischgewordene Verkörperung des gesamten animalischen Erbguts des Menschen zu sein – eine breite, untersetzte, haarbedeckte Gestalt, ein Menschengebilde, das die Morgenröte der Vorgeschichte hervorgebracht hatte, eine Kreatur aus einem entsetzlichen Traum, – und doch war und blieb er der echte Vorfahr der Menschheit, und ein Überbleibsel von ihm lauerte unleugbar im Brustkorb jedes modernen Menschen.

In jeder Nervenzelle zitternd und Bäche von Schweiß vergießend, schob sich Pendrake auf dem Rücken auf ihn zu, die Beine unter sich ziehend.

Der Große Trottel wandte sich um. »Sie kommt«, sagte er. Er schien den gespannten Körper und den verzerrten Gesichtsausdruck seines Gefangenen nicht zu bemerken. In einem gelassenen Ton, der schrecklicher war, als die zuvor ausgeschüttete Erregung und Wut, sagte er: »Ich werde dich an einem Seil hinuntergleiten lassen und dir die Handfesseln lösen, bevor ich dich über die Kante hebe. Auf diese Weise kannst du noch ein wenig hin- und herrennen, wenn du unten bist. Die Teufelsbestie mag das gern; es verschafft ihr immer etwas Bewegung.«

An einer Wand der Höhle lag ein sorgfältig aufgerolltes Seil. Als er es aufhob und ein Ende davon über die Kante warf, erklärte der Große Trottel: »Ich halte das Seil immer hier in Bereitschaft. Du bist nicht der erste, der hinuntergegangen ist, ohne daß es jemand außer mir erfahren hat. Siehst du, daß ein Ende an dieser Korallensäule festgebunden ist? Komisch«, plauderte er, »was für Zeug die Menschen alle von der Erde mitgebracht haben: Seile, eine Wagenladung Werkzeuge, Dynamit, Gewehre, Revolver ... ich habe alles einkassiert. Einiges davon, hauptsächlich die Munition, ist in dieser Höhle versteckt, und der Rest in anderen Höhlen, die ich verschlossen habe und von denen sie nichts wissen.

Ich werde jene Gewehre gegen Devlin einsetzen. Es dauert nicht lange, hundert Kerle aus dem Hinterhalt abzuschießen, wenn man die Munition hat.

Du siehst«, schloß er mit wohlgefälligem Grinsen, »ich habe mir alles genau ausgerechnet.«

Pendrake zog die Beine unter sich, erhob sich taumelnd auf die Füße und raste auf den Unhold los. Der Große Trottel fletschte fauchend die Zähne. Pendrake sprang – aber es war der Sprung eines Hochspringers, Füße voraus. Seine harten Stiefel prallten mit seinem vollen Zwei-Zentner-Gewicht dahinter auf Magenhöhe auf, und der Große Trottel setzte sich nieder.

Als Pendrake hilflos zu Boden stürzte, da seine Hände noch immer gefesselt waren, gebrauchte er ein Bein als Hebel und schleuderte sich aus der Reichweite der greifenden Affenarme, rollte wie irrsinnig über den Boden ... und schaffte es ein zweites Mal, aufzustehen.

Der Große Trottel erhob sich schwankend und grollte: »Du bist verdammt zäh, Pendrake, aber diese raffinierte Beinarbeit bringt dir in diesem Spiel keine Vorteile.«

Schweigend und in voller Konzentration raste Pendrake ein zweites Mal auf seinen mächtigen Gegner los.

Der Neandertaler war auf weitere Beinarbeit vorbereitet und hatte sich entsprechend eingestemmt. Es mußte deshalb als eine gehörige Überraschung für ihn kommen, daß Pendrake mit der vollen Wucht seines Körpers in den muskelstrotzenden Leib schmetterte.

Der Große Trottel taumelte rückwärts und griff zugleich mit seinen Affenarmen zu. Mit einem Triumphgeheul umfaßte er Pendrake. »Ich hab' dich!« brüllte er.

Mit der ganzen Stärke seiner Beine sträubte sich Pendrake dagegen, vorwärtsgezogen zu werden.

Und die Stärke genügte.

Die Wucht seines Anlaufs und Aufpralls war so groß gewesen, daß der Große Trottel sein Gleichgewicht nicht wiedergewann und Schritt um Schritt zur Felskante zurücktaumelte.

Pendrake keuchte: »Wir stürzen zusammen hinunter.«

Die Wahrheit dieser Worte mußte dem Unhold in diesem allerletzten Moment gedämmert sein, denn er stieß einen schrillen Schrei aus. Dann tat er, was jede Person an seiner Stelle ebenfalls automatisch getan hätte – er ließ Pendrake los und griff nach der Korallensäule.

Pendrake stieß ohne Gnade nach, und ... quietschend wie ein Schwein taumelte der Große Trottel über den Rand des Abgrunds.

17

Pendrake lehnte sich gegen die Korallensäule und sackte keuchend zusammen. Nach einer Weile, als die Stärke in seinen Körper zurückgeflutet war, richtete er sich auf und spähte über die Kante hinunter.

Der Große Trottel kletterte gerade unten im Gras mühsam auf die Füße; vorsichtig witternd beschrieb der Säbelzahntiger einen großen Kreis um ihn. Als Pendrake mit starrem Blick zusah, begann der Große Trottel vor dem Tier zurückzuweichen. Das war völlig normal.

Was jedoch alles andere als normal schien, war das Verhalten des Säbelzahns. Der riesige Tiger – groß wie ein Pferd – stieß in unmißverständlicher Verwirrung ein klagendes Maunzen aus *und wich seinerseits vor dem haarigen Menschen zurück.*

Wich zurück ... es konnte nicht Furcht sein! Es hatte auf der Erde in den letzten zehn Millionen Jahren kein Lebewesen gegeben, das im raubgierigen Herzen dieser Bestie das geringste Zittern der Angst hätte verursachen können.

Der Große Trottel schüttelte seinen Kopf wie jemand, der sich das Bewußtsein zu klären versuchte, und Pendrakes Aufmerksamkeit richtete sich auf den Mann, noch während das Untier davonschnellte und aus der Sicht verschwand.

Er sah, daß der Neandertaler auf das Seil zulief, das von der Höhle herunterhing.

Mit einer raschen Bewegung zog Pendrake das Seil mit dem Fuß aus seiner Reichweite.

»Pendrake!«

Die untersetzte Gestalt befand sich direkt unter ihm. Der unförmige Kopf drehte sich furchterfüllt in Richtung der Gegend, in der der Tiger verschwunden war; dann: »Pendrake, er muß mich als seinen Futterbringer wiedererkannt haben, aber er wird zurückkehren. Pendrake, laß das Seil herunter.«

Pendrake fühlte kein Mitleid.

Er sagte halblaut: »Fahre zu der Hölle, in die du alle die vielen anderen Menschen geschickt hast. Ruhe dich im Magen der Bestie aus, die du mit den Leibern deiner Opfer gefüttert hast. Möge der Gott, der dich geschaffen hat, mit dir Mitleid haben; ich habe es nicht.«

»Ich verspreche dir alles.«

Sein Rachedurst ließ nicht nach. Ein weiteres Bild entstand vor seinem inneren Auge – die Frauen, die beim bloßen Anblick dieser Monstrosität geschleudert haben mußten, der Monstrosität, die jetzt um die Gnade flehte, die sie niemals jemandem gezeigt hatte. Er dachte an Eleanore ...

Seine Gedanken verhärteten sich in stählerne Entschlossenheit. »Versprechungen«, höhnte er laut, und sein Lachen widerhallte in dem uralten Talkessel im Inneren des lange erkalteten Mondes.

Und verging ...

Ein blitzartiges Aufleuchten von Gelb-Rot-Blau-Grün kam aus dem Gebüsch hundert Meter zur Rechten. Noch einen Moment zuvor hatte Pendrake die Rückkehr des mächtigen Räubers herbeigewünscht. Doch jetzt ... Abscheu entstand leicht aus einem Übermaß an Gefühlen. »Ich muß verrückt geworden sein«, dachte er entgeistert. »Ein einzelner Mensch kann nicht über einen anderen zu Gericht sitzen und sein Henker sein. Und niemand sollte jemals zu solch einem Tod verurteilt werden. Darüberhinaus wäre es in Wirklichkeit doch keine gerechte Strafe, in Anbetracht seiner Wesensart und Veranlagung.«

Er trat mit dem Fuß nach dem Seil. Es fiel schnurgerade in die Tiefe. »Schnell!« rief er. »Wir können uns weiter unterhalten, wenn du außerhalb der Reichweite der Bestie bist ...«

Das Seil dehnte sich unter der Last; Pendrake beobachtete den Mann in seinem verzweifelten Kampf ums Leben. Der Tiger schritt mit schlagenden Flanken auf und ab und blickte in offensichtlicher Erregung zu dem Körper hinauf, der über ihm hin- und herpendelte. Seine starrenden Augen leuchteten in gelbem Feuer, und er brüllte in kurzen Abständen wütend auf, als es ihm zunehmend klar wurde, daß ihm hier wertvolle Nahrung zu entkommen trachtete.

Der Tiger lief ein Stück zurück, wandte sich dann erneut der Felswand zu und wurde zu einem verwaschenen Streifen leuchtender Farben vor dem Hintergrund der grau-braunen Wände. Dreißig Meter, vierzig Meter, fünfzig Meter hoch schnellte er sich mit kratzenden Klauen an der lotrechten Wand empor. Und verfehlte sein Ziel.

Das Tier stürzte schweifschlagend hinab. Als es den Talboden berührte, federte es mit der zähen Geschmeidigkeit ab, die Katzen zu eigen ist, wirbelte dann herum und schien einen Moment lang eine bewußte Berechnung in seinem Verstand anzustellen, um seinen Anlauf abzuschätzen. Es raste zur anderen Seite des Talkessels und kam mit ungeheurer Geschwindigkeit zurück. Und wieder schnellte es die steile Wand empor. Diesmal verfehlte es den Mann nur ganz knapp.

Als es zum zweiten Mal hinunterfiel, unternahm es keinen weiteren Versuch mehr. Statt dessen setzte es sich auf seine Hinterkeulen und sah mit glitzernden Augen zu, wie sein Opfer außer Reichweite kletterte.

Pendrake sah von oben auf die schwitzende Gestalt hinunter, die sich keuchend abmühte und hin- und herpendelte. Die Aufgabe erforderte übermenschliche Kraft. Als der Große Trottel drei Meter entfernt war, sagte er laut: »Halt, das ist weit genug!«

Der andere hielt augenblicklich an und blickte flehend herauf. »Pendrake, wirf mich bitte nicht wieder dort hinunter. Wir werden eine Demokratie einführen. Die Frauen werden freigesetzt. Sie können ihre Männer selbst wählen.«

Pendrake entgegete hart: »Wirf mir dein Messer herauf.«

Einen Moment später kurvte das Messer durch die Luft und landete vier Meter hinter ihm auf dem Metallboden.

»Jetzt klettere etwa zehn Meter weit hinab«, befahl Pendrake. »Ich brauche soviel Zeit, um das Messer zu holen.«

Der Große Trottel glitt unverzüglich gleich volle fünfzehn Meter hinab. »Ich habe es versprochen, Pendrake; ich bin jetzt auf deiner Seite.«

Pendrake bemächtigte sich des Messers und kehrte zur Felskante zurück. Er brauchte lange Minuten, um die Klinge mit seinen gebundenen Händen so zu manipulieren, daß er damit die Fesseln um seine Handgelenke durchschneiden konnte. Doch als die Arbeit getan war, fühlte er sich besser und zuversichtlicher, und zum ersten Mal kam der Gedanke, daß die Dinge vielleicht doch noch einen guten Ausgang nehmen würden.

Er wartete wertvolle Minuten, um die Zirkulation in seinen Händen und Fingern wiederherzustellen; und dann ...

»Komm jetzt herauf!« befahl er dem Neandertaler.

Der Große Trottel kletterte Hand über Hand bis wenige Zentimeter unterhalb der Felskante herauf. »Halt!« kommandierte Pendrake.

Der andere verharrte unruhig. »Was hast du vor?« keuchte er.

Pendrake sagte: »Wickle das Seil so um deinen Leib, daß es dich trägt, ohne daß du die Hände benützen mußt.«

Eilfertig kam der Große Trottel der Aufforderung nach und schlang und knotete das Seil um sich, bis er wie in einem Sitz saß.

»Jetzt halte deine Arme hoch. Ich werde dir die Hände binden«, sagte Pendrake.

Als das getan war, meinte Pendrake langsam: »In Ordnung, Großer Trottel. Ich werde dir jetzt die Entscheidungsfrage stellen: Was ist mit meiner Frau geschehen?«

Der Affenmensch keuchte schwer. »Sie ist wohlauf und in bester Verfassung, Freund«, murmelte er. »Devlin hat sie damals an jenem Tag, als er mit seinen Männern angriff, aus meiner Bude herausgeholt. Man sagt, daß ein Kerl ihr den Hof macht, aber sie wartet anscheinend noch immer auf dich. Sie hat gesagt, daß nichts auf der Welt einen Burschen wie Jim Pendrake umbringen könnte.«

Ein warmer Schein breitete sich in Pendrakes Innern aus. »Echt Eleanore«, dachte er. Laut sagte er: »Großer Trottel, ich werde dich jetzt heraufziehen und dann zur Siedlung bringen.«

»Du wirst mich doch nicht den Kerlen dort so gefesselt ausliefern?« Der Neandertaler starrte ihn erschrocken an.

»Ich werde dich niemandem ausliefern«, entgegnete Pendrake geduldig. »Wir werden deine Stockade niederreißen und dir einen Platz in der Gemeinschaft geben. Große, zähe Muskelprotze wie du sind schon oft die besten Bürger geworden.«

Als er den Mann über die Felskante in Sicherheit zog, dachte er unwillkürlich, daß der Mensch überall in der Welt doch noch im Ringen mit seinem primitiven Erbgut begriffen war. Irgendwie war es im riesigen Maßstab der internationalen Koexistenz und in der Arena der nationalen Kräfte fast unmöglich, die wilde Bestie im Menschen zu bändigen. Doch hier, in der engbegrenzten Welt einer kleinen Volksgruppe, ließ es sich vielleicht bewerkstelligen — wenn der Weg zur Erde offengehalten wurde und wenn jemand im geheimen mit der Erde in Verbindung blieb, beispielsweise über Anrellas Gruppe.

Es gab viele Wenn. Und weil er zum einen von Zweifeln erfüllt war, die aus dem Wissen entstanden, daß der Mensch nirgendwo sonst diese Probleme erfolgreich gelöst hatte, und weil er zum anderen hier auf dem Mond keinen ebensolchen Fehlschlag haben wollte, blieb Pendrake mit seinen Gefangenen in der Kaverne mit dem konzentrierten blauen Licht und dem durchsichtigen Würfel stehen, in dem das Mondvolk den ihm verbliebenen Teil seines eigenartigen Lebens verbrachte.

Stumm sprach er in das Zentrums des Feuerballs. »Tue ich das Richtige?«

Er seufzte vor Enttäuschung, als die Antwort in sein Gehirn kam: »Freund, das Universum der Illusionen, zu dem du dich bekannt hast, hat nichts Richtiges.«

Pendrake versuchte es noch einmal: »Aber es muß doch eine relative Abstufung der Richtigkeit geben. Verhalte ich mich innerhalb des begrenzten Rahmens, in dem ich mich bewege, klug und sinnvoll?«

»Das materielle Universum«, lautete die Erwiderung, »ist ein momentaner Versuch einer Differenzierung. Doch die grundlegende Wahrheit ist, daß es keine Differenzierung gibt. Jedes ist jedem gleich.«

Das kam für Pendrake wie ein Schock. Er sagte in grenzenloser Überraschung: »Sind *alle* Unterschiede nur Illusionen?«

»Alle.«

»Es gibt nur Gleichheit, Verschmelzung, Einssein?«

»Immerdar.«

Pendrake schluckte schwer. »Doch was *ist* dann die Vielheit, die wir wahrnehmen?«

»Illusorische schwache und starke Energiesignale.«

»Wem signalisieren sie?«

»Sich gegenseitig.«

Einen Moment lang fühlte Pendrake Leere in sich, doch er war noch immer nicht befriedigt. Trotzdem klang sein Ton bitter, als er fragte: »Wenn alles dies stimmt, warum habt ihr diese Form, die ihr jetzt habt, angenommen und weiterexistiert?«

»Die Antwort darauf ist das Geheimnis, zu dessen Erkenntnis sich die Menschen erst mühevoll durch ihre langsame und schmerzvolle Entwicklung hindurchkämpfen müssen. Doch ist auch dies nur ein Übergangsstadium — das Resultat unserer eigenen Abkehr von der ewigen Wahrheit. Lange bevor wir dorthin zurückkehren können, werden wir euch aufnehmen, zum ... Einssein.«

»Ich werde dann nicht mehr sein«, entgegnete Pendrake grimmig. »Ein Menschenleben ist nur kurz, ganz gleich, wie sehr der Mensch nach Unsterblichkeit lechzt.«

»Kein Signal geht jemals verloren«, kam die ruhige Entgegnung, »denn alle Signale sind eins. Du wirst dabei sein, Freund.«

Pendrake wußte darauf keine Erwiderung mehr, und es war offenbar, daß diese meta-sokratischen Analysen keine Erleuchtung für ihn enthielten. »Lebt wohl«, war alles, was er sagte.

Schweigen antwortete ihm.

Noch innerhalb einer Stunde ließ Eleanores zärtlicher Kuß alles, was das Mondvolk gesagt hatte, für Pendrake bedeutungslos werden. Denn sie ruhte in *seinen* Armen und nicht in denen jemandes anderen; *er* war es, dem sie ihre leidenschaftliche Liebe — signalisierte ...

Und die anderen Entwicklungen in der Mondsiedlung waren ebenfalls höchstgradig individuelle und differenziert.

Es kam nicht besonders überraschend für Pendrake, angesichts dessen, was der Große Trottel ihm einst gesagt hatte, daß sich eine der bisherigen Frauen des Urmenschen tatsächlich dafür entchied, ihn zu heiraten. Der Neandertaler, der darüber vor Einbildung schier platzen wollte, schien sich seinerseits damit abgefunden zu haben, ein gewöhnlicher Mitbürger zu werden. Dies trat besonders in Erscheinung, nachdem die Stockade dem Erdboden gleichgemacht worden war. Als Zeichen seines guten Willens enthüllte er die Verstecke, in denen er die Munition und andere wertvolle Materialien verborgengehalten hatte.

Aus Handlungen wie dieser ließ sich schließen, daß die Mondsiedlung einer friedvolleren, sinnvolleren Zukunft entgegensah.

Wei Pendrake es Eleanore erklärte: »Es kann sein, daß wir nicht so schnell herausfinden werden, was das Leben wirklich ist. Vielleicht werden wir niemals selbst erfahren, was das Mordvolk glaubt, entdeckt zu haben. Doch wenn wir hier soweit sind, daß wir ordentliche Gesetze und eine Polizei haben, die für Ordnung sorgt, werden wir Zeit haben, jene Supermaschinen in Gang zu setzen, ohne befürchten zu müssen, daß jemand sie gegen uns verwendet. Dafür werden die Lambton-Leute unsere besten Verbündeten sein. Danach ... nun, dann werden wir tun, was vernünftig ist.«

Eleanore fragte mit einem Schauder: »Und was ist mit jener schrecklichen Bestie im Abgrund?«

Pendrake grinste. »Sie ist ein Symbol. Ich glaube, ich weiß haargenau, was wir mit dem Säbelzahn machen werden. Du wirst schon sehen.«

18

Der Winter haftete zäh. Der Schnee schien entschlossen, das Land nie wieder freigeben zu wollen. Als er jedoch endlich widerstrebend taute, wurde das neue, schimmernde, völlig aus Kunststoffen gefertigte Interplanetarische Gebäude mit einer triumphalen Fanfare eröffnet, und Hoskins stand vor seiner großen Amtsernennung: Sonderbeauftragter ... Vorsitzender ...

»Es ist absolut ungerecht«, sagte er zu Cree Lipton, dem FBI-Agenten, »daß ich diese Position bekomme. Sie gebührt mindestens einem Dutzend anderer Männer, die das Fundament gelegt und namenlos im verborgenen gekämpft haben. Um ehrlich zu sein, ich habe erst angenommen, als ich hörte, daß Gouverneur Cartwright, der in den letzten Wahlen eine Niederlage erlitten hat, hinter der Position her war, sozusagen als eine Art Pension für treue Dienstleistungen für die Partei.«

»Ich würde mir darüber nicht den Kopf zerbrechen«, sagte Lipton. »Du kannst diesen Leuten mehr helfen, als sie sich jemals selbst helfen könnten. Nebenbei, hast du die Verkündigung über die Venus gesehen? Anerkennung der dortigen Lambton-Kolonie als Mandat der Vereinten Nationen, wobei der venusischen Staatsbürgerschaft bereits der Status der Vollberechtigung gegeben wird. Professor Grayson und die anderen Wissenschaftler und ihre Familien sind nicht umsonst gestorben.«

Hoskins nickte. »Es ist ein großer Sieg.«

Er wurde unterbrochen: »Hör mal, Ned, weswegen ich überhaupt hierhergekommen bin ... Setze deinen Hut auf und komm mit mir. Wir ...«

Hoskins schüttelte lächelnd den Kopf. »Unmöglich, Alter. Die Berichte von unserer erfolgreichen Mondexpedition treffen gerade jetzt wie eine wahre Sturzflut ein. Da ist eine sehr merkwürdige Meldung ...«

Er nahm eine Akte aus einer Schublade und blätterte mehrere

Seiten um. »Die Ragnarök-Gefangenen behaupten«, las er vor, »daß ihre Gefangennahme deshalb mühelos gewesen sei, weil ihre militärischen Streitkräfte seit Monaten damit beschäftigt gewesen waren, zusammengestürzte Tunnelgänge auszugraben und in die Tiefe des Mondes einzudringen, auf der Suche nach einigen Lebewesen, die im Innern des Mondes hausen sollen. Sie behaupten, daß diese Wesen menschlich seien. Unsere Nachforschungen zeigten uns lediglich Höhlen, die früher oder später blind endeten ...«

Er bemerkte, daß Lipton auf die Uhr sah. Der FBI-Agent entschuldigte sich. »Es tut mir leid, dich zu unterbrechen, aber die Stunde Null steht kurz bevor, und wir haben gerade noch Zeit, nach New York zu fliegen, um beim Kesseltreiben dabei zu sein.«

Hoskins sprang auf die Füße und griff eilig nach Hut und Mantel. »Los, worauf warten wir noch?«

*

Als der Tumult des Angriffs begann, blickte der unterste Mann scharf zum Oberhaupt.

»Exzellenz ...«, begann er.

Er stockte, als er sah, daß der ausgemergelte Mann noch immer reglos mit dem Telefonhörer in der Hand saß und vor sich hinstarrte. Birdman beobachtete mit einem verkrampften Gefühl in der Brust, wie der Hörer den Fingern des anderen entfiel, beobachtete den Mann, der mit einem Gesicht wie eine dunkle, leblose Maske starr an seinem Schreibtisch saß.

Birdman versuchte es erneut: »Exzellenz, unmittelbar bevor die Telefonlämpchen zu flackern begannen, sagten Sie, daß wir nun, nachdem unsere Stützpunkte auf dem Mond und fast alle unsere Maschinen an den Gegner verlorengegangen sind, die uns verbliebenen als Kern für Plünderzüge auf den interplanetarischen Verkehrslinien einsetzen werden, die gerade eröffnet werden. Sie sagten, daß wir die Piraten des einundzwanzigsten Jahrhunderts werden würden. Wir ...«

Er brach ab, vor Grauen zur Bildsäule erstarrt. Die langen, knochigen Finger des Oberhauptes tasteten in einer Schreibtischschublage. Sie zogen eine Mauser-Automatik hervor.

Als Lipton, Hoskins und ein Dutzend anderer Männer in den Raum barsten, war der untersetzte Mann auf den Füßen und starrte den hageren Mann am Schreibtisch an, der gerade eine Pistole an die Stirn setzte.

»Exzellenz«, schrie Birdman wild, »Sie haben gelogen. Sie haben ja doch auch Angst!«

Die Pistole peitschte scharf und kurz, und der dürre Mann glitt zu Boden. Gefühllos und taub vor Entsetzen stand Birdman über ihm; er war der Anwesenheit der Eindringlinge nur unbewußt gewahr.

Als er abgeführt wurde, rollte in ihm Welle um Welle bitterster Enttäuschung.

EPILOG

Es war ein herrlicher Frühlingsmorgen, fünf Jahre später. Len Christopher, seines Zeichens Tierpflegeranwärter im Zoologischen Garten von New York, ging langsamen Schrittes die Reihe der Käfige mit den Großkatzen entlang. Plötzlich stockte er und starrte auf das riesenhafte Metallstangengebilde, das in den Strahlen der aufgehenden Sonne fremdartig glänzte.

»Komisch«, murmelte er, »ich könnte schwören, daß das gestern abend noch nicht hier war. Möchte wissen, wann es eingetroffen ...«

Er brach ab. Seine Haare standen ruckartig zu Berge, und sein Kinn fiel ebenso automatisch auf seine Brust. Einen hilflosen Moment lang stand er versteinert, aus weit aufgerissenen Augen entgeitert auf das blau-grün-gelb-rote Alptraumwesen starrend, das hinter den zehn Zentimeter dicken Metallstangen groß wie ein Pferd und dräuend wie die Hölle aufragte. Und dann ...

Dann rannte er schreiend und rufend davon, zum Büro des Zoodirektors.

*

Das übliche Leben auf der Welt ging weiter, doch der Anfang war gemacht. In einem kleinen, begrenzten Gebiet war – die Bestie – eingesperrt.

ENDE

Beachten Sie bitte die Voranzeige auf der nächsten Seite ▶

Im nächsten »TERRA-SCIENCE FICTION« Taschenbuch erscheint:

RAUMSCHIFF ORION
DIE HÜTER DES GESETZES

von HANS KNEIFEL

Der dritte Teil beginnt damit, daß Commander Cliff McLane wieder einen Einsatz fliegen muß, um den ihn niemand beneidet; eine Arbeit für Raumkadetten. Die Lage wird interessanter, als er erfährt, daß der Erzsatellit Pallas Ort rätselhafter Vorgänge ist.

Die ORION schleust eine LANCET aus, und Helga (Legrelle, die Funkerin) und Atan (Shubashi, der Astrogator) wechseln die Magnetbänder von Meßsatelliten aus. Zur gleichen Zeit startet das Schiff zur Pallas. Dort haben sich Robots selbständig gemacht und bringen die Crew, zusammen mit der Besatzung des Bergwerks – des kosmischen Bergwerks – in tödliche Gefahren.

Helga und Atan warten und spüren, wie ihre Energie schwindet . . .

Alle Romane zur großen Fernsehserie RAUMSCHIFF ORION erscheinen als Taschenbuch in der Reihe »TERRA-SCIENCE FICTION«.

TERRA-TASCHENBUCH Nr. 138 (ORION Nr. 3) erhalten Sie in Kürze im Buch- und Bahnhofsbuchhandel und im Zeitschriftenhandel. Preis DM 2,40.

Verzeichnis der Moewig-Taschenbücher

Terra Science Fiction

100 Hans Kneifel
Der Traum der Maschine
101 E. F. Russel
Die große Explosion
102 J. Brunner
Die Wächter der Sternstation
103 Poul Anderson
Die Zeit und die Sterne
104 A. E. van Vogt
200 Mill. Jahre später . . .
105 A. Norton
Das große Abenteuer der Mutanten
106 Richard Matheson
Der dritte Planet
107 James White
Gefängnis im All
108 H. Harrison
Die Pest kam von den Sternen
109 Isaac Asimov
Unendlichkeit × 5
110 Kenneth Bulmer
Im Reich der Dämonen
111 Keith Laumer
Im Banne der Zeitmaschine
112 Robert Silverberg
Menschen für den Mars
113 Clifford D. Simak
Planet zu verkaufen
114 R. A. Heinlein
Das Ultimatum von den Sternen
115 Keith Laumer
Diplomat der Galaxis
116 Poul Anderson
Freibeuter im Weltraum
117 Hans Kneifel
Lichter des Grauens
118 W. R. Burkett jr.
Die schlafende Welt
119 M. Clifton und Fr. Riley
Computer der Unsterblichkeit
120 Brian W. Aldiss
Das Ende aller Tage
121 E. A. van Vogt und E. Mayne Hull
Im Reich der Vogelmenschen
122 James White
Gefangene des Meeres
123 Cl. Darlton und R. Artner
Der strahlende Tod
124 Poul Anderson
Die unsichtbare Sonne
125 Fr. Pohl und J. Williamson
Der Sternengott
126 Poul Anderson
Dom. Flandry, Spion im All
127 Clark Darlton
Hades – die Welt der Verdammten
128 Keith Laumer
Krieg auf dem Mond
129 H. G. Ewers
Wächter der Venus
130 Raymond F. Jones
Der Mann zweier Welten
131 Daniel F. Galouye
Basis Alpha
132 Hans Kneifel
Die Männer der Raumstation
133 Clifford D. Simak
Geschäfte mit der Ewigkeit
134 Hans Kneifel
RAUMSCHIFF ORION (1)
Angriff aus dem All
135 Kurt Mahr
Die Diktatorin der Welt
136 Hans Kneifel
RAUMSCHIFF ORION (2)
Planet außer Kurs

Perry Rhodan

1 Clark Darlton
Planet der Mock
2 Kurt Mahr
Der große Denker von Gol
3 Kurt Brand
Schatzkammer der Sterne
4 Clark Darlton
Sturz in die Ewigkeit
5 H. G. Ewers
Die geheimnisvolle Expedition
6 Kurt Mahr
Die Tochter des Roboters
7 H. G. Ewers
Die Zeitspringer
8 Hans Kneifel
Am Rand des blauen Nebels
9 William Voltz
Invasion der Puppen